新・医用放射線科学講座

医療画像情報工学

第2版

編集
寺本篤司
藤田広志

執筆者一覧

■ 編集

寺本　篤司	名城大学教授　情報工学部情報工学科
藤田　広志	岐阜大学特任教授 / 名誉教授　工学部

■ 執筆者

有村　秀孝	九州大学大学院教授　医学研究院保健学部門医用量子線科学分野
石田　隆行	大阪大学大学院教授　医学系研究科保健学専攻　医用物理工学講座画像科学技術研究室
井手口忠光	九州大学大学院准教授　医学研究院保健学部門医用量子線科学分野
上杉　正人	北海道情報大学教授　医療情報学部医療情報学科
内山　良一	宮崎大学教授　工学教育研究部
大倉　保彦	広島国際大学教授　保健医療学部診療放射線学科
小笠原克彦	北海道大学大学院教授　保健科学研究院健康科学分野
小倉　敏裕	群馬県立県民健康科学大学大学院教授　診療放射線学研究科診療放射線学専攻
小田　紋弘	京都医療科学大学名誉教授
笠井　聡	新潟医療福祉大学教授　医療技術学部診療放射線学科
川嶋　広貴	金沢大学助教　医薬保健研究域保健学系　量子医療技術学講座
國友　博史	藤田医科大学准教授　医療科学部診断機器工学分野
黒川　愛里	EIZO 株式会社　映像商品開発部ヘルスケア商品開発課
桑原　孝夫	富士フイルム株式会社　メディカルシステム開発センター
小寺　吉衞	名古屋大学名誉教授
近藤　世範	新潟大学大学院教授　保健学研究科放射線技術科学分野
篠原　範充	岐阜医療科学大学教授　保健科学部放射線技術学科
下瀬川正幸	群馬県立県民健康科学大学大学院教授　診療放射線学研究科診療放射線学専攻
砂口　尚輝	名古屋大学大学院准教授　医学系研究科　医療技術学専攻
高橋　規之	福島県立医科大学教授　保健科学部診療放射線科学科
谷　祐児	旭川医科大学病院准教授　経営企画部医療情報部門
田畑　慶人	京都医療科学大学准教授　医療科学部放射線技術学科
寺本　篤司	名城大学教授　情報工学部情報工学科
林　則夫	群馬県立県民健康科学大学大学院教授　診療放射線学研究科診療放射線学専攻
原　武史	岐阜大学教授　工学部電気電子・情報工学科
広藤　喜章	福島県立医科大学講師　保健科学部診療放射線科学科
藤田　広志	岐阜大学特任教授 / 名誉教授　工学部
松尾　悟	京都医療科学大学教授　医療科学部放射線技術学科
村松千左子	滋賀大学教授　データサイエンス学部
森　健策	名古屋大学大学院教授　情報学研究科知的システム学専攻
山本めぐみ	広島国際大学講師　保健医療学部診療放射線学科

This book is originally published in Japanese
under the title of：
SHIN-IYOUHOUSHASENKAGAKUKOUZA IRYOUGAZOUJOUHOUKOUGAKU
(Medical Image Information Engineering)

© 2018 1st ed., 2023 2nd ed.
ISHIYAKU PUBLISHERS, INC.
7-10, Honkomagome 1 chome, Bunkyo-ku,Tokyo 113-8612, Japan

第2版の序

　本書のルーツは1997年に発刊された医用放射線科学講座：第14巻「医用画像工学」となる．2018年には，3度目のAIブームにより大きく世の中が変わろうとしている中，AIや画像情報処理に関する内容を強化し，書名を「医用画像情報工学」と改めた．本書はこれらの流れを受けて，時代に即した実践的な内容にアップデートして上梓する運びとなった．

　現在の医療現場では医師の働き方改革が進められており，その一環として医療従事者のタスクシフト・タスクシェアが推進されている．診療放射線技師においても新たにいくつかの担当業務が追加され，その養成に関する指定規則も改められた．指定規則内に定められた教育内容のうち，本書が対象としている分野名「医用画像情報学」は「医療画像情報学」となり，より実践的な知識の修得が求められるようになった．そこで本書の書名についても，その流れを汲みつつ，画像に関わる工学のエッセンスは大切にしたいという気持ちも込めて「医療画像情報工学」と改めることにした．

　医療現場はすでにデジタル化が完了している．今回の改訂においては，アナログ写真時代に築かれた理論に基づき，現在のデジタル画像を対象とした，より実践的な内容に重点を置いて構成することとした．また，医療現場ではすでに人工知能（AI）を応用した画像再構成やAIに基づくコンピュータ支援診断技術（CAD）が活用されつつある．そこで，AIやCADに関する基礎的事項や応用事例を数多く取り上げ，医療画像処理に関する研究にも活用できるようにした．

　また，読者の多数を占めると思われる診療放射線技術学分野の学生のために，診療放射線技師国家試験への学習の一助ともなるよう，また，学習の理解度を確認できるようにと，巻末に演習問題を配置するように考慮した．

　今後とも皆様からの貴重なご指導・ご意見をいただき，時代に即したさらに完成度の高い書籍として育てていくことができれば幸いです．

　最後に，本書を発刊するにあたり，原稿をご執筆いただきました共同著者諸兄にお礼を申し上げるとともに，医歯薬出版社の稲尾氏はじめ関係各位の方々に感謝申し上げます．

2023年10月

寺本篤司
藤田広志

序

　本書の原点は、ちょうど20年前に初版が刊行された医用放射線科学講座：第14巻「医用画像工学」（1997年10月発刊以来2版12刷）に遡る．当時，すでに診療放射線技師育成の4年生大学が誕生し，その講義に活用されるべく，この分野では最初の本格的な教科書として定評があり，国家試験問題にも本書の中から多くの内容が使われていたと聞く．その後，平面検出器（FPD），液晶モニターの普及とそれによる読影，医療情報学の発展にも対処すべく大幅に改訂され，装いも新たに新 医用放射線科学講座「医用画像工学」（2010年7月発刊）が誕生している．そしていままた，「医用画像情報工学」と名称も新たに生まれ変わり上梓したのが本書である．

　いま巷では，人工知能（AI）ブームに沸き，このブームは三度目と言われている．画像認識，音声認識，自動運転などへの応用が進んでおり，ディープ（深い）な人工ニューラルネットワーク（ディープラーニングと呼ばれる）技術がAIを牽引している．すでに将棋や囲碁などのゲームの世界では，人類の総知能をAIが上回る技術的特異点（シンギュラリティ）に達しており，医療の世界においてもその進出は目を見張るものがある．このような時代背景の中で誕生した本書では，AIやディープラーニング技術のわかりやすい解説にも触れ，また，3Dプリンター技術にも言及している．

　読者の多数を占めると思われる診療放射線技術学分野の学生のために，診療放射線技師国家試験への学習の一助ともなるよう，また，学習の理解度を確認できるようにと，巻末に演習問題を配置するように考慮した．さらに，より詳しい内容を学習したい読者のために，医歯薬出版社のウェッブページから，付録として参照できるように工夫が凝らされている．

　今後とも皆様からの貴重なご指導・ご意見をいただき，時代に即したさらに完成度の高い「医用画像情報工学」書として育てていければ幸いです．

　最後に，本書を発刊するにあたり，短期間に原稿をご執筆いただきました共同著者諸兄にお礼を申し上げるとともに，医歯薬出版の遠山氏はじめ関係各位に感謝申し上げます．

2018年2月

藤田広志
寺本篤司
岡部哲夫

目次

第2版の序　寺本篤司・藤田広志
序　藤田広志・寺本篤司・岡部哲夫

第1編　画像形成論

第1章　医療画像の特徴と医療画像形成
寺本篤司 …… 2

1　医療画像の特徴 …… 2
2　医療画像の形成 …… 2

第2章　画像のデジタル化
藤田広志 …… 4

1　アナログ信号とデジタル信号 …… 4
2　アナログ信号のデジタル化 …… 4
　1）標本化 …… 4
　2）量子化 …… 5
　3）デジタル化と画質 …… 6
　4）デジタル化パラメータ …… 9
　5）3次元画像 …… 9
3　標本化間隔とエリアシング …… 10
　1）標本化間隔 …… 10
　2）エリアシング …… 10

第3章　フーリエ変換と畳み込み積分
内山良一 …… 12

1　フーリエ級数展開 …… 12
2　フーリエ変換 …… 14
3　フーリエ変換の性質 …… 15
　1）線形性 …… 15
　2）対称性 …… 15
　3）平行移動 …… 15
　4）パーシバルの定理 …… 15
4　フーリエ変換の例 …… 16
　1）矩形波 …… 16
　2）デルタ関数 …… 16
　3）デルタ関数列 …… 17
5　画像のフーリエ変換 …… 17
6　畳み込み積分 …… 18
　1）1次元信号の畳み込み積分 …… 18
　2）2次元信号の畳み込み積分 …… 19

第4章　医療画像形成理論 …… 20

1　X線像の形成（砂口尚輝） …… 20
　1）X線の発生とその空間分布 …… 20
　2）X線スペクトルと画像 …… 22
　3）X線の減弱 …… 22
　4）画像の検出・表示 …… 24
2　X線像のデジタル撮像（桑原孝夫） …… 24
　1）デジタル撮像 …… 24
　2）CR装置による撮像 …… 25
　3）FPD装置による撮像 …… 26
3　乳房X線撮像装置の画像形成理論（篠原範充） …… 30
　1）マンモグラフィ装置 …… 30
　2）トモシンセシス装置 …… 33
4　X線CT装置の画像形成理論（寺本篤司） …… 34
　1）機器構成 …… 34
　2）投影データの収集 …… 34
　3）投影データと断面の関係 …… 35
　4）画像再構成処理 …… 36
　5）3次元データ収集のための工夫 …… 37
　6）CT値とCT画像の表示 …… 37

第2編　画像評価論

第1章　画質に影響する因子
藤田広志 …… 40

1　画質の3因子 …… 40
2　コントラスト …… 40
3　解像特性 …… 40
4　ノイズ特性 …… 40

5　物理評価と視覚評価 …………………………… 41

第2章　入出力特性
松尾　悟　　42

1　特性曲線 ……………………………………… 42
　1）アナログ系の特性曲線 ……………………… 42
　2）デジタル系の特性曲線 ……………………… 43
2　実際の測定方法 ……………………………… 44
　1）距離法 ………………………………………… 44
　2）ブーツストラップ法 ………………………… 45
　3）タイムスケール法 …………………………… 45

第3章　解像特性
井手口忠光　　47

1　解像特性と画質 ……………………………… 47
　1）解像力 ………………………………………… 47
2　広がり関数 …………………………………… 48
　1）点広がり関数 ………………………………… 48
　2）線広がり関数 ………………………………… 48
　3）エッジ広がり関数 …………………………… 49
3　MTF …………………………………………… 49
　1）レスポンス関数 ……………………………… 49
　2）空間周波数 …………………………………… 50
　3）MTFの定義 ………………………………… 51
4　MTF測定法 ………………………………… 51
　1）スリット法 …………………………………… 51
　2）デジタル画像システムのMTF …………… 52

第4章　ノイズ特性
國友博史　　57

1　はじめに ……………………………………… 57
2　X線量子のゆらぎ …………………………… 57
3　粒状の構造 …………………………………… 58
4　ノイズ特性の評価方法 ……………………… 59
　1）RMS粒状度 ………………………………… 59
　2）自己相関関数 ………………………………… 59
　3）ウィナースペクトル ………………………… 59

　4）離散データによるデジタルWS …………… 60
　5）デジタルWSの測定方法 …………………… 61
　6）解像度特性とデジタルWSとの関係 ……… 64

第5章　信号検出理論
小寺吉衞・砂口尚輝　　65

1　統計的決定理論 ……………………………… 65
　1）刺激 - 反応行列 ……………………………… 66
　2）ベイズの決定則 ……………………………… 67
2　ROC曲線 …………………………………… 68
　1）yes-no手続き ……………………………… 69
　2）評定手続き …………………………………… 69
　3）連続確信度法 ………………………………… 70
　4）強制選択手続き ……………………………… 70
3　C-Dダイアグラム ………………………… 73
4　DQEとNEQ ……………………………… 74
　1）DQE—入力と出力のゆらぎの比 ………… 74
　2）DQEとSN比 ……………………………… 75
　3）NEQ—雑音に等価な量子数 ……………… 76
　4）空間周波数特性としてのDQE，NEQ …… 76

第6章　さまざまな医療画像
　　77

1　マンモグラフィ画像の画像評価（篠原範充）… 77
　1）ACR推奨ファントムとステップファントムを用いた
　　視覚評価 ……………………………………… 77
　2）マンモグラフィのためのC-Dダイアグラム … 77
　3）デジタルマンモグラフィの品質管理のための画像評
　　価 ……………………………………………… 78
　4）デジタルブレストトモシンセシス用ファントム … 79
2　CT画像の画質評価（川嶋広貴）…………… 80
　1）CT値の精度 ………………………………… 80
　2）ノイズ特性 …………………………………… 80
　3）面内の空間分解能 …………………………… 81
　4）体軸方向の空間分解能 ……………………… 82
　5）低コントラスト検出能 ……………………… 82
　6）非線形画像の画質評価 ……………………… 83

第3編 画像処理論

第1章 画像処理の基礎 ……… 86

1 画像情報の可視化（山本めぐみ・大倉保彦）…… 86
　1）ヒストグラム ……………………………… 86
　2）プロファイル ……………………………… 87
2 階調処理 …………………………………… 88
　1）濃度ウインドウ処理 ……………………… 88
　2）ヒストグラム平坦化 ……………………… 89
3 X線像の空間フィルタ処理 ………………… 90
　1）画像の平滑化 ……………………………… 90
　2）画像の鮮鋭化 ……………………………… 92
4 エッジ検出 ………………………………… 93
　1）1次微分フィルタ ………………………… 93
　2）2次微分フィルタ ………………………… 94
5 空間周波数フィルタ処理（石田隆行）……… 95
　1）畳み込み積分とフーリエ変換 …………… 95
　2）空間周波数フィルタ処理 ………………… 95
6 画像の2値化 ……………………………… 96
7 ラベリング ………………………………… 96
8 モルフォロジカルフィルタ ………………… 96
　1）膨張と収縮 ………………………………… 96
　2）オープニングとクロージング …………… 97
9 画像の拡大・縮小 ………………………… 97
　1）座標変換 …………………………………… 97
　2）濃度補間 …………………………………… 97
10 画像間演算 ………………………………… 99
　1）四則処理 …………………………………… 99

第2章 情報理論と画像圧縮
寺本篤司 ……… 101

1 情報理論の概要 …………………………… 101
2 情報の定量化 ……………………………… 101
　1）情報量の定義 ……………………………… 101
　2）画像データの情報量 ……………………… 101
　3）平均情報量（エントロピー）……………… 102
3 情報の符号化 ……………………………… 102
4 可逆圧縮と非可逆圧縮 …………………… 102
　1）可逆圧縮のアルゴリズム ………………… 103
　2）離散コサイン変換を用いた画像圧縮 …… 103
　3）ウェーブレット変換を用いた画像圧縮 … 104

第3章 3次元画像の可視化 ……… 108

1 医学領域における3次元画像とその可視化方法（小田敍弘・田畑慶人）…………………… 108
2 多断面再構成法 …………………………… 109
3 サーフェスレンダリング法 ……………… 109
4 ボリュームレンダリング法 ……………… 110
5 最大値投影法（MIP）……………………… 113
6 加算平均投影法（RaySum）……………… 114
7 仮想内視鏡（小倉敏裕）…………………… 114
　1）仮想大腸内視鏡 …………………………… 114
　2）仮想血管内視鏡ほか ……………………… 117
8 3Dプリンティング技術の医療応用（森 健策）
　 ……………………………………………… 118
　1）3Dプリンティングとは ………………… 118
　2）3Dプリンタによる臓器モデル造形の流れ … 119
　3）3Dプリンティングの医療応用 ………… 119
　4）3Dプリンティングの形式 ……………… 120
　5）3Dプリンティングによる臓器形状表現 … 121
　6）3Dプリンタによる造形物の後処理加工 … 123

第4章 コンピュータ支援診断 ……… 125

1 コンピュータ支援診断（CAD）とは（藤田広志）
　 ……………………………………………… 125
　1）歴史 ………………………………………… 125
　2）目的と利用方法 …………………………… 127
　3）課題 ………………………………………… 130
　4）最終診断は医師 …………………………… 131
2 人工知能とニューラルネットワーク（寺本篤司）
　 ……………………………………………… 131
　1）人工知能・AIの概念 …………………… 131

2）機械学習の概念と代表的な機械学習モデル……… 132
　3）ANN………………………………………… 133
　4）階層型 ANN による予測と学習……………… 135
3　ディープラーニング ………………………… 136
　1）ディープラーニング………………………… 136
　2）CNN ………………………………………… 136
　3）転移学習・ファインチューニング………… 138
　4）データ拡張………………………………… 139
　5）ディープラーニングによる画像処理……… 139
4　医療情報の統合による診断支援（内山良一）… 143
　1）radiomics とは …………………………… 143
　2）オミクス研究と radiomics 研究の統合による新しい診断支援の形
　　 ……………………………………………… 144
　3）radiomics に基づく CAD 研究の動向……… 145
5　CAD の性能評価（下瀬川正幸）……………… 145
　1）病変候補を提示する CAD システムの性能評価 … 145
　2）良・悪性などのクラス分類の結果を提示する CAD システムの性能評価
　　 ……………………………………………… 148
6　CAD 応用事例 ………………………………… 149
　1）胸部 X 線画像を対象とした AI-CAD（笠井　聡）… 149
　2）乳房 X 線画像を対象とした CAD（村松千左子）… 152
　3）X 線 CT 画像を対象とした CAD（近藤世範）… 156
　4）歯科 X 線画像を対象とした CAD（村松千左子）… 161
　5）MRI の CAD（林　則夫）…………………… 163
　6）超音波画像を対象とした CAD（村松千左子）… 165
　7）核医学画像を対象とした CAD（原　武史）… 167
　8）放射線治療への CAD 応用（有村秀孝）…… 171
　9）検査支援のための AI 技術（高橋規之）…… 173

第4編　医療情報論

第1章　医療用モニタ
黒川愛里 …… 178

1　モニタの構造 ………………………………… 178
　1）液晶ディスプレイの構造…………………… 178
　2）液晶パネルの方式と視野角特性…………… 179
2　医療用モニタの特性 ………………………… 179
　1）輝度 ………………………………………… 179
　2）コントラスト比……………………………… 180
　3）輝度・色度均一性…………………………… 180
　4）解像度と画素ピッチ………………………… 180
　5）階調特性…………………………………… 180
3　医療用モニタの校正・品質管理 …………… 182
　1）JESRA における評価……………………… 182
　2）使用機器…………………………………… 183
　3）周囲光の影響……………………………… 184

第2章　医療情報の電子化と標準化
広藤喜章 …… 185

1　医療情報の電子化 …………………………… 185
　1）医療情報とは……………………………… 185
　2）医療情報電子化の背景…………………… 185
　3）医療情報の電子保存……………………… 185
2　医療用コードの標準化 ……………………… 186
　1）厚生労働省標準規格……………………… 186
　2）薬品に関する標準マスター（HOT）……… 186
　3）病名に関する標準マスター（ICD）………… 187
　4）画像検査に関する標準マスター（JJ1017）… 187
　5）MEDIS 標準マスター……………………… 189
3　画像および文字情報の標準規格と統合 …… 189
　1）DICOM …………………………………… 189
　2）HL7 ………………………………………… 192
　3）IHE ………………………………………… 192

第3章　医療情報システム …… 194

1　病院情報システム（HIS）（谷　祐児）……… 194
　1）HIS 導入のメリット………………………… 194
　2）病院情報システムの構成………………… 195
　3）システム更新……………………………… 196
　4）データや通信規格などの標準規格……… 197
2　放射線情報システム（RIS） ………………… 197
　1）RIS の機能………………………………… 197
　2）放射線業務一般における情報の具体的な流れ… 199
　3）規格とプロトコル…………………………… 199

    4）システム更新 …………………………………… 200
3　PACS（上杉正人） ………………………………… 200
    1）PACS 登場の歴史 ……………………………… 200
    2）PACS の構成と機能 …………………………… 201
    3）PACS のメリットとデメリット ……………… 203
4　遠隔医療 …………………………………………… 204
    1）PACS 遠隔医療の背景にある医師不足 ……… 204
    2）遠隔医療の種類 ………………………………… 204
    3）遠隔医療のメリットとデメリット …………… 204
5　検像システム ……………………………………… 205
    1）検像とは ………………………………………… 205
    2）検像システムの機能 …………………………… 205
    3）検像システムのメリットとデメリット ……… 206
6　情報セキュリティと個人情報（谷　祐児・小笠原
    克彦） ……………………………………………… 206
    1）情報セキュリティとは ………………………… 206
    2）医療情報の安全管理（法律，ガイドライン） … 206
    3）電子保存の三原則 ……………………………… 207
    4）リスクへの対策 ………………………………… 207
    5）コンピュータウイルス対策（ウイルス対策ソフト）
       ……………………………………………………… 208
    6）個人情報保護 …………………………………… 208

参考文献 ……………………………………………… 216
索引 …………………………………………………… 221

第5編　演習問題（寺本篤司）

演習問題 ……………………………………………… 210
解答 …………………………………………………… 213

第1編 画像形成論

- 第1章 医療の特徴と医療画像形成
- 第2章 画像のデジタル化
- 第3章 フーリエ変換と畳み込み積分
- 第4章 医療画像形成理論

第1編 画像形成論

第1章 医療画像の特徴と医療画像形成

1 医療画像の特徴

　画像を用いた診断は，現在の医療に欠かせない存在となっている．1895年にレントゲン博士により発見されたX線は，人体を切開することなく内部構造を観察することができ，現在でも広く利用されている．その後，電磁波や超音波などX線を用いない画像診断装置も数多く登場している．

　実際の診断においては，患者1人1人に対して，目的や状態に応じて最適な画像検査法（イメージング）が選択される．このイメージングの種類を**モダリティ**（modality）とよんでいる．複数のモダリティを併用して患者を診断することも多く，それをマルチモダリティとよぶこともある．

　画像診断は，当初は人体内部の臓器や疾患の形態を観察する目的で行われていた．その後，造影剤などの薬剤の開発とコンピュータ技術の進歩などによって，画像から臓器や病巣の機能に関する情報が取り出せるようになり，より踏み込んだ診断や治療が行えるようになった．

　このように，人体の形態・機能に関する豊富な情報が得られる医療画像であるが，ほかの診断方法に比べて表1-1-1のような特徴を有する．本書で取り扱う医療画像情報工学は，これらの特徴を把握し，画像情報を有効に利用するための学問である．

2 医療画像の形成

　医療画像は，X線などの人体と相互作用が生じる信号を利用して収集される．その信号の種類に基づき，図1-1-1のように医療画像を分類することができる．また，いくつかの医療画像の例を図1-1-2に示す．

　本書では，これらのなかから診療放射線技師にかかわりが深いものを取り上げ，その画像形成理論の概要と，画質評価・処理技法について説明している．

　撮像装置に関する詳細については，医用放射線科学講座の「診療画像機器学」にて取り扱われているので，そちらを参照されたい．

表1-1-1 医療画像の特徴

多次元性	人体内部の形態や機能に関する2次元あるいは3次元の多次元データが一度に得られる．
即時性	上記の多次元データが短時間で得られる．多次元データを連続的に収集することで，動画として記録できるモダリティも多い．
定量性	画像に含まれるデータ（画素値）は，人体の形態・機能に関係しており，物理的・医学的に意味のあるものが多い．そして，自然画像のように画像が単に明るい・暗いという相対的な観察ができるだけでなく，再現性が高くなるように画像データは調整され，客観的な評価に耐えうるものになっている．

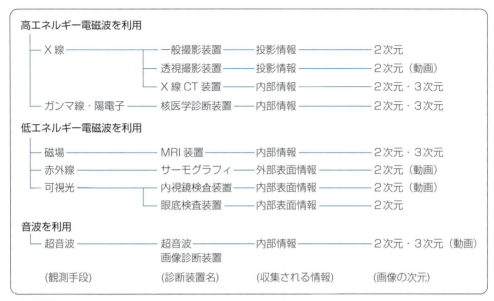

図 1-1-1 医療画像の概要（形成原理と得られる情報）

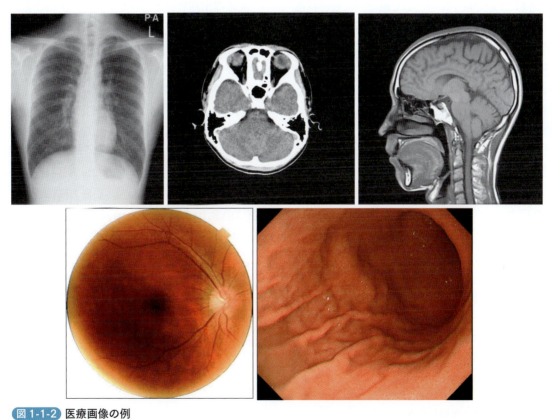

図 1-1-2 医療画像の例
X線一般撮影画像（上段左），X線CT画像（上段中央），MRI画像（上段右），眼底検査画像（下段左），内視鏡検査画像（下段右）

第2章 画像のデジタル化

1 アナログ信号とデジタル信号

　自然界に存在する視覚情報は，実数で連続量として表されるアナログ(analog)情報である．これに対して，コンピュータで取り扱える信号は，整数で飛び飛びの値である離散量で表されるデジタル(digital)情報である．アナログとデジタルの相違は，しばしば時計を例として説明される．すなわち，アナログ時計では，時刻は長針や短針の角度で表現され，その角度は連続的に変化する．一方，デジタル時計では，時刻は数値で表現され，1秒を最小単位として離散的に表される．

　以下で説明するように，コンピュータで画像データを処理できるようにするには，アナログ信号をデジタル信号に変換する必要がある．

2 アナログ信号のデジタル化

　デジタル画像を生成するためのしくみ，すなわち**デジタル化**(digitization)は，**A/D**(analog-to-digital)変換器で行われ，"**標本化**(sampling)"と"**量子化**(quantization)"という2段階の操作で実現される(図1-2-1)．

　標本化(サンプリング)とは，画像におけるアナログ位置(および時間)情報を適当な間隔ごとにとびとびに読み取る操作である．この間隔があまり短いと，データの容量が大きくなり，逆にあまり長いともとの信号の復元が困難になる．一方，量子化とは，アナログ濃度(輝度)情報を適当な間隔ごとにとびとびに処理し，デジタル量に変換することである．これらはそれぞれ空間分解能と濃度分解能という画質特性を決定する．

　一般に，標本化の精度は画像信号の特性から決定され，量子化の精度は画像信号のダイナミックレンジと必要演算精度から決定される．

1 標本化

　X線検出器で検出された2次元アナログ画像(信号)は，位置を示す x と y を変数とする関数である．これを最初に x 軸方向か y 軸方向にまず標本化し，2次元信号を1次元信号に変換する．この次元を落とすための変換は，**走査**(scanning)とよばれる．

　図1-2-2に示すように，一般的に水平方向に走査し，これを垂直方向に一定間隔で上から順に繰り返していく(線走査)．このような走査は，"垂直方向の標本化"である．これに対して，最近の半導体検出器の場合には，少し異なる．すなわち，垂直方向の走査という概念は必要ではなく，データの読み出し(具体的には，電荷の転送という電気的な処理になる)というものに

図1-2-1　デジタル化のしくみ
厳密には量子化のあとの近似値を2進数で表すところを「符号化」(coding)とよぶ．

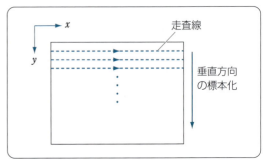

図1-2-2　垂直方向の標本化

第2章　画像のデジタル化

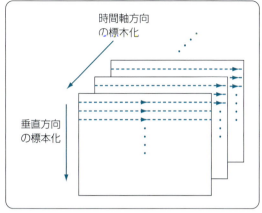

図 1-2-3　動画像における標本化

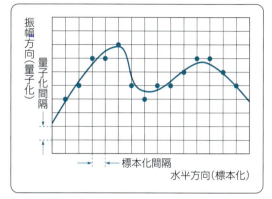

図 1-2-4　各走査線の標本化（水平方向）と量子化（振幅方向）

置き換わる．

"動画像"では，以上に加えてはじめに"時間軸方向の標本化"を行う必要があり，ある時間間隔ごとの連続した複数の静止画像の集合として取り扱う（図1-2-3）．通常のテレビ映像では，毎秒30枚の画像（フレームとよぶ）の集合となる．ここで，1秒間に何枚の静止画像で動画像を構成するかを示す数値を時間解像度とよび，これは時間間隔の逆数に等しい．

次に，各走査線はまだ1次元のアナログ信号なので，A/D変換器によって一定間隔で離散的に読み取る．この間隔を標本化間隔，または**サンプリング間隔**（sampling distance）とよぶ．このような過程は，各走査線内における"水平方向の標本化"である（図1-2-4）．

2　量子化

標本化によって，画像信号は空間的あるいはさらに時間的に離散的に分布した画素に分解されるが，画素の値はまだ連続値のままである．A/D変換器でこの振幅軸方向の連続値をある間隔で有限個の離散値に変換する操作が"量子化"である（図1-2-4）．

このときの出力離散値の間隔を量子化間隔（量子化ステップ）というが，量子化間隔が入力信号の大きさにかかわらず一定であるものを線形量子化，入力信号の大きさに依存するものを非線形量子化とよぶ．後者の例として，デジタルX線画像ではA/D変換器の前にアナログの対数増幅器（log amplifier）を用いて，入力信号強度を対数変換してから量子化する場合が一般的である．この強度の対数変換は，人間の目の特性とよく合うものであり[*1]，画像の低いコントラストの部分を強調する効果がある．よって，対数変換された値はフィルムの写真濃度に比例するものであり，フィルムをデジタル化し線形量子化することと等価である．

このように得られた離散値は整数値であり，ピクセル値（pixel value），グレイレベル（gray level），濃度値などとよばれ，その数は量子化レベル数，グレイレベル数，階調数などとよばれる．後者は濃度分解能を決定する．また，連続値と量子化後の離散値との差を，**量子化誤差**（quantization error）または**量子化雑音**（quantization noise）という．量子化誤差の評価は平均二乗誤差からRMS値として ε_{RMS} で評価され，線形量子化では

[*1] 人間の視覚は輝度の対数（log）に比例する〔ウェーバー・フェヒナー（Weber-Fechner）の法則〕．すなわち，

$$S = k \log\left(\frac{B}{B_0}\right)$$

と表現される．ここで，S は心理的な明るさ，B と B_0 は輝度を表し，B_0 は感覚 S が 0 になるときの輝度のしきい値である．この式の意味は，輝度が何桁にもわたって変化しても，明るさに対する感覚は何倍かにしかならず，すなわち広い範囲の明暗に対して目が正確に動作するということである．

$$\varepsilon_{\mathrm{RMS}} = \frac{1 量子化単位}{\sqrt{12}} \qquad (2-1)$$

となる.

　この誤差をできるだけ少なくするために，一般の画像では128（7ビット）のグレイレベル数であれば，人間の目には不自然さは感じられないといわれている．しかし，高精度が要求されるデジタルX線画像では，通常 1,024（10ビット）～4,096（12ビット）が用いられる．

3 デジタル化と画質

　このような A/D 変換器によるデジタル化によって，図 1-2-5 に示すように水平方向に m 点，垂直方向に n 点の標本点が得られ，マトリックス状の m 行 n 列の整数値の配列としてコンピュータのメモリ内に記憶される.

　標本点の1つ1つは**画素**（ピクセル，pixel）とよばれ，これはデジタル画像を構成している最小単位である．このような画素の集合体であるデジタル画像の大きさを"**マトリックス(matrix)サイズ**"とも表現し，"$m×n$ 画素"のようによぶ[*2]．同じ大きさの画像に対しては，これらの数字が大きいほど単純に画素寸法は小さくなり，空間分解能はよくなる（図 1-2-6）．また，デジタル画像は，一般に図 1-2-5 の左上の座標を原点とする2次元座標系として取り扱われる[*3]．

　マトリックスサイズの画質への効果を，図 1-2-7 に示した．ここでは，サンプルとしての 256×256 の胸部 X 線画像を，8×8 にまで減少させた．画素数の少ない画像ほど，細部の表現ができなくなる．また，チェッカーボード効果（checkerboard effect）とよばれる1つの画素がブロック状に目立つ現象がみられる.

　量子化の誤差の画質への影響を観察するために，胸部 X 線写真を例にとり，図 1-2-8 を作成した．グレイレベル数を，256，128，64，32，16，8 と減少させていくと，疑似輪郭（false contouring）が生ずるようになり，これらの写真では 16 や 8 レベルで特に目立っている．これは，滑らかに変化している濃淡が，グレイレベル数の減少により十分に表現できなくなるため，本来存在しない輪郭があたかも地図の等高線のように現れるものである．濃度変化が滑らかに変化するところで，この雑音（誤差）が特に顕著になる.

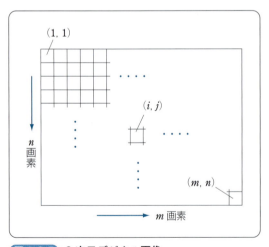

図 1-2-5　2次元デジタル画像

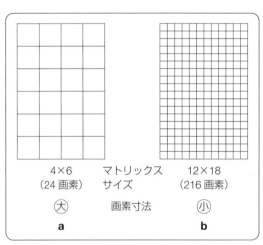

図 1-2-6　同じ大きさの画像に対するマトリックスサイズと画素寸法との関係

[*2] "2,000 万画素"の撮像素子というように，トータルの画素数でよぶこともある．また，コンピュータに使われるスキャナやプリンタなどの空間分解能を，"300 dpi"のように表示することもある．dpi は dot per inch の略で，1 インチ（2.54 cm）当たりの画素数である．

[*3] 画素（標本点）の配列は，常に碁盤目状（正方形格子と表現）とは限らず，正三角形状のものや正六角形状のものもある．正六角形格子（ハニカム）では，画素同士の距離がすべて等しくなる．

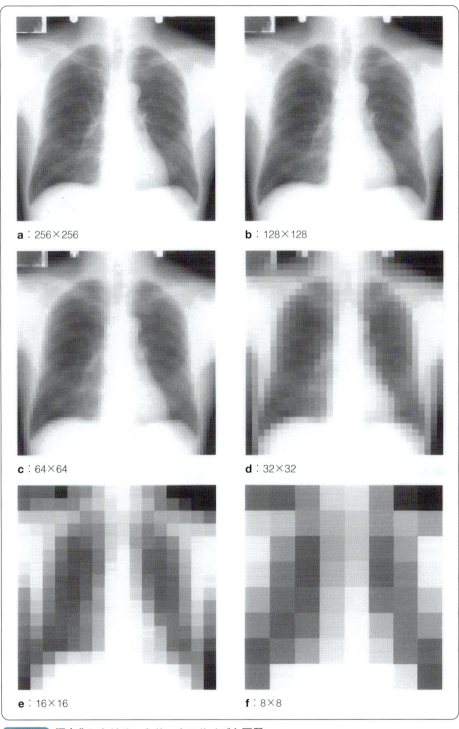

図 1-2-7 標本化におけるマトリックスサイズと画質

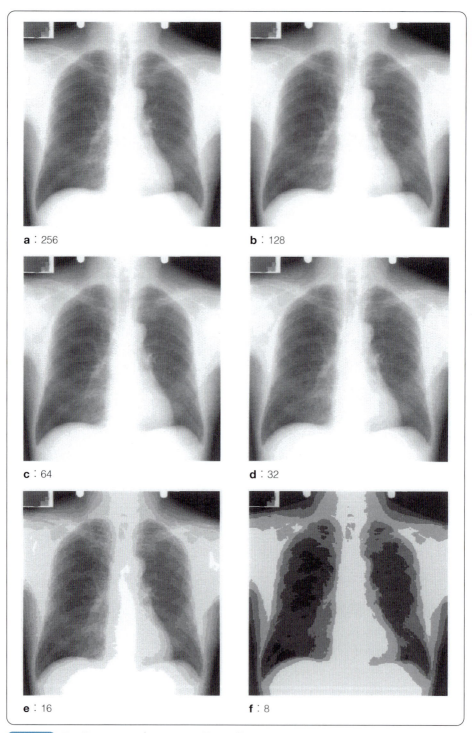

図 1-2-8 量子化におけるグレイレベル数と画質

また，同じくグレイレベル数が少ない場合に，粒子性雑音(granular noise)とよばれる雑音が検知されることもある．しかし，10ビット以上のグレイレベル数が使われるデジタルX線画像では，量子化による上述のような画質の劣化は，通常問題にならない．

4 デジタル化パラメータ

実際に2次元画像の標本化を行うとき，サンプリング間隔とサンプリングアパーチャ(sampling aperture)との関係をよく理解しておく必要がある．

図1-2-9は，これらの関係を1次元信号で簡単に表している．アナログ信号は実線(連続の曲線)で示され，デジタル信号は棒状のグラフで示されている．元来標本化とは，標本化パルスとして非常に鋭いピークを有するデルタ関数(1編3章4-2参照)を用いるとされている．しかし，実際には，標本化パルスはある有限な幅を持っており(**アパーチャ効果**)，この有限なアパーチャ内のアナログ情報が取り込まれることになる．

図1-2-9の棒グラフの中心点が標本点を代表し，その間隔がサンプリング間隔(標本化間隔)である．そして，棒グラフの棒の幅がサンプリングアパーチャの大きさである．ここでは，サンプリング間隔がサンプリングアパーチャの大きさよりも大きい場合で，ノイズ特性の観点から考えると，量子モトルによる粒状性が増加する．逆に，サンプリングアパーチャがサンプリング間隔よりも大きくなると，解像特性の低下が生ずる．ここで，両者の大きさは独立の値をとりうるが，両者がほぼ同等であるときに"ピクセル"という1つの値で代表される．

図1-2-10に，サンプリングアパーチャの解像特性への効果の一例を示す．サンプリング間隔($=d$)が同じでも，サンプリングアパーチャ($=a$)の大きさにより，解像特性が大きく異なるのが明瞭である．画素の外形寸法と受光領域との比率は，開口率(aperture ratio)とよばれる．総合的な解像特性は，サンプリング関数と開口関数のコンボリューションとなる．実際には，ノイズ特性やシステムの感度などにも影響する．CR装置では，図1-2-10($d<a$)に該当する．

図1-2-10($d>a$)に該当するものとして，フラットパネル検出器(FPD)の画素の形状と配列が挙げられる．このように，半導体検出器などでは，1つの画素全体が受光領域となるわけではない．これは，電荷を転送するための回路などにスペースが必要なためである．一般に，受光面積が小さくなると解像度はよくなるものの，逆にダイナミックレンジは小さくなる．

5 3次元画像

2次元デジタル画像はピクセル(画素)で構成されていたが，3次元デジタル画像の場合には"ボクセル(voxel)"とよばれる立方体(または直方体)を最小単

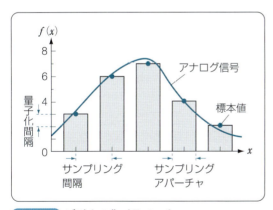

図1-2-9 デジタル化パラメータ

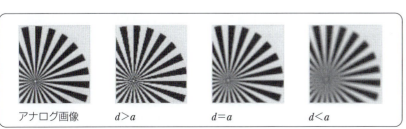

図1-2-10 サンプリングアパーチャの解像特性への効果
d：サンプリング間隔(ここでは一定)，
a：サンプリングアパーチャの大きさ(ここでは可変で，形状は正方形)

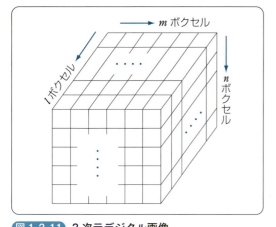

図 1-2-11　3 次元デジタル画像

位として，これが多数集まって 3 次元画像が構成される（図 1-2-11）．

最近の CT 装置の高度化により，等方性ボリュームデータ（立方体ボクセル）が容易に得られるようになっている．

3 標本化間隔とエリアシング

1 標本化間隔

どのような大きさの標本化間隔で標本化すればよいかは，シャノン（Shannon）の**標本化定理**（sampling theorem）"（ナイキストの定理ともいう）によって知ることができる．

簡単化のために 1 次元で表現すると以下のようになる．

「アナログ信号の持つ最高の空間周波数が U（cycles/mm）であるとき，標本化間隔 Δx（mm）は

$$\Delta x \leq 1/(2U) \tag{2-2}$$

に設定しなければならない．」

たとえば，画像の持っている最高周波数が 10（cycles/mm）であるとすると，0.05（mm）（$=50\mu m$）以下の標本化間隔でデジタル化する必要がある．標本化定理の証明などについては付録や専門書を参照されたい．

（標本化定理の証明につきまして，弊社ホームページの本書紹介ページに『標本化定理とエリアシング』として掲載しております）

2 エリアシング

この標本化定理による標本化間隔よりも大きい間隔で標本化を行う，すなわちアンダーサンプリングでは，スペクトル空間でみると，ナイキスト周波数より高い周波数成分が低い周波数成分に重なるという現象が起こる．これを**エリアシング**（aliasing）とよぶ．また，この成分を雑音とみなして，**折り返し雑音**（エリアシング雑音，エリアシングエラー）ともよばれる．エリアシングが起こると，高い周波数のものが低い周波数のものに見誤られてしまう．

この標本化周波数の半分の周波数である"折り返しの周波数"は，標本化間隔を Δx（または Δy）としたとき，

$$u_N = \frac{1}{2\Delta x} \tag{2-3}$$

で計算され，u_N は**ナイキスト周波数**（Nyquist frequency）とよばれる．ここで，標本化定理を満足するということは，$u_N = U$ になるということである．

以上は，簡単化のために 1 次元で説明したが，実際の画像では 2 次元的にエリアシング効果を考慮する必要がある．

エリアシングによって生ずる画像の雑音（パターン）を**モアレ**（moiré）とよぶ．この一例を図 1-2-12 に示す．マトリックスサイズが小さくなるに従って，被写体のエッジ部分が滑らかではなくなり，高周波側のパターン（左上方）は再現性がわるくなり，また，原画像とはまったく異なったパターンが低周波側（右下方）に向かって現れているのがわかる．

臨床的には，このような強いモアレパターンを観察することはまれであるが，散乱線除去用のグリッドが原因となって発生することがあり，グリッド密度やラスターとの方向性に依存する．一度発生したエリアシングは，あとから取り除くことができないので，注意が必要である．

上述のように，標本化定理によって，デジタル信号は標本化周波数の半分の周波数であるナイキスト周波

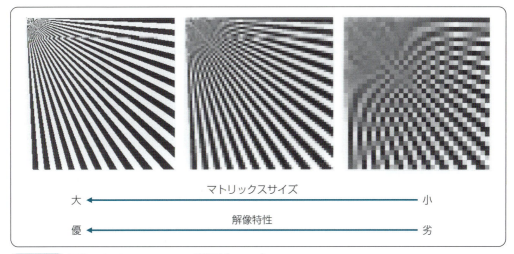

図 1-2-12　画像におけるエリアシング効果（モアレ）

数のアナログ信号までしか表現できない．また，上述のように，条件によってはエリアシングエラー（歪み）を含むことによって，正しい信号が得られなくなる．

実用上は，対象となる画像の持つ最高周波数 U を事前に正確に知っておくことは困難であり，また，たとえこれがわかったとしても，種々の要因で標本化定理を満足させられないことが多い．そこで，標本化前に高周波数成分を取り除く低域通過フィルタ（アンチエイリアスフィルタ）を用いて，必要な情報が失われない程度に帯域制限し，最高周波数を強制的に定めている（図 1-2-13）．しかし，垂直方向については，このような処置は不可能である．

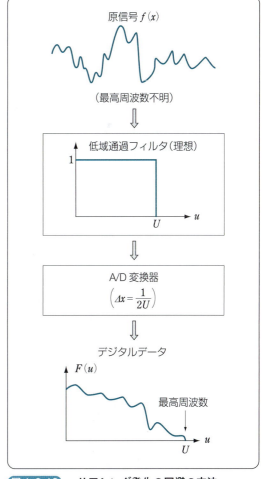

図 1-2-13　エリアシング発生の回避の方法

第3章 フーリエ変換と畳み込み積分

1 フーリエ級数展開

関数 $x(t)$ が任意の t について $x(t+T)=x(t)$ を満たすとき，$x(t)$ は周期 T の周期関数であるという．三角関数 $\cos nt$, $\sin nt$（n は任意の自然数）は，代表的な周期関数である（図1-3-1）．周期 T は，波が1回上下するのにかかる時間のことであり，周波数 $f(=1/T)$ は，1秒間に上下する波の回数を表す．1秒間に何度，角度が進むかを表すものが角速度 ω であって（時間とともに角速度が変化しないため，角周波数ともよばれる），波が1回上下すると360°（2π）進むから，$\omega=2\pi f$ で表される．音声分析などでは横軸の単位に時間軸（sec）が用いられるが，医療画像を取り扱う分野では，横軸の単位に空間軸（mm）が用いられる．そのため，周波数の代わりに**空間周波数** u(cycles/mm) が使用される．これ以降は，時間に関するものではなく空間的な変動を表すものとして，時間 t の代わりに距離 x を用いる．

さて，「周期を持つ波は，どんなに複雑なものであっても，単純な波の和で表すことができる」というのがフーリエ級数展開である（図1-3-2）．l を正の数とするとき，周期 $2l$ の周期関数 $f(x)$ のフーリエ級数は，次式で与えられる．

$$f(x)=c_0+\sum_{n=1}^{\infty}\left(a_n\cos\frac{n\pi x}{l}+b_n\sin\frac{n\pi x}{l}\right) \qquad(3\text{-}1)$$

ここで c_0, a_n, b_n をフーリエ係数とよぶ．c_0 は波の高さの平均値を表し直流成分ともよばれる．a_n と b_n は複雑な波の形を決めている単純な波 $\cos(n\pi x/l)$，$\sin(n\pi x/l)$ が，どれくらいずつ含まれているのかを表す振幅である．

これらのフーリエ係数の値は次式によって求めることができる．

$$c_0=\frac{1}{2l}\int_{-l}^{l}f(x)dx \qquad(3\text{-}2)$$

$$\begin{aligned}a_n&=\frac{1}{l}\int_{-l}^{l}f(x)\cos\frac{n\pi x}{l}dx\\ b_n&=\frac{1}{l}\int_{-l}^{l}f(x)\sin\frac{n\pi x}{l}dx\end{aligned} \qquad(3\text{-}3)$$

(3-3)式は，複雑な波 $f(x)$ に，求めたい振幅と同じ単純な波 $\cos(n\pi x/l)$ と $\sin(n\pi x/l)$ をそれぞれ掛けて積

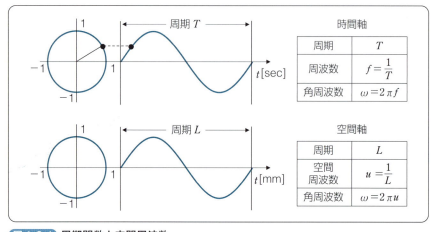

図1-3-1 周期関数と空間周波数

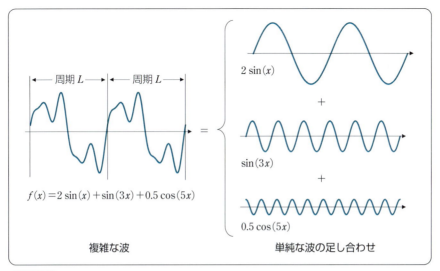

図 1-3-2 フーリエ級数展開の例

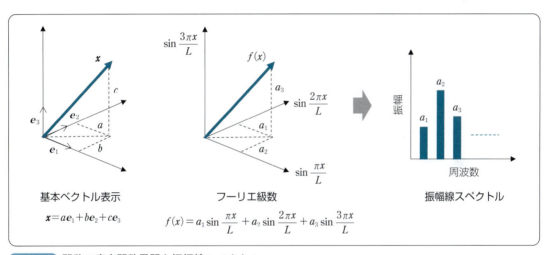

図 1-3-3 関数の直交関数展開と振幅線スペクトル

分することで，求めたい振幅 a_n, b_n を得ることができることを意味する．このように，単純な波について，それぞれの振幅を求めることをフーリエ展開という．

フーリエ級数展開は，ベクトルをある座標系に関して成分に分解するという幾何学の考え方と同じと理解することもできる（図 1-3-3）．たとえば，3 次元空間上の任意の点は，線形結合 $x = ae_1 + be_2 + ce_3$ で表現できる．このとき，a, b, c は基底ベクトルの方向にどれだけ進むかの各成分の大きさを表している．$\sin nx$（または $\cos nx$）は，基底ベクトル e_1, e_2, e_3 に対応するものであって直交関数系を構成する．実際に，

$$\int_{-\pi}^{\pi} \sin kx \sin lx \, dx$$
$$= -\frac{1}{2} \int_{-\pi}^{\pi} (\cos(k+l)x - \cos(k-l)x) dx = 0 \quad (k \neq l)$$
(3-4)

$$\int_{-\pi}^{\pi} \cos kx \sin lx \, dx$$
$$= \frac{1}{2} \int_{-\pi}^{\pi} (\sin(k+l)x - \sin(k-l)x) dx = 0$$
(3-5)

となり，e_1 と e_2 の内積 $e_1 \cdot e_2 = 0$ になる性質（直交している）と同様である．つまり，ある関数をフーリエ級数で表すということは，その関数を互いに直交する

関数列の線形結合として展開することを意味している．このとき，フーリエ展開によって得られる振幅は基本波の成分の大きさであるから，それらを周波数軸に沿って並べれば，どの周波数の基本波がどのくらい複雑な波に含まれているのかを直感的に理解できる図がつくれる．これを振幅線スペクトルとよぶ．

さて，フーリエ級数の(3-1)式の右辺は3つの項によって構成されるから，これらをもう少しスマートにするために，三角関数と指数関数の関係を利用してみよう．

$$e^{i\theta} = \cos\theta + i\sin\theta \quad (3\text{-}6)$$

これをオイラーの公式とよぶ．iは虚数を表す．オイラーの公式のθを$-\theta$に置き換えた式は

$$e^{-i\theta} = \cos\theta - i\sin\theta \quad (3\text{-}7)$$

であるから，(3-6)と(3-7)式から次の関係式を導くことができる．

$$\cos\theta = \frac{e^{i\theta} + e^{-i\theta}}{2} \quad \sin\theta = \frac{e^{i\theta} - e^{-i\theta}}{2i} \quad (3\text{-}8)$$

これらの関係式を用いて，フーリエ級数の(3-1)式を変形する．

$$f(x) = c_0 + \sum_{n=1}^{\infty}\left\{a_n\frac{1}{2}\left(e^{i\frac{n\pi x}{l}} + e^{-i\frac{n\pi x}{l}}\right) + b_n\frac{1}{2i}\left(e^{i\frac{n\pi x}{l}} - e^{-i\frac{n\pi x}{l}}\right)\right\}$$

$$= c_0 + \sum_{n=1}^{\infty}\left(\frac{a_n - b_n i}{2}e^{i\frac{n\pi x}{l}} + \frac{a_n + b_n i}{2}e^{-i\frac{n\pi x}{l}}\right)$$

$n \geq 1$のとき，$c_n = \dfrac{a_n - b_n i}{2}$，$c_{-n} = \dfrac{a_n + b_n i}{2}$とおくと

$$c_n = \frac{1}{2l}\int_{-l}^{l} f(x) e^{-i\frac{n\pi x}{l}} dx, \quad c_{-n} = \frac{1}{2l}\int_{-l}^{l} f(x) e^{i\frac{n\pi x}{l}} dx$$

であり，$c_0 = \dfrac{1}{2l}\int_{-l}^{l} f(x) dx$であるから，フーリエ級数の右辺をまとめることができて，

$$f(x) = \sum_{n=-\infty}^{\infty} c_n e^{i\frac{n\pi x}{l}} \quad (3\text{-}9)$$

ただし，$c_n = \dfrac{1}{2l}\int_{-l}^{l} f(x) e^{-i\frac{n\pi x}{l}} dx \quad (3\text{-}10)$

を導ける．これを周期$2l$の関数$f(x)$の複素フーリエ級数という．また，c_nを$f(x)$の複素フーリエ係数という．この式は複素数空間でフーリエ級数展開したものであって，オイラーの公式からもわかるように，cosとsinは実数軸と虚数軸を構成している．ここで，フー

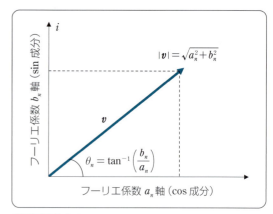

図 1-3-4 振幅，パワー，位相の関係

リエ級数の(3-1)式に戻って，a_n，b_nを成分とするベクトル$\boldsymbol{v}$を考えてみる（図1-3-4）．このベクトルは次式で表される．

$$\boldsymbol{v} = \sqrt{a_n^2 + b_n^2}\cos\left(\frac{n\pi x}{l} - \theta_n\right) \quad \text{ただし } \theta_n = \tan^{-1}\left(\frac{b_n}{a_n}\right)$$
$$(3\text{-}11)$$

このとき，ベクトル$\boldsymbol{v}$の絶対値$\sqrt{a_n^2 + b_n^2}$は振幅を表し，この振幅の二乗はパワーとよばれる．横軸に周波数を縦軸にパワーを並べたものを**パワースペクトル**とよぶ．また，$\theta_n = \tan^{-1}(b_n / a_n)$は位相とよばれ，cosに対する遅れを表す．

2 フーリエ変換

フーリエ級数は，「周期のある波」について適用できる式であった．このフーリエ級数の式にフーリエ展開式を代入し，周期$L \to \infty$として変形することで，「周期のない波」でもフーリエ展開ができる式を導くことができる．一般に，すべての実数で定義された関数$f(x)$について，積分

$$\mathcal{F}[f(x)] = F(u) = \int_{-\infty}^{\infty} f(x) e^{-i2\pi u x} dx \quad (3\text{-}12)$$

が存在するとき，これを$f(x)$の**フーリエ変換**という．ただし，$\mathcal{F}$はフーリエ変換の記号を表す．また，

$$f(x) = \frac{1}{2\pi}\int_{-\infty}^{\infty} F(u) e^{i2\pi u x} du \quad (3\text{-}13)$$

を**逆フーリエ変換**という．周期$L \to \infty$であるので，

空間周波数 $u=1/L$ は限りなく 0 に近づく．その結果，u は連続量になる．フーリエ級数によって得られるスペクトルは，すでに述べたように離散的な線スペクトルであるが，フーリエ変換によって得られるスペクトルは，周波数の変化が連続的になるため，連続スペクトルとなる．

3 フーリエ変換の性質

1 線形性

実空間における 2 つの関数の線形結合 $af(x)+bg(x)$ のフーリエ変換は次式になる．

$$\mathcal{F}\left[af(x)+bg(x)\right]=a\mathcal{F}\left[f(x)\right]+b\mathcal{F}\left[g(x)\right] \quad (3\text{-}14)$$

つまり，フーリエ変換は，**線形変換**であることを意味している．これは，関数がいくつかの関数の和として構成されているとき，和を構成するそれぞれの関数のフーリエ変換を求めて，その結果を合計すれば結果が同じになることを示している．

2 対称性

フーリエ変換(3-12)式と逆変換の(3-13)式において，$\omega=2\pi u$ であるから，

$$\mathcal{F}\left[f(x)\right]=F(\omega)=\int_{-\infty}^{\infty}f(x)e^{-i\omega x}dx \quad (3\text{-}15)$$

$$f(x)=\frac{1}{2\pi}\int_{-\infty}^{\infty}F(\omega)e^{i\omega x}d\omega \quad (3\text{-}16)$$

である．このフーリエ逆変換の(3-16)式において，$x=-x'$ とおくと，

$$f(-x')=\frac{1}{2\pi}\int_{-\infty}^{\infty}F(\omega)e^{-i\omega x'}d\omega$$

ここで，$x'\to\omega, \omega\to x$ と書き換えると，

$$f(-\omega)=\frac{1}{2\pi}\int_{-\infty}^{\infty}F(x)e^{-i\omega x}dx$$

となる．これをフーリエ変換の(3-15)式と比較すれば，次の関係式が得られる．

$$\mathcal{F}\left[F(x)\right]=2\pi f(-\omega) \quad (3\text{-}17)$$

この式は，$f(x)$ を 2 回フーリエ変換したものは，もとの関数の軸の正負を反転して 2π 倍したものに等しいということを意味している．これを時間軸と周波数軸の**対称性**という．

3 平行移動

関数 $f(x)$ に対して，距離 x_0 だけ平行移動した関数 $f(x-x_0)$ のフーリエ変換は，

$$\mathcal{F}\left[f(x-x_0)\right]=\int_{-\infty}^{\infty}f(x-x_0)e^{-i\omega x}dx \quad (3\text{-}18)$$

であるから，変数変換 $x-x_0=\xi$ を行って整理すると，

$$\int_{-\infty}^{\infty}f(\xi)e^{-i\omega(\xi+x_0)}d\xi=e^{-i\omega x_0}\int_{-\infty}^{\infty}f(\xi)e^{-i\omega\xi}d\xi$$

$$=e^{-i\omega x_0}F(\omega)$$

よって，

$$\mathcal{F}\left[f(x-x_0)\right]=F(\omega)e^{-i\omega x_0} \quad (3\text{-}19)$$

つまり，空間軸上で x_0 だけ遅れた関数を周波数領域で表現すると，遅れのない関数のフーリエ変換した結果に，$e^{-i\omega x_0}$ を掛けたものに等しくなる．また周波数軸でも同様に，$F(\omega)$ を ω_0 だけ推移させた $F(\omega-\omega_0)$ の逆フーリエ変換は，

$$\mathcal{F}^{-1}\left[F(\omega-\omega_0)\right]=f(x)e^{i\omega_0 x} \quad (3\text{-}20)$$

となり，周波数軸上で ω_0 だけ推移した現象の時間領域での形は，推移しないもとの現象に対応した時間表現に $e^{-i\omega_0 x}$ を掛けたものになる．

4 パーシバルの定理

関数 $f(x)$ のフーリエ変換を $F(\omega)$ とし，$F(\omega)$ の複素共役を $F^*(\omega)$ とすると，

$$\frac{1}{2\pi}\int_{-\infty}^{\infty}\left|F(\omega)\right|^2 d\omega=\frac{1}{2\pi}\int_{-\infty}^{\infty}F(\omega)F^*(\omega)d\omega$$

$$=\frac{1}{2\pi}\int_{-\infty}^{\infty}F(\omega)\int_{-\infty}^{\infty}f(x)e^{i\omega x}dxd\omega$$

$$=\int_{-\infty}^{\infty}\left\{\frac{1}{2\pi}\int_{-\infty}^{\infty}F(\omega)e^{i\omega x}d\omega\right\}f(x)dx$$

$$=\int_{-\infty}^{\infty}\left|f(x)\right|^2 dx$$

となるから，次の**パーシバルの定理**が得られる．

$$\int_{-\infty}^{\infty}|f(x)|^2 dx = \frac{1}{2\pi}\int_{-\infty}^{\infty}|F(\omega)|^2 d\omega \qquad (3\text{-}21)$$

関数 $f(x)$ の単位距離当たりの平均パワーは,周波数軸で求めても同じであることを示している.

4 フーリエ変換の例

1 矩形波

次式で定義される関数 $P_\tau(x)$ を**矩形波**(方形波)とよぶ(図 1-3-5).

$$P_\tau(x) = \begin{cases} 1/2\tau, & \text{for } |x| \leq \tau \\ 0, & \text{others} \end{cases} \qquad (3\text{-}22)$$

この矩形波のフーリエ変換は,次式のように **sinc**(シンク)**関数**となる.

$$\mathcal{F}[P_\tau(x)] = \frac{\sin(\tau\omega)}{\tau\omega} = \text{sinc}(\tau\omega) \qquad (3\text{-}23)$$

2 デルタ関数

矩形波の積分値を 1 に保ちつつ,矩形波の幅 $\tau \to 0$ の極限をとったものを Dirac の**デルタ関数**とよぶ.実数の全区間で定義され,$x \neq 0$ に対しては常に $\delta(x) = 0$ になる関数であり,次式で定義される.

$$\int_{-\infty}^{\infty}\delta(x)dx = 1 \qquad (3\text{-}24)$$

また,0 を含むある区間で連続な任意の関数 $f(x)$ に対して

$$\int_{-\infty}^{\infty}\delta(x)f(x)dx = f(0) \qquad (3\text{-}25)$$

となる関数 $\delta(x)$ をインパルス信号とよぶ.デルタ関数のフーリエ変換は次式となる(図 1-3-6).

$$\mathcal{F}[\delta(x)] = \int_{-\infty}^{\infty}\delta(x)e^{-i\omega x}dx = 1 \qquad (3\text{-}26)$$

このように,すべての周波数で値が一定のスペクト

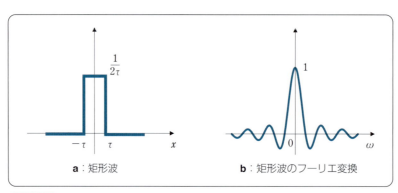

a:矩形波   **b**:矩形波のフーリエ変換

図 1-3-5 矩形波のフーリエ変換

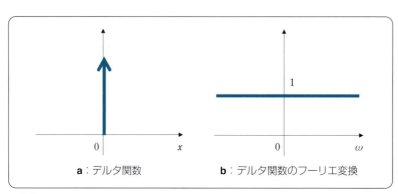

a:デルタ関数   **b**:デルタ関数のフーリエ変換

図 1-3-6 デルタ関数のフーリエ変換

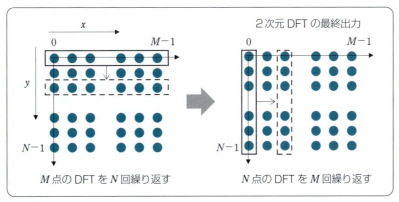

図 1-3-7 2次元 DFT の処理手順

ルを**白色スペクトル**とよぶ．

3 デルタ関数列

デルタ関数が，周期 τ で繰り返される関数を**デルタ関数列**（インパルス列）とよび，次式のように表される．

$$\delta_\tau(x) = \sum_{n=-\infty}^{\infty} \delta(x-n\tau) \tag{3-27}$$

デルタ関数列は周期 τ の周期関数であるから，そのフーリエ級数を考える．$\xi = \dfrac{2\pi}{\tau}$ の変数変換を用いると，デルタ関数列 $\delta_\tau(x)$ のフーリエ級数は，

$$\delta_\tau(x) = \frac{1}{\tau} \sum_{n=-\infty}^{\infty} e^{in\xi x} \tag{3-28}$$

であるから，そのフーリエ変換は，直流信号のフーリエ変換と平行移動の性質を用いれば，

$$\begin{aligned}
\mathcal{F}[\delta_\tau(x)] &= \frac{1}{\tau} \sum_{n=-\infty}^{\infty} \int_{-\infty}^{\infty} e^{in\xi x} e^{-i\omega x} dx \\
&= \frac{1}{\tau} \sum_{n=-\infty}^{\infty} \int_{-\infty}^{\infty} e^{-i(\omega - n\xi)x} dx \\
&= \frac{2\pi}{\tau} \sum_{n=-\infty}^{\infty} \delta(\omega - n\xi) \\
&= \xi \sum_{n=-\infty}^{\infty} \delta(\omega - n\xi) \\
&= \xi \delta_\xi(\omega)
\end{aligned}$$

となり，デルタ関数列のフーリエ変換は，周期 $\xi = \dfrac{2\pi}{\tau}$ のデルタ関数列になる．

5 画像のフーリエ変換

離散信号 $f_n = f(n)\ \{n = 0, 1, 2, \cdots, N-1\}$ の**離散フーリエ変換**（discrete Fourier transform：DFT）は

$$F_u = \sum_{n=0}^{N-1} f_n e^{-i\frac{2\pi n u}{N}} \tag{3-29}$$

で定義される．これは，周期のある連続信号に対する複素フーリエ係数の (3-10) 式に相当する．$u=0$ は直流成分，$u=1$ は第1基本波成分である．F_u から，もとの信号 f_n を求めることを離散フーリエ逆変換とよび，次式で表す．

$$f_n = \frac{1}{N} \sum_{u=0}^{N-1} F_u e^{i\frac{2\pi n u}{N}} \tag{3-30}$$

図 1-3-7 に示すような，$M \times N$ に離散化された画素値の集合で構成される2次元デジタル画像 $f(x,y)$ の離散フーリエ変換は，1次元離散フーリエ変換を水平方向と垂直方向に順番に適用することによって得られる．

$$F(u,v) = \sum_{x=0}^{M-1} \sum_{y=0}^{N-1} f(x,y) e^{-i2\pi\left(\frac{ux}{M} + \frac{vy}{N}\right)} \tag{3-31}$$

ここで，u と v は，それぞれ x と y 方向の空間周波数である．また，逆変換は次式で与えられる．

$$f(x,y) = \frac{1}{MN} \sum_{u=0}^{M-1} \sum_{v=0}^{N-1} F(u,v) e^{i2\pi\left(\frac{ux}{M} + \frac{vy}{N}\right)} \tag{3-32}$$

図 1-3-8 に，画像の離散フーリエ変換の例を示す．

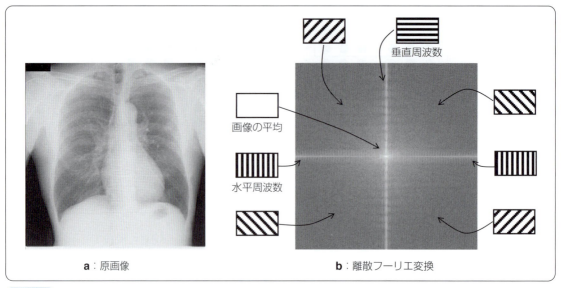

図1-3-8 2次元デジタル画像の離散フーリエ変換

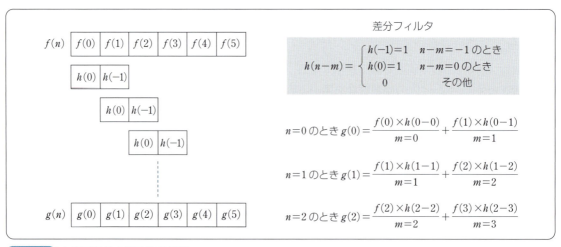

図1-3-9 1次元信号の畳み込み演算

6 畳み込み積分

1 1次元信号の畳み込み積分

2つの関数 $f(x)$ と $h(x)$ の**畳み込み積分（コンボリューション積分）**は，次式で定義される．

$$f(x)*h(x)=\int_{-\infty}^{\infty}f(\tau)h(x-\tau)d\tau \quad (3\text{-}33)$$

ただし，＊は畳み込み演算を表す．

畳み込み積分がどのような操作であるかは，離散（デジタル）の世界で表現したほうが理解しやすい．

$$g(n)=f(n)*h(n)=\sum_{m=0}^{N-1}f(m)h(n-m) \quad (3\text{-}34)$$

図1-3-9 に，この畳み込みの演算の例を示す．畳み込み積分とは，入力信号 $f(n)$ にフィルタ $h(n)$ を加える操作に相当する．実空間で入力信号にフィルタを加える操作は，少々複雑であるが，この操作を周波数空間で表現すればきわめて簡単な式になる．

畳み込み積分のフーリエ変換は，定義式より

$f(0,0)$	$f(0,1)$	$f(0,2)$	$f(0,3)$	$f(0,4)$
$f(1,0)$	$f(1,1)$	$f(1,2)$	$f(1,3)$	$f(1,4)$
$f(2,0)$	$f(2,1)$	$f(2,2)$	$f(2,3)$	$f(2,4)$
$f(3,0)$	$f(3,1)$	$f(3,2)$	$f(3,3)$	$f(3,4)$
$f(4,0)$	$f(4,1)$	$f(4,2)$	$f(4,3)$	$f(4,4)$

入力画像

$g(0,0)$	$g(0,1)$	$g(0,2)$	$g(0,3)$	$g(0,4)$
$g(1,0)$	$g(1,1)$	$g(1,2)$	$g(1,3)$	$g(1,4)$
$g(2,0)$	$g(2,1)$	$g(2,2)$	$g(2,3)$	$g(2,4)$
$g(3,0)$	$g(3,1)$	$g(3,2)$	$g(3,3)$	$g(3,4)$
$g(4,0)$	$g(4,1)$	$g(4,2)$	$g(4,3)$	$g(4,4)$

出力画像

$h(0,0)$	$h(0,1)$
$h(1,0)$	$h(1,1)$

フィルタ（畳み込む信号）

$$\begin{aligned} g(0,0) &= f(0,0)\times h(0,0)+f(0,1)\times h(0,1)\\ &\quad +f(1,0)\times h(1,0)+f(1,1)\times h(1,1)\\ g(0,1) &= f(0,1)\times h(0,0)+f(0,2)\times h(0,1)\\ &\quad +f(1,1)\times h(1,0)+f(1,2)\times h(1,1)\\ g(0,2) &= f(0,2)\times h(0,0)+f(0,3)\times h(0,1)\\ &\quad +f(1,2)\times h(1,0)+f(1,3)\times h(1,1) \end{aligned}$$

図 1-3-10　2 次元画像と 2 次元フィルタの畳み込み演算

$$\begin{aligned} \mathcal{F}\left[f(x)*h(x)\right] &= \int_{-\infty}^{\infty}\left[\int_{-\infty}^{\infty} f(\tau)h(x-\tau)d\tau\right]e^{-i\omega x}\,dx \\ &= \int_{-\infty}^{\infty} f(\tau)e^{-i\omega\tau}d\tau\left[\int_{-\infty}^{\infty} h(x-\tau)e^{-i\omega(x-\tau)}dx\right] \\ &= \int_{-\infty}^{\infty} f(\tau)e^{-i\omega\tau}d\tau H(\omega) = F(\omega)H(\omega) \end{aligned}$$

となる．ここで，$F(\omega)$と$H(\omega)$は，それぞれ$f(x)$と$h(x)$をフーリエ変換したものを表す．つまり，畳み込み積分は，周波数空間では入力信号とフィルタのそれぞれのフーリエ変換の単純な積で表すことができるということを意味している．また，

$$\mathcal{F}^{-1}\left[F(\omega)H(\omega)\right] = f(x)*h(x) \qquad (3\text{-}35)$$

であるから，周波数空間で入力信号とフィルタの積を求めて，その周波数空間での出力をフーリエ逆変換によって実空間に戻せば，その信号は，実空間で畳み込み積分をした結果と等価になる．

2　2 次元信号の畳み込み積分

1 次元信号の畳み込み積分を，水平方向と垂直方向に順番に適用することによって，2 次元信号の畳み込み積分が得られる．これは 2 次元画像に対して 2 次元フィルタを加える操作に相当する（図 1-3-10）．2 次元画像と 2 次元フィルタをそれぞれフーリエ変換し，周波数空間でそれらの積を求めて，逆フーリエ変換すれば，1 次元信号の場合と同じように実空間で畳み込み積分をした結果と等しくなる．

第1編 画像形成論

第4章 医療画像形成理論

1 X線像の形成

　画像形成理論とは，ある信号源から生成された入力信号を画像情報に変換するための方法論をまとめたものであり，形成される画像に応じてさまざまな手法が利用される．

　身近なカメラ写真を例にすると，太陽によって照らされて被写体が発した反射光や散乱光が入力信号であり，デジタルカメラのなかで，①光をレンズ光学系でカメラ内のイメージセンサへ集光する，②イメージセンサの各画素で光の強弱に従った電気信号を生成する，③電気信号をA/Dコンバータによりデジタル信号に変換し画素値とする，④各画素から得られた画素値を空間的に並べる，という手順を経てデジタル画像が形成される．

　デジタル画像は，HDD，SSD，SDカードなどの記録媒体に保存することができ，適宜読み出して，表示装置に映し，人の眼で観察することもできる．人の眼も一種の画像形成装置であり，カメラと同様の手順で，光を眼の水晶体で網膜に集光し，網膜で光の強弱に従った生体信号を生成して脳に送ることで画像を理解している．

　一般的に，画像取得する装置を**撮像系**（imaging system），眼で画像をとらえる仕組みを**視覚系**（human visual system）とよぶ．画像形成の仕組みを正しく理解することは，画像上の明暗・コントラスト，明るさのムラ，ボケ，ノイズ，アーチファクトなどがなぜ生じるのか？の理解につながり，装置開発や品質向上，画像解析・評価に役立つ．

　医療現場で使用されるさまざまな画像診断装置もそれぞれが持つ画像形成理論に基づいて画像を形成しており，信号源，入力信号，撮像手法に応じて，特徴の異なるさまざまな画像が得られる．

　ここでは，入力信号をX線としたX線撮影とその画像形成理論について紹介する．X線像が形成されるまでの手順は次の通りである．

　①X線光源（X線管あるいは放射光加速器）で発生したX線は，光源に設けられた窓から空間に放射される．
　②X線は被写体に入射し，その内部を伝搬する過程で吸収によりその強度が減少する．
　③被写体を透過したX線はX線画像検出器で強度計測されて画素値に変換される．
　④各画素値を空間的に並べることでX線像が形成される．

　出力されたX線像は，被写体におけるX線吸収の空間分布を表し，吸収量の空間的な違いが人体の解剖構造や病変を理解するための手がかりになる．

　しかし，X線撮影には，撮像系の構成，撮像条件，光源，X線検出器など画像形成にかかわるさまざまな因子があり，これら因子の理解は，診断に必要な画質を得るための最適なX線照射条件を決めるために必須となる．

　ここでは，X線像の形成を正しく理解するため，X線の発生とその空間分布，X線スペクトル，X線の減弱，画像の検出・表示について述べる．

1 X線の発生とその空間分布

　図1-4-1aはX線管内部の基本的な構造を表したものである．

　陰極（カソード）にあるタングステンフィラメントを加熱すると熱電子が放出される．熱電子は両極に印可した高電圧（管電圧）によって陽極（アノード）に向かって加速し，陽極に設置されたターゲット物質（モリブデン，ロジウム，タングステンなど）に衝突する．

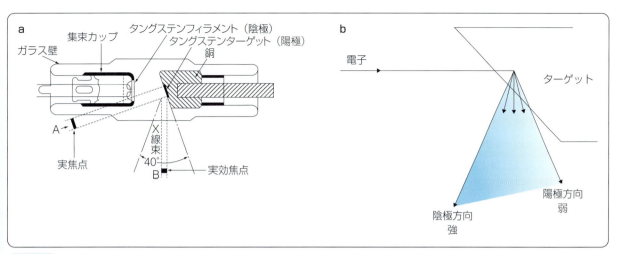

図1-4-1 X線管の基本構造図（a，日本非破壊検査協会：放射線透過試験Ⅰ[1989]より引用）とターゲット付近を拡大した図（b）
ヒール効果によって陰極から陽極にかけてX線強度が減少する．

　その際，ターゲット内の原子の電場によって熱電子の軌道が曲げられ減速すると，減速によって失われたエネルギーが制動X線として空間に放射される．これを**制動放射**とよぶ．発生するX線エネルギーは熱電子の軌道によって変わるため，**制動X線**は連続的なエネルギーを持つ連続X線である．

　また，電子がターゲットに衝突する時に原子を励起すると原子核の内殻にある電子が外にたたき出され，内殻に空孔が生じる．この不安定な原子状態を解消するために外殻にある電子が内殻に遷移する際，内殻と外殻のエネルギー準位の差に相当するエネルギーを持つ特性X線が外部に放出される．特性X線はターゲット物質固有のエネルギーを持つ．

　熱電子がターゲット物質に衝突する範囲は実焦点とよばれ，熱電子が線状のフィラメントで発生することから実焦点は細長い形状を持つ．X線はこの実焦点から放射状に発生し，ターゲット面から数度〜20°程度の方向に空けられた窓から空間に放射される．この角度をターゲット角，取り出し角（take off angle），アノード角（anode angle）とよぶ．

　この角度を小さくすることで，被写体から焦点を見た時の焦点形状を，元の細長い実焦点の形状から正方形に近い形状（実効焦点）に見かけ上縮小できる．

　実効焦点のサイズはX線像の鮮鋭度に大きく影響し，微小であるほど被写体のボケを小さくし鮮鋭度が向上する．

　窓から放射したX線の空間的な強度分布は不均一であることに注意が必要である．不均一な強度分布は，撮影像にムラを生み定量性や視認性を低下させる要因となる．これには主にヒール効果や距離の逆二乗則が関係している．ヒール効果は，X線の強度分布が陰極から陽極に向けて減少する現象である（図1-4-1 b）．

　これが生じる理由は，陽極側ほどターゲット物質内を伝搬するX線の経路長が長く吸収の影響を受けやすいためである．ターゲット角を大きくすると強度の均一性は改善するが，前述した実効焦点サイズが大きくなるため鮮鋭度が低下する．そのため，均一性を必要とする撮影では，X線管と画像検出面の距離を長くとることや，強度分布を一様になるように補正するフィルタの利用が考えられる．

　距離の逆二乗則は，光が光源から空間へ放射状に広がるとき，空間上の光の強度が光源からの距離の二乗に逆比例するという法則である．この法則は，焦点から放射状に伝搬するX線でも成り立ち，光源と検出器の距離によって画素に取り込まれるX線光子数が増減する．

　また，通常の画像検出器の検出面は平面であるため，検出面の中心と比べて周囲のほうがX線の伝搬距離が相対的に長くなり，光源と検出器の距離が近いほど，X線像の周囲が暗くなる．

2 X線スペクトルと画像

X線スペクトルは，X線エネルギー対するX線光子数を表し，X線管などから放出されるX線エネルギーの強度分布を理解できる．X線エネルギーは波長の逆数なので（$E=hc/\lambda \approx 1.24/\lambda$，$E$：X線エネルギー[keV]，$h$：プランク定数［$4.1 \times 10^{-15}$ eVs］，c：光速［3.0×10^{8} m/s］，λ：波長[nm]），スペクトルの横軸を波長にすることもある．

図1-4-2はシミュレーションによって得られたX線管で発生するX線スペクトルである．図中の曲線には，幅が広い連続X線のスペクトルと，ターゲット物質固有の特性X線のピーク（自然幅［ピークの幅］はタングステンで20 eV程度）が存在する．X線スペクトルの形状やX線の発生量は，X線管の管電圧[kV]，mAs値（管電流[mA]×照射時間[sec]），ターゲット物質，ターゲット角，フィルタの有無などで変わってくる．

管電圧はX線スペクトルの最大エネルギーを決定し，管電圧を大きくすることで連続X線のピークを高エネルギー側にシフトできる．これにより，物質を透過しやすいX線を発生できる．

一方で，管電流を大きくすると，スペクトルの形状を維持したまま各エネルギーのX線量を増加できる．発生するX線の全強度は，管電流とターゲット物質の原子番号に比例し，管電圧のおよそ二乗に比例する．

図1-4-2では，0～10 keV付近にある低エネルギー側のX線がアルミニウムのフィルタによりカットされている．被写体内で大きく減弱して画像形成に寄与しない低エネルギーX線は，被ばく量の低減や散乱線の抑制のためにフィルタでカットされることが多い．また，モリブデンやロジウムターゲットでは17.5 keV，20.1 keV付近に特性X線が発生するため，タングステンと比べて低エネルギー領域のX線スペクトルが大きく異なる．

3 X線の減弱

X線が物質を伝搬すると相互作用によりX線強度

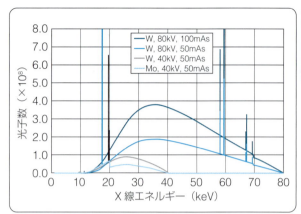

図1-4-2 SpekPyで計算されたX線管のX線スペクトル
曲線の各プロットは，焦点から距離1m離れた位置における単位面積（cm^2）当たりのX線光子数を表し，0.1keV幅で積算されている．フィルタ：アルミニウム0.7mm厚，ターゲット角：12°．
SpekPy（https://bitbucket.org/spekpy/spekpy_release/wiki/Home）

が減少する．この様子をわれわれは吸収や減弱とよんでいる．

臨床で利用されるX線領域の相互作用には，トムソン散乱・コンプトン散乱などのX線の弾性・非弾性散乱，光電効果に基づくX線の吸収があり，このうち，コンプトン散乱と光電効果は，X線光子自身のエネルギーを被写体内で失うので被ばくに関係する．これらの相互作用の大きさは断面積とよばれ，物質の種類・密度，入射X線エネルギーに依存する．物質のなかでこれらの相互作用を経ずに伝搬したX線が透過X線となり，一般撮影やCT等でのX線像形成に利用される．あるX線エネルギーEにおける透過X線強度は，ランベルト・ベールの法則（Beer's law）を用いて次式のように計算できる．

$$I(E) = I_0(E)\exp(-\mu(E)L) \tag{4-1}$$

ここで，I_0は入射X線強度，LはX線が物質内を伝搬する距離である．μは線減弱係数とよばれ，その物質における各相互作用の断面積を足し合わせて，単位体積中の原子の数を掛け算した値である．

また，線減弱係数を密度で割ると，物質の密集状態によらない物理量である質量減弱係数が得られる．図1-4-3は物体内に異なる物質が存在する場合における

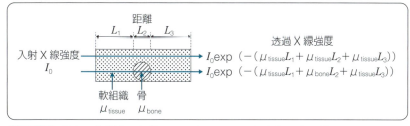

図 1-4-3 異なる物質内を伝搬するときの透過X線強度の計算例

(4-1)式に基づく計算の概念図である．

透過X線強度は，X線の伝搬経路上に配置されている物質の線減弱係数 μ と伝搬距離 L の積 μL を基に求めることができる．隣接する伝搬方向で μL に違いがあれば，透過X線強度に差が生じ，この強度差がX線像上でのコントラストとなる．

図 1-4-4 はX線エネルギーに対する水と皮質骨の線減弱係数を示す．この曲線は吸収曲線とよばれ，被写体内での相互作用の大きさ・被ばく量・X線画像検出器内での画像形成など，画質や安全面に大きくかかわる重要な情報である．吸収曲線は，エネルギーが高いほど単調に減少し，物質を構成する原子が重いほど低いエネルギーで急峻になる．また，吸収曲線には光電効果によって生じる吸収端とよばれるエネルギーが存在し，吸収端から急激に線減弱係数が増加する．

たとえば，造影剤として利用されるヨウ素では 33.2 keV，バリウムでは 37.4 keV に吸収端が存在するので，それよりも高い入射X線エネルギーを大きく減衰できる．また，光源から出射するX線の伝搬経路上に，スズ（K吸収端 29.2 keV）などの金属フィルタを置くことで吸収端よりも高いX線を減衰でき，連続X線のスペクトル形状を変形することができる．

上記で述べた散乱X線は，X線像のコントラストを低下させる要因になる．X線像の各画素値は本来，その画素と光源の焦点を結んだ経路上の吸収情報を表すため，散乱により他の方向からやってきたX線はその画素にとってノイズになる．

このような不要な散乱線は，検出器の前面にX線方向を制限できる格子状の鉛グリッドを置くことで，ある程度防ぐことができる．より定量的な解析が必要な場合には，1 m で数％とわずかであるが空気による散乱の影響も考慮する必要がある．

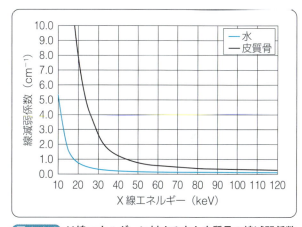

図 1-4-4 X線エネルギーに対する水と皮質骨の線減弱係数
(NIST: X-Ray Mass Attenuation Coefficients, https://www.nist.gov/pml/x-ray-mass-attenuation-coefficients)

連続X線を用いた撮影では**ビームハードニング**とよばれる現象にも注意が必要である．連続X線が被写体を伝搬すると，さまざまなエネルギーを持ったX線が(4-1)式に従って減衰する．

通常，一般撮影で利用される画像検出器はエネルギーを弁別する能力を持たないため，透過した全エネルギーのX線強度 $I(E)$ が同じ画素で一緒に計測される．仮に $\mu(E)$ がフラットであれば関係ないが，実際は図 1-4-4 のように低エネルギーと高エネルギーでは線減弱係数が大きく異なるため，被写体内をX線が伝搬する過程で，高エネルギーに比べて低エネルギー側のX線のほうが大きく減衰することになる．

一般的に，低エネルギーのX線を軟らかい，高エネルギーのX線を硬いと表現するが，ビームハードニングはその名の通り，透過X線のX線スペクトルが硬いX線を多く含む分布に変わることを意味する．ビームハードニングは，X線の伝搬方向に吸収が大きい物質があると，その後方のコントラストが付きにく

くなることや，CT の再構成像に明るさのムラや定量性の悪化を生む要因になる．また，前述したヒール効果も同様にビームハードニングによる影響を受けており，陽極側は陰極側と比べて強度が弱いだけでなく，X 線スペクトルの形状も異なる．

4 画像の検出・表示

被写体を透過した X 線の強度分布を視覚でとらえるには，X 線強度分布から X 線画像検出器を用いて画像情報に変換し，画像情報をフィルムやディスプレイを用いて可視光の分布として平面上に表示する必要がある．しかし，われわれが目で観察する画像は，同じ X 線の照射条件で同じ被写体を撮影したとしても，検出方法や表示方法，検出器の性能や個体差によってその見え方が大きく変わる．たとえば，検出器間の特性曲線（第 2 編第 2 章）やディスプレイ間のコントラスト応答（第 4 編第 1 章）などが違えば，露光量が同じであっても出力レベルが変化する．

他にも，検出器の画素サイズ，空間分解能，検出効率，ノイズ特性，ダイナミックレンジ，エネルギー特性といった性能差や，気温，湿度，外乱などの環境変化でも出力画像に少なからず違いが生じてくる．

そのため，X 線撮影装置の利用者はまず装置の仕様や普段の撮像性能を正しく理解し，装置の日々の利用や点検・保守のなかで X 線像が正常な動作環境で得られているかどうかすぐに確認できる必要がある．これには，次章以降の検出原理の知識や X 線像の画質評価法を理解しておかなくてはならない．

医療で利用される X 線画像検出器には，X 線フィルム，イメージングプレート（imaging plate：IP），イメージインテンシファイア（image intensifier：I.I.），フラットパネルディテクタ（flat panel detector：FPD）などがある．

個々の検出器についての技術的な説明は省略するが，どの検出器も入射 X 線光子を検出可能な別の粒子に置き換えて検出器内で一定時間蓄積した後，何らかの方法で読み出して画像を作っている．

別の粒子とは，フィルムであれば感光した銀粒子，IP であれば輝尽性蛍光体内で生じた電子−正孔対，

I.I. であれば蛍光体から生じた光電子，間接型 FPD であれば蛍光体で生じた可視光である．

ここでの，入力信号は X 線強度の空間分布であり，出力信号は画像の画素値や濃淡の分布であるが，この入出力は必ずしも線形な関係があるとは限らない．

その理由はさまざまであるが，たとえば，X 線と蛍光体の相互作用の大きさは入射 X 線エネルギーに依存するので，画素に同じ光子数が入射してもその光子エネルギーに違いがあれば検出感度にも違いが出る．

また，X 線の露光量が検出器で計測可能なダイナミックレンジを超える場合や，X 線を照射しなくても検出器の電気回路で生じる暗電流により画素値にオフセットがある場合も一部線形性が崩れる．

フィルムでは現像によって濃淡が形成されるが，薄い濃度と濃い濃度で特に非線形である（第 2 編第 2 章参照）．このような検出器で生じる非線形性は X 線像の定量的な解析を困難にするため，事前に特性曲線を測定しておき，入出力特性を理解しておくことが重要である．また，特性曲線があれば後処理で入出力が線形になるように補正することもできる．

2 X 線像のデジタル撮像

1 デジタル撮像

X 線撮像はフィルムによる撮影から始まった．フィルム単独の X 線に対する感度は低いため，増感紙（蛍光体）により X 線を可視光に変換しフィルムを感光／現像することにより X 線感度を高めた撮影が一般に行われている．フィルムによる撮影は空間および濃度ともに連続に変化するアナログ画像である．

フィルムを使ったアナログ撮像に替わるデジタル撮像の技術開発が行われ，現在はデジタル撮像が一般となっている．デジタル画像は 2 次元平面で標本化された画素で構成され，各画素の濃度は量子化されたデジタル値となっている．デジタル画像では，撮影後に画像処理により診断しやすい画像の作成，診断支援による病変の候補領域の表示，画像データの転送および

第4章 医療画像形成理論

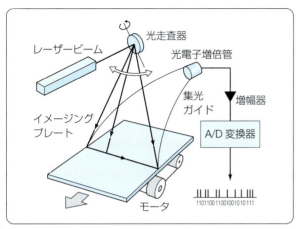

図 1-4-5　CRの画像読み取り部の構造（FCRテクニカルレビュー，富士写真フイルム株式会社，p.5）

保管が可能となり利便性が高い．

デジタル撮像としてCRが実用化され，ついでFPDが開発された．以降でCRとFPDについて説明を行う．

2　CR装置による撮像

CR（computed radiography）ではフィルムと増感紙の代わりに輝尽性蛍光体〔**イメージングプレート**（imaging plate：**IP**）〕を用いてX線撮影を行う．IPはX線が照射されると潜像としてX線画像を保持することができる．潜像が存在するIPに赤色光を照射する

と，潜像が励起され潜像に応じた量の青色光が発生（輝尽発光とよばれる）する．この青色光を読み取ることでX線画像を得ることができる．

CR装置は図1-4-5のような構成となっている．X線照射されたIPを一定速度で搬送しながら，読み取りのための赤色の励起レーザーが照射される．励起レーザーは光走査器によりIP搬送方向と直角方向に光点が走査される．励起レーザーが当たった点から輝尽発光光が発生し，この光は集光ガイドで集められ高感度光センサである光電子増倍管（PMT）に入射するようにされている．ここでPMTの入射面には青色の輝尽発光光のみを透過させる光学フィルタが置かれ，赤色の励起レーザー光はPMTに入射しないようにされている．入射した輝尽発光光はPMTで電気信号に変換され，さらに**A/D変換器**によってデジタル信号に変換され2次元のデジタル画像が形成される．この画像形成過程は図1-4-6のようにまとめられる．図1-4-6にはさらに画質特性である**解像特性**（**MTF**）に与える過程とノイズの発生過程もまとめてある．CR装置のMTFは，X線散乱によるIPのMTF，励起レーザー光のIP内での拡がりによる読み取り機のMTF，電気回路の周波数特性による電気系のMTFの積で与えられる．CR装置のノイズは，各段階で発生したノイズはそれぞれ独立であるため，各段階のノイズの二乗和の平方根で与えられる．

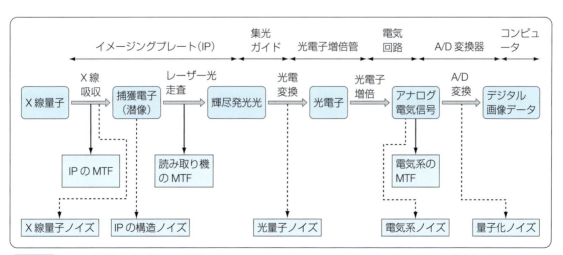

図 1-4-6　CRの画像形成過程と画質因子（Ogawa E, et al. Proc SPIE 2432：422, 1995 を改変）

25

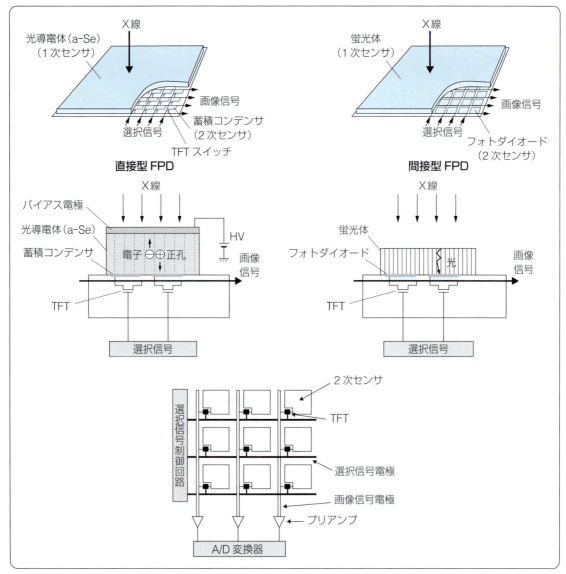

図 1-4-7 FPD の構造
直接型 FPD は X 線を光導電体（a-Se）で電子に変換し，その電子をバイアス電圧でコンデンサに収集して検出する．一方，間接型 FPD は X 線を蛍光体で光に変換し，その蛍光をフォトダイオードで検出する．いずれも選択信号によって，各画素に備えられている TFT の 1 つを ON にすると，その画素に蓄えられていた画像信号が外部の読取装置に伝えられる．

（藤田広志ほか：医用画像情報工学第 1 版．p.25 図 4-5，医歯薬出版，2018 を改変）

3 FPD 装置による撮像

1）FPD の構造

FPD（flat-panel detector：X 線平面検出器）は X 線を検出しデジタル画像データを出力するデバイスであり，静止画撮影および動画撮影が可能である．図 1-4-7 に示すように，FPD には直接型 FPD と間接型 FPD の 2 種類の方式がある．いずれの方式も X 線に反応する 1 次センサとその信号を検出する 2 次センサが積層された構成になっている．1 次センサとして直接型では光導電体，間接型では蛍光体が使用され，2 次センサはどちらの方式でもアモルファス・シリコ

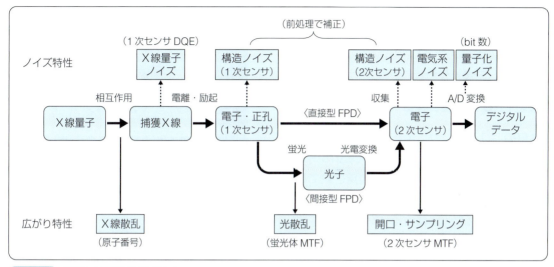

図 1-4-8 FPD の画像形成原理
直接型 FPD および間接型 FPD において，照射された X 線がデジタルデータに変換されるまでの信号伝搬過程を示す．またそれぞれの過程において，画像のノイズ特性と広がり特性にかかわるおもな因子を抽出した．
（藤田広志ほか：医用画像情報工学第 1 版．p.26 図 4-6，医歯薬出版，2018）

ン（amorphous silicon：a-Si）薄膜トランジスタ（thin-film transistor：TFT）が使用されている．

それぞれの方式の原理と特徴について次に説明する．

2）直接型 FPD の原理と特徴

直接型 FPD は 1 次センサに光導電体を利用した方式であり，一般にアモルファス・セレン（a-Se：amorphous selenium）が光導電体として利用されている．光導電体内での X 線との相互作用で発生した電荷をそのまま検出するため直接方式とよばれる．

直接型 FPD の画像形成の原理（図 1-4-7，図 1-4-8）は，まず X 線が 1 次センサである光導電体との相互作用によって，1 つの X 線量子に対して多数（X 線量子のエネルギーの大きさに依存して数百～数千個）の電子正孔対が生成される．光導電体には電圧が印加されており，発生した電子正孔対は電界に沿って動き 2 次センサである蓄積コンデンサに正孔が収集される．1 つ 1 つの蓄積コンデンサが画素に対応している．次に，選択信号を順次 ON にしていくことで，蓄積コンデンサの電荷は画像信号電極からプリアンプ増幅回路によって電圧信号に変換され，さらに A/D 変換器においてデジタル信号に変換され，画像信号として表

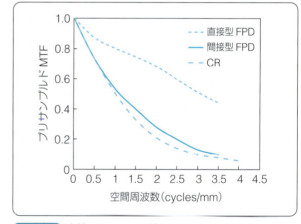

図 1-4-9 直接型 FPD と間接型 FPD の MTF
直接型 FPD，間接型 FPD および CR それぞれのプリサンプルド MTF を示す．
（Illers H, et al：Proc SPIE, 5368：177, 2004）

示・保存される．

直接型 FPD の特徴は，バイアス電圧によって正孔を垂直に収集するため，電荷の水平方向の拡がりが抑制され，高い MTF が得られる（図 1-4-7，図 1-4-9 参照）ことにある．一方で，アモルファス・セレンを光導電体として用いた場合，原子番号が比較的小さい（Z=34）ため X 線管電圧が低い場合は X 線を効率よく捕捉できる（X 線量子効率が高い）ものの，X 線管電圧

が高くなるとX線の捕捉効率が低下する．これらの特徴から，直接型FPDは低いX線管電圧で撮影され，また微小石灰化の描出のために高いMTFを必要とするマンモグラフィで多く使われている．

3) 間接型FPDの原理と特徴

間接型FPDは1次センサに蛍光体を利用した方式であり，一般に希土類蛍光体（GOS: $Gd_2O_2S:Tb^{3+}$）またはヨウ化セシウム蛍光体（CsI:Tl）が利用されている．2次センサはa-Si TFT基板上に光電変換素子（フォトダイオード）を備えた大面積の光センサである．蛍光体によってX線をいったん光に変換し，さらにフォトダイオードによって光を電荷に変換するため間接方式とよばれる．

間接型FPDの画像形成の原理（図1-4-7, 図1-4-8）であるが，最初にX線が1次センサである蛍光体と相互作用することによって，1つのX線量子に対して多数（X線量子のエネルギーの大きさに依存して数百〜数千個）の可視域の光子が生成される．続いて光子は2次センサ内のフォトダイオードにおいて光電変換される．フォトダイオードは蓄積コンデンサとしても働き電荷が蓄積される．蓄積された電荷は直接型FPDと同じように，選択信号が順次ONにされプリアンプ増幅回路によって電圧信号に変換され，さらにA/D変換器においてデジタル信号に変換される．

間接型FPDの特徴として，蛍光体の原子番号がセレンに比べて大きく（Gd：Z=64，Cs：Z=55），管電圧が高いX線に対しても効率よく捕捉することができ**検出量子効率**（detective quantum efficiency：**DQE**）が高いことが挙げられる．反面，蛍光体内で蛍光が拡がるためにMTFが低下する．その対策として，X線入射側に2次センサを配置することで拡がりが小さい状態の蛍光を検出するようにしたFPD，他に柱状結晶のヨウ化セシウム蛍光体（図1-4-10）を採用することで，蛍光体内部で発生した蛍光を光ファイバのように導光させるようにしたFPDが作成されている．間接型FPDのMTFを図1-4-9に示す．

マンモグラフィ用の間接型FPDは，1次センサとして厚さが比較的薄い蛍光体と画素ピッチの小さい2次センサが組み合わせられている．マンモグラフィは

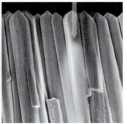

図1-4-10 蛍光体（浜松ホトニクス（株）提供）
GOSなどの粉体蛍光体と比較してCsIなどの柱状結晶蛍光体では蛍光が柱状結晶内を伝わり，効率的に2次センサに導くことができる（右）．
（藤田広志ほか：医用画像情報工学第1版．p.26 図4-8, 医歯薬出版, 2018）

低X線管電圧で撮影されるため，薄い蛍光体でもX線の捕捉効率を高くでき，また，薄いために蛍光の拡がりを抑えることが可能であり，マンモグラフィに要求される高いDQEと高いMTFを併せ持つように設計されている．一方，一般撮影用および透視・動画用の間接型FPDは，1次センサに高いX線管電圧での捕捉効率を高くするためにやや厚い蛍光体を採用し，2次センサと組み合わせることで，高いDQEと適度なMTFを併せ持つよう設計されている．特にCアーム装置に搭載される動画用FPDは線量を極限まで低減させ，かつコーンビームCT用の高速撮影に対応するために，高速かつ低ノイズを実現する高度な回路技術が採用されている．動画用間接型FPDのDQEを図1-4-11に示す．

以上，FPDの原理と特徴について説明したが，FPDによって周波数特性（MTF），S/N（DQE），さらに直接型ではX線導電体，間接型では蛍光体に使われる物質のX線吸収特性の違い（図1-4-12）によって人体のコントラストのつき方が変わる．これらのことを把握して，画像処理を行う必要がある．

4) FPDの前処理

多くの画素から構成される2次センサは高度な製造技術により均質な特性になるように製造されているが，場所あるいは画素ごとに特性の違いが発生し**構造ノイズ**（固定パターン）となる．FPDはオフセット補正とゲイン補正により，これら構造ノイズを補正することができる．診断用画像処理に先立って実施される

第4章 医療画像形成理論

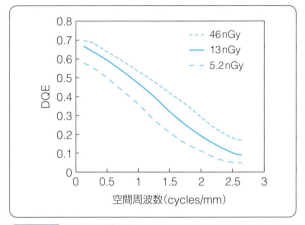

図 1-4-11 動画用間接型 FPD の DQE
（Tognina C, et al : Proc SPIE, 5368 : 648, 2004）

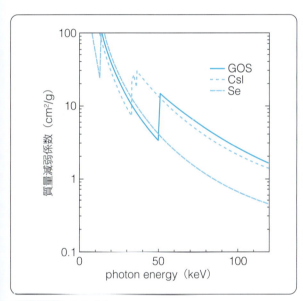

図 1-4-12 分光感度
（岡部哲夫ほか：診療画像機器学 第2版, p.497 図 7-24, 医歯薬出版, 2016 を改変）

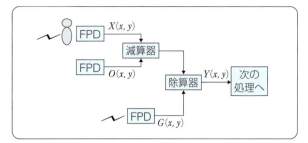

図 1-4-13 前処理
FPD に固有な前処理であるオフセット補正およびゲイン補正を示す．
（藤田広志ほか：医用画像情報工学第1版, p.27 図 4-10, 医歯薬出版, 2018）

よって補正される．

$$Y(x,y) = \frac{X(x,y) - O(x,y)}{G(x,y)} \quad (4\text{-}1)$$

ここで，x および y は画像上の座標，$X(x, y)$ は補正前の画像，$O(x, y)$ は X 線を照射せずに得たオフセット画像，$G(x, y)$ はあらかじめ被写体をおかずに X 線を照射して得たゲイン補正用画像，$Y(x, y)$ は前処理後の画像を表す．

5）FPD の最新技術

すでに広く用いられている FPD であるが，さらに使いやすさの向上，撮影部位に合わせた FPD，FPD の X 線吸収特性とデジタル画像処理を活かした画像作成方法など，新たな技術開発が進められている．ここでは簡単にいくつかの技術について触れる．

FPD による撮影では，X 線の照射開始から X 線を検出し，X 線照射後に画像を読み出すために，X 線照射開始から終了の制御信号の入力が必要であった．この制御信号の入力を不要とするために FPD に X 線照射検出する機能を設け，X 線照射されたら自動で X 線撮影がされる FPD が開発されている．この X 線自動検出の機能により，X 線照射装置からの制御信号線と結線することが不要となり，FPD の取り回しがしやすく使い勝手の向上が実現された．

FPD の画像サイズは胸部撮影ができる約 43 cm の大きさが標準である．そのため全脊椎を撮影する場合には 2 回撮影して読み取られた画像を1 つの画像に合成する必要があったが，全脊椎を1 回の撮影でで

ため，総称して前処理とよばれる（図 1-4-8，図 1-4-13 参照）．

一般に，FPD は入力がゼロのときでも画素ごとに異なる出力があり，この出力ばらつきを補正するのが**オフセット補正**である．

また，場所あるいは画素によってそれぞれ感度（ゲイン）も微妙に異なり，この感度ばらつきを補正するのが**ゲイン補正**である．

これらオフセット補正とゲイン補正は (4-1) 式に

第1編 画像形成論

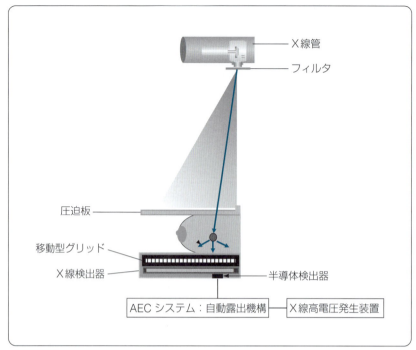

図 1-4-14 マンモグラフィ専用 X 線撮影装置の概要

きるように大サイズの FPD も開発されている．

デジタル画像の特徴を活かした技術として X 線特性の異なる 2 種類の画像から骨画像と軟部画像を作成するエネルギーサブトラクション処理がある．2 種類の画像を得るために X 線の管電圧を切り替えて 2 回撮影する代わりに，蛍光体による X 線吸収特性の違い（図 1-4-12）を利用して，2 種類のパネルを重ねた構成とし，1 回の撮影で X 線吸収特性の異なる画像を取得してエネルギーサブトラクション処理を行うことを可能とした FPD も開発されている．

3 乳房 X 線撮像装置の画像形成理論

1 マンモグラフィ装置

マンモグラフィ専用 X 線撮影装置の概要を図 1-4-14 に示す．マンモグラフィ専用 X 線撮影装置は，一般撮影系の撮影装置と比較して特殊な構造によって構成されている．これは，軟部組織で構成される部位で高空間分解能と高コントラストが安定的に得られるようにするためである．ここでは，マンモグラフィ専用撮影装置で特有な機能であり，医療画像工学の観点より重要である構造のみを記載する．なお，図 1-4-14 に示すようにマンモグラフィのような軟 X 線では，ヒール効果の影響が大きくなる傾向がある．そのため，画像評価を行う場合には，ファントムの配置や濃度勾配について注意する必要がある．

1) ターゲットとフィルタ

マンモグラフィは，線減弱係数の差を受光系に記録するのに効果的な 15～25 keV 程度の低いエネルギーの X 線を利用している．この領域では，連続 X 線だけでなく，特性 X 線を利用するほうが効率がよい．そのため，低エネルギー領域で特性 X 線を持つ**モリブデン（Mo）**が，X 線管のターゲットとして広く用いられている．Mo ターゲットの場合，特性 X 線は，K_α = 17.4 keV と K_β = 19.6 keV から放出される．

マンモグラフィにおけるフィルタの役割は，乳房を透過しない低エネルギーの X 線成分を取り除くだけでなく，画像形成に寄与しない高いエネルギーの X

第4章 医療画像形成理論

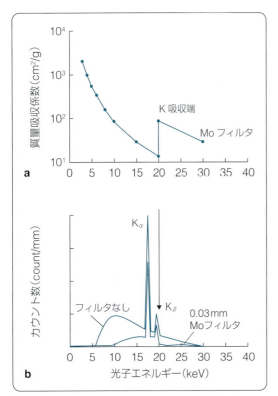

図1-4-15 Moフィルタ付加によるX線スペクトルの変化
a：Moフィルタの質量減弱係数．
b：フィルタなし，0.03mmMoフィルタ負荷によるスペクトルの変化．
（中村仁信，寺田央：X線電子写真(KIP方式基礎と臨床)．蟹書房，1990より）

表1-4-1 乳房の圧迫によるおもな効果

- 被写体-フィルム間距離が短くなり幾何学的不鋭が低減
- モーションアーチファクトが低減
- 腺組織の広がりにより病変の視認性が向上
- 乳房の濃度を均一化することで観察域が拡大
- コントラストの改善
- 乳腺吸収線量が低減

線成分をMoまたはロジウム(Rh)フィルタの吸収端作用によって選択的に取り除くことができる．これにより，被ばく低減とコントラスト向上が可能である．図1-4-15にフィルタの有無によるX線スペクトルを示す．0.03mmのMoフィルタを用いることにより選択的に特性X線のみを取り出し，単色X線に近づけたスペクトルを実現していることがわかる．

しかし，近年ターゲットとしてMo，Rhだけでなく，一般撮影系で使用されているタングステン(W)を搭載した装置が増加している．また，フィルタもMo，Rh，アルミニウム(Al)，シルバー(Ag)など複数を搭載した装置が増加している．

2) グリッド

X線が乳房を透過したときに散乱線が発生し，画像コントラストやSN比の低下をもたらす．マンモグラフィ撮影においても，一般撮影系同様に散乱線を効果的に制御する方法としてグリッド法が用いられている．

グリッドは，X線透過性のよい中間物質と透過性の悪い鉛箔が交互に配列された板状の形状をしている．特にマンモグラフィ用のグリッドは，軟X線領域であるため，中間物質としてファイバ材が用いられた移動型グリッドである．移動型グリッドの多くは，グリッド比4:1または5:1，グリッド密度31本/cmである．

3) 圧迫器

乳房の圧迫は，乳房を薄くすることにより散乱線を減少させ，乳房組織の重なりを少なくできるので，コントラストの改善と被写体の被ばく線量低減に有効である．また，被写体(乳房)を固定できるため，動きによる鮮鋭度の低下を防ぐことができる．圧迫によるおもな効果を表1-4-1に示す．圧迫圧は，個人によって異なるが，100Nから150Nを要する．

4) デジタルマンモグラフィシステムの概要

マンモグラフィのためのデジタル検出器は，CR方式，スキャニングスロット方式，FPD方式の3種類に大別される．さらにFPD方式は，X線変換方式の違いにより直接変換方式と間接変換方式に分類される．わが国では，欧米諸国とは異なり，マンモグラフィのためのデジタルシステムとしてCR方式が最も多く利用されている．

スクリーン-フィルム系におけるX線画像検出から診断，保存に至るまでの画像プロセスは，マンモグラフィ用フィルム(検出)を用いて撮影を行い(記録)，シャウカステンで診断し(表示)，その後，保管庫にて

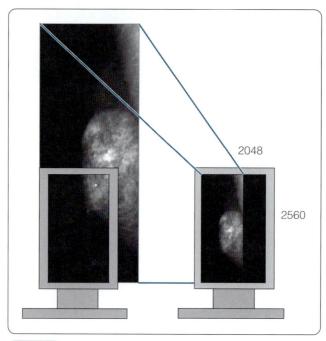

図 1-4-16　高解像度デジタル画像の 5MP モニタでの表示例

管理される（保存）．つまり，スクリーン-フィルム系は，検出，記録，表示，保存が一体化したシステムであったといえる．

　それに対して**デジタルマンモグラフィ**は，検出は検出器，記録はイメージャ，表示はフィルム（またはモニタ），保存はサーバで行い，4 つの別の機能を最適化して使用する必要性がある．それらに加えて画像処理を行う必要もあり，さらに複雑になる．しかし，診断におけるスループット，過去画像との比較や CAD システムの適用など利便性も高い．

　デジタルマンモグラフィの大きな特徴が，入出力特性に直線性があり，ダイナミックレンジの広いことである．デジタル系は，広い線量域で直線性が保たれ，5 桁程度の広いダイナミックレンジを有している（アナログシステムは 2 桁程度）．そのため，デジタル系は，線減弱係数の大きい乳腺から，線減弱係数の小さい皮膚，乳頭までの情報を欠落することなく取得できる．

5) デジタルマンモグラフィの空間分解能と濃度分解能

　デジタルマンモグラフィの空間分解能と濃度分解能は，一般のデジタル画像と同様に標本化と量子化の条件により決められる．前述したように，マンモグラフィ上に描出される病変の特徴より，高空間周波数と高濃度分解能が要求される．画素サイズが小さくなるほど微小石灰化の形状などの詳細な情報を得ることができる．また，量子化レベルの向上により，微小石灰化とその周辺領域との濃度差が明確となる．微小石灰化の形状や淡い病変の検出は，良・悪性鑑別において非常に重要な判断材料となりうる．

　現在，国内でおもに使用されているデジタルマンモグラフィ装置は，画素サイズが 25〜100 μm 程度，濃度分解能が 10〜16 bit 程度の性能を有している．ただし，空間分解能と濃度分解能が向上することで，1 画像当たりのデータ量が増加し，データ転送や保存に負荷がかかる．さらに，ソフトコピー診断におけるモニタの表示性能との関係で，縮小して表示する（空間分解能の劣化を伴う）必要があるため注意が必要である（図 1-4-16）．

6) デジタルマンモグラフィの受光系

　国内では，複数のデジタルマンモグラフィ装置が採用されている．デジタルマンモグラフィで使用されている CR 方式，間接変換方式 FPD，直接変換方式

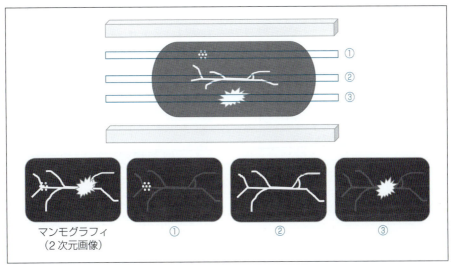

図 1-4-17 トモシンセシスの概念図

FPDは，基本的に一般撮影系で用いられるものと構造的に違いはない．そのため，その詳細に関しては，本書前項の「FPD装置による撮像」を参照いただきたい．

2 トモシンセシス装置

近年，マンモグラフィのためのトモシンセシスである**デジタルブレストトモシンセシス**（digital breast tomosynthesis：DBT）が急速に普及している．トモシンセシスとは，tomography（断層）とsynthesis（統合，合成）からの造語であり，FPDの普及によりデータの取得が容易になった．

従来の断層画像では，1回の撮影で1断層画像しか得られず，診断に必要な複数断層画像を得るのに時間を要していた．それに対して，DBTは，1回の撮影で乳房に異なる角度でX線を連続（またはパルス）照射し，撮影後に画像を再構成することで，任意の複数断層画像を得ることができる．

DBTは，任意の断面像を生成することで，これまで2次元画像であるマンモグラフィで問題となってきた深さ方向に位置する乳腺と腫瘤性病変のような組織の重なりを減少（または排除）して観察することが可能になる（図1-4-17）．これにより，低コントラスト病変の検出向上，微小石灰化の3次元的分布の把握，

さらにバイオプシーなどの生体組織診断における正確な位置情報の把握など利点が多く存在する．また，近年DBT画像より，擬似的な2D画像である合成2D画像の生成が行われ，読影の効率化，精度の向上，被ばく線量の低減などが期待されている．

DBTの画質と関係する因子にスキャン角度（X線管球の振角），投影数，画像再構成法などがある．スキャン角度とは，X線管球の中心軸からの左右の撮影角度を示す．スキャン角度は，深さ分解能と関係し，スキャン角度を広くするほど，高い深さ分解能が得られる．一方で，被ばく線量（平均乳腺線量）の増加や斜入射による画像の歪み，撮像時間の増加などが懸念される．そのためDBTのスキャン角は，10〜50°に設定されている（図1-4-18）．

投影数とは，スキャン角度をX線管球が動く間に撮影する枚数（ショット数）を示す．投影数は，少なすぎると深さ分解能の低下を起こし，多すぎると被ばく線量が増加，または被ばく線量を抑えた場合にはノイズ特性が低下する．そのため，スキャン角度，投影数，被ばく線量を考慮して各パラメータが決定されている．

DBTの再構成手法は，シフト加算法（shift addition：SA），フィルタ逆投影法（filtered back projection：FBP），逐次近似再構成法（iterative reconstruction：IR）などが用いられている．近年多くのDBTが，逐次

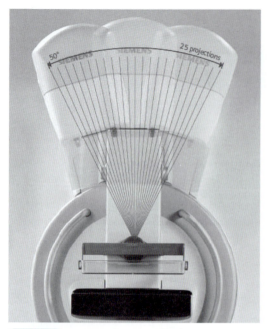

図 1-4-18 トモシンセシスの原理(シーメンスヘルスケア(株)提供)

近似再構成法を採用している．

4 X線CT装置の画像形成理論

X線CT装置(X-ray computed tomography)は1972年にハンスフィールド(G.Hounsfield)らによって開発されて以来，めざましい性能向上を遂げ，現在の医療では必要不可欠なものとなっている．CT装置の要素技術は，スキャン機構などのハードウェア技術，画像再構成に代表される画像形成理論，ヘリカルスキャン・多列スキャンや各種補正処理に関する応用技術によって成り立っている．ここではCT装置の概要について，画像形成理論に重点をおいて説明する．

1 機器構成

図 1-4-19 にCT装置の基本構成を示す．一般的なCT装置は，走査ガントリ，撮影テーブル，データ収集ユニット，各種制御ユニット，コンピュータなどから構成されている．

CT装置は，さまざまな方向から被検体にX線を照射し，透過したX線強度分布(**投影データ**とよぶ)をコンピュータによって画像再構成することにより，被検体内部のX線吸収係数の分布を画像化する．

2 投影データの収集

投影データは，図 1-4-20 の左側に示す幾何学系にて収集される．被検体の計測中心Oを原点とする断層像内の座標を(x, y)とし，被検体内のX線吸収係数の分布を$f(x, y)$で表す．

CT装置はさまざまな方向からX線を照射しながら被検体を透過したX線を検出器で検出する．そこで，

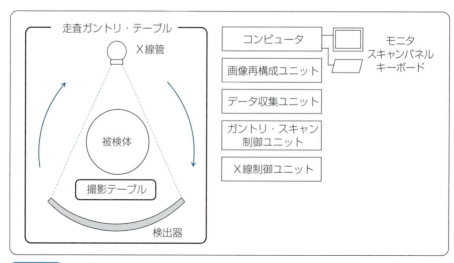

図 1-4-19 CT装置の機器構成

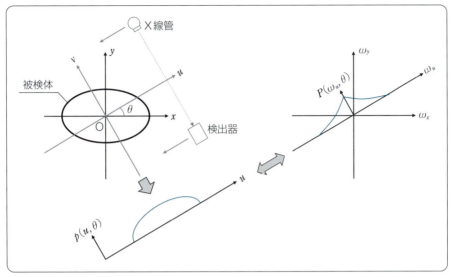

図 1-4-20　CT装置の幾何学系と投影切断面定理

図 1-4-20 上の x 軸に対して θ だけ傾いた方向から X 線を照射する場合の直交座標系を (u,v) と定義する．v 軸に平行に X 線が照射されたときの X 線の軌跡を l とすると，検出器にて検出される X 線強度 I は (4-2) 式のように表される．

$$I = I_0 \exp\left\{-\int_l f(x,y)dl\right\} \quad (4-2)$$

ここで，I_0 は被検体入射前の X 線強度である．近年の CT 装置は，X 線を扇状あるいは円錐状に照射し，それらを多数の検出器で同時計測する方式が主流であるが，ここでは式を簡単にするため，X 線をペンシルビーム状に細く絞り平行に照射した場合について説明する．

CT 装置で使用する投影データ $p(u,\theta)$ は，θ および u を変化させながら X 線強度 I を求めたものであり，被検体の X 線吸収係数の分布 f との関係も含めて (4-3) 式のように表される．

$$p(u,\theta) = -\ln\frac{I}{I_0} = \int f(x,y)dl = \int f(u,v)dv \quad (4-3)$$

3　投影データと断面の関係

再構成処理の説明にあたり，投影データと断層像の関係について説明する．まず，投影を行う際に定義した座標系 (u,v) において，$f(u,v)$ のフーリエ変換 $F(\omega_u, \omega_v)$ は以下のように定義される．ただし，j は虚数を表す．

$$F(\omega_u,\omega_v) = \int_{-\infty}^{\infty}\int_{-\infty}^{\infty} f(u,v)\exp\{-j(\omega_u u + \omega_v v)\}du\,dv \quad (4-4)$$

ここで，$\omega_v = 0$ として，ω_u 軸上の値だけに注目すると，(4-3) 式を用いて，

$$F(\omega_u,0) = \int_{-\infty}^{\infty} p(u,\theta)\exp(-j\omega_u u)du = P(\omega_u,\theta) \quad (4-5)$$

この関係は，被写体 $f(x,y)$ の投影データ $p(u,\theta)$ の 1 次元フーリエ変換 $P(\omega_u,\theta)$ は，被検体 $f(x,y)$ の 2 次元フーリエ変換 $F(\omega_x,\omega_y)$ を角度 θ で定義される ω_u 軸に沿って切断したデータに等しいことを示している（図 1-4-20）．これは**投影切断面定理**とよばれ，CT 装置における画像再構成の根幹をなす最も重要な定理である．

なお，ここでは 1 次元の投影データと 2 次元断面との関係を説明したが，多次元についても同様に考えることができる．

4 画像再構成処理

前述のように，CT装置で収集された投影データpと，被検体の吸収係数分布（断層像）fは投影切断面定理により関連づけられている．投影切断面定理に基づき，fをその1次元低いデータであるpから算出する処理は画像再構成とよばれ，代表的な方法として，以下に説明するフーリエ変換法やフィルタ補正逆投影法がある．

1）フーリエ変換法

前述の投影切断面定理により，周波数空間における投影データと被検体の関係が明らかになっている．**フーリエ変換法**はこの定理を直接的に利用して画像再構成を行うものである．

具体的には，投影データをフーリエ変換し，そのデータを周波数空間の対応する領域に埋め込む．この処理を収集した投影データすべてについて繰り返し行うことで，周波数空間全体にデータが埋められる．この結果をフーリエ逆変換することによって断層像を得る．

この方法は非常にシンプルな考え方に基づいているものの，投影データのフーリエ変換を周波数空間に埋め込む際に周波数がゼロの部分に情報が集中するため誤差が生じやすい．さらに，投影データがすべてそろってから再構成しなければならないこと，フーリエ変換に処理時間を要することなどの課題もあるため，利用されることは少ない．

2）フィルタ補正逆投影法

フィルタ補正逆投影法(filtered back projection：FBP)は，現在利用されているCT装置の画像再構成処理に広く用いられている．この方法も，投影切断面定理に基づいたものであり，以下にその理論について説明する．

まず，被検体$f(x, y)$をその周波数分布$F(\omega_x, \omega_y)$のフーリエ逆変換として表すと，次式のようになる．

$$f(x, y) = \int_{-\infty}^{\infty} \int_{-\infty}^{\infty} F(\omega_x, \omega_y) \exp\{j(\omega_x x + \omega_y y)\} d\omega_x d\omega_y \tag{4-6}$$

$\omega_x = \omega \cos\theta$，$\omega_y = \omega \sin\theta$として，上式を極座標系に変形すると，

$$f(x, y) = \int_0^{2\pi} \int_0^{\infty} F(\omega\cos\theta, \omega\sin\theta) \cdot \exp\{j\omega(x\cos\theta + y\sin\theta)\} \omega \, d\omega \, d\theta \tag{4-7}$$

ωの積分区間を$-\infty \sim \infty$とするため，ωを$|\omega|$に置き換え，

$$f(x, y) = \int_0^{\pi} \int_{-\infty}^{\infty} F(\omega\cos\theta, \omega\sin\theta) \cdot \exp\{j\omega(x\cos\theta + y\sin\theta)\} |\omega| \, d\omega \, d\theta \tag{4-8}$$

ここで，Fの部分を投影切断面定理によって次式の[　]のように書き換える．

$$f(x, y) = \int_0^{\pi} \int_{-\infty}^{\infty} \left[\int_{-\infty}^{\infty} p(u, \theta) \exp(-j\omega_u u) du \right] |\omega| \cdot \exp\{j\omega(x\cos\theta + y\sin\theta)\} d\omega \, d\theta \tag{4-9}$$

上式の[　]内では，投影データをフーリエ変換しており，その結果に対して$|\omega|$が乗じられている．$|\omega|$は周波数空間にて，高い周波数成分を強調するフィルタ（**ランプフィルタ**）であり，投影データをフィルタ処理により補正していると解釈することができる．そして$|\omega|$を乗じた後，$\exp\{\ \}dw$の部分にてフーリエ逆変換が行われ，補正された投影データが得られる．ここまでがフィルタ補正処理である．

そして，$0 \sim \pi$の範囲で$f(x, y)$のすべての画素にフィルタ補正された投影データを加算していくと被検体$f(x, y)$の情報が得られる．この処理のことを逆投影処理とよんでいる．

1方向から得た投影データに対するFBPの処理の流れを図1-4-21に示す．FBPでは，投影データを周波数空間上でフィルタ補正したものを，逆投影処理によって実空間に書き戻すことで被検体の断層像を得ている．

FBPは本質的には前項のフーリエ変換法と同じく投影断面定理に基づいて被検体の断層像$f(x, y)$を得るものであるが，投影データを取得しながら迅速に再構成処理を開始できるため，現在のCT装置にて広く利用されている．

なお，(4-9)式で示した周波数空間におけるフィルタ補正処理は，実空間における畳み込み積分（コンボリューション）と数学的に等価であり，畳み込み積分

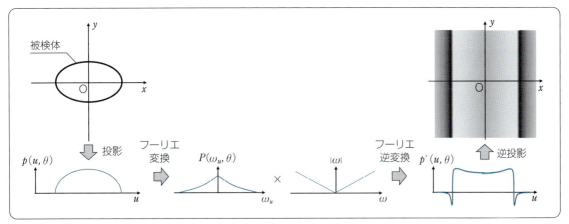

図 1-4-21 フィルタ補正逆投影法を用いた画像再構成処理の流れ

によってフィルタ補正する方法は**コンボリューション再構成**ともよばれている.

5　3次元データ収集のための工夫

CT 装置で用いられる画像再構成理論は, $N-1$ 次元の情報から N 次元の情報を生成するというものである. 現在の CT 装置はこの理論の $N=2$, すなわち 1 つの軸（体軸）に対する回転軌道により投影データを収集しており, 基本的には 1 次元の投影データから 2 次元データを得ている. 一方で, 人体は 3 次元的な構造を有しており, CT 装置の用途の広がりによって 3 次元的な CT 画像を効率よく収集する方法が望まれ, さまざまな開発が進められた. それが以下に述べるヘリカルスキャンと多列スキャンである. ここではその概要を紹介する.

1) ヘリカルスキャン

被検体に対して垂直な円周軌道により 1 次元データを収集した場合, 1 枚の断層像しか得られない. こで, 人体の組織は連続性のある構造をしており, 隣り合う断層像は類似性が高い. **ヘリカルスキャン**はその仮定に基づき, 被検体に対して**らせん状**に投影データを収集し, それらから個々の断層像を得るための投影データを補間処理によって生成する. それらを画像再構成することによって多数の断層像を 1 回のスキャンで得ることができる.

2) 多列スキャン

体軸方向に複数列の検出器を設け, 1 回のスキャンにて複数の異なる位置の投影データを得る技術である. 同時に収集するデータ数が増えるにつれ, 被検体に対して斜め方向から X 線が入射するようになり, 投影切断面定理を満足しない投影データが収集されることになる.

Feldkamp らは, 逆投影処理を 3 次元拡張することで, 近似的に 3 次元画像再構成する方法を開発し, 現在の CT 装置にて広く利用されている.

6　CT 値と CT 画像の表示

CT の画像再構成によって得られる被検体の X 線吸収係数の分布 $f(x, y)$ は, 撮像条件や装置によって変化する. そこで, $f(x, y)$ のすべての画素値を以下の式によって **CT 値**に変換したものが CT 画像として記録される. その単位は CT の開発者である G. Hounsfield にちなんで, **Hounsfield unit（HU）** が使用されている.

$$\text{CT 値 [HU]} = \frac{\mu - \mu_w}{\mu_w} \times 1000 \qquad (4\text{-}10)$$

ここで, μ は対象となる物質の吸収係数であり, μ_w は水の吸収係数である. この式より, 水の CT 値は $\mu = \mu_w$ となるため 0[HU] となり, 空気の CT 値は $\mu = 0$ となるため -1000[HU] となることがわかる. CT 装置では, 被検体と同じ撮影条件で水を撮影した結果をあらかじめ記録しておき, CT 値を求めている.

人体を撮影した場合のCT値はおよそ−1000から1000程度までの値をとるが，画像診断の際にはCT値のわずかな変化を観察する必要がある．そこで，CT画像の表示の際には，指定した範囲のCT値の変化がよく観察できるように階調処理の1つである濃度ウインドウ処理（第3編第1章参照）が行われる．

第2編 画像評価論

- 第1章 画質に影響する因子
- 第2章 入出力特性
- 第3章 解像特性
- 第4章 ノイズ特性
- 第5章 信号検出理論
- 第6章 さまざまな医療画像

第1章 画質に影響する因子

1 画質の3因子

　第1編第4章1項「X線像の形成」のところでも説明があるように，X線画像の画質を決める3因子には，「コントラスト」，「鮮鋭度」（鮮鋭性，解像特性），「ノイズ特性」（粒状性，粒状度）が挙げられる（図2-1-1）．これらの因子は独立ではなく，互いに密接に影響し合う．たとえば，一般には，鮮鋭性が良くなれば，粒状模様は目立つようになったり（粒状性の悪化），コントラストが悪くなれば，逆に粒状は良く（目立たなく）なったりする．また，医療X線画像では人体への入射線量は被ばくの観点から大きく制限されるため，「量子モトル」とよばれる粒状性が支配的であり，この粒状性は入射線量が大きくなれば改善される．

2 コントラスト

　コントラストとは，ある被写体とその背景とのX線強度の差（フィルムでは濃度差，デジタル系ではデジタル値の差）を表現するものである．コントラストが高い（あるいは大きい）ほど，被写体の識別が容易になる．X線画像におけるコントラストは，被写体コントラスト（入射X線エネルギーと透過エネルギーによって決まる），受光系の入出力部における特性（特性曲線で評価できるが，デジタル系では撮影後も自由に変えられる），被写体からの散乱線含有率（あるいは受光系におけるグレアのような成分）がおもに影響している．デジタル系では，アナログ系のように，記録と表示は切り離されるため，表示系の入出力特性も影響する（第4編第1章参照）．入出力特性の評価については，本編第2章で説明する．

3 解像特性

　解像特性は，被写体の微細な構造をいかに再現できるかを表す特性である．すなわち，空間分解能の評価である．X線画像では，X線管における焦点サイズ（幾何学的不鋭とよばれる），受光系の特性，デジタル系では画素寸法や構造，最終的な表示系の特性が影響する．また，被写体の動きも影響する．歴史的には，空間領域における評価方法から始まり，次第にフーリエ解析を導入する空間周波数解析に発展している．デジタル系では，表示系の解像特性も影響する．詳細は，本編第3章で説明する．

4 ノイズ特性

　ノイズ特性は，画像のランダムな模様の大小などを表す特性である．被写体に入射するX線光子の空間的時間的な統計的ゆらぎ，すなわち量子モトル（量子

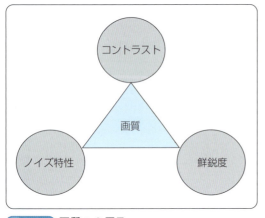

図2-1-1　画質の3因子

ノイズ)の影響が大きく，また，受光系自身の特性，さらにはデジタル系では表示系のノイズ特性が関与する．解像特性と同様に，空間領域における方法から始まり，次第にフーリエ解析を導入する空間周波数解析に発展している．ここでも，表示系のノイズ特性もデジタル系では関与する．詳細は，本編第4章を参照されたい．

5 物理評価と視覚評価

　以上の画質に関する各因子は，物理的な解析方法で評価が行われるのが一般的である．これに対して，人間の視覚特性も考慮した信号検出理論に基づく視覚評価による方法がある．また，総合的な画質評価法なども提案されている．詳細は，本編第5章で説明する．

　画像処理技術の発展により，デジタル系においては，コントラストは自由自在に変えることができ，解像特性やノイズ特性も改善できる多くの手法が提案されている．しかし，基本は，画質の3要素を忘れずに，しっかりした原画像を"作る"（撮影する）ことが重要である．

第2章 入出力特性

1 特性曲線

1 アナログ系の特性曲線

X線画像を記録する感光材料として，増感紙とX線フィルムを組み合わせたアナログシステムが用いられてきた．どれぐらいの光の量でどの程度の濃度が得られるかを示した曲線を**特性曲線**(characteristic curve)とよぶ．特性曲線は，縦軸に**写真濃度** D，横軸に露光量(X線量) E の対数をとったグラフであり，提唱者として知られる Hurter と Driffield の頭文字をとって **H-D 曲線**ともよばれている．実際には，X線の場合には横軸の露光量は絶対値で表すことはできないので相対値で表している．

図 2-2-1 に示した特性曲線で，A より左側の最も低い濃度を最低濃度 D_{min} とよぶ．A〜B を足部とよび，露光量の少ない部分で濃度は低い．B〜C は直線部とよび，この領域では濃度が露光量の対数に比例して増加する．C〜D は肩部とよび，この領域で濃度は最高に達するが，露光量の増加に対して濃度の増加率は減少する．そして，最も高い濃度を最大濃度 D_{max} とよぶ．D_{max} を得る露光量の 100〜1,000 倍以上の露光をすると，逆に濃度の低下がみられる．この部分を反転部またはソラリゼーション部とよぶ．

X線が直接フィルムの濃度に寄与するのは 1％程度であり，X線の利用効率を高めるために増感紙が用いられている．アナログシステムでは，胸部，骨，乳房などを撮影するときには，撮影部位に適した特性曲線を有する増感紙-フィルムシステムを選択する必要がある．おもにフィルムは特性曲線の形状，増感紙は感度に寄与している．

特性曲線からは，**最低濃度**，**最高濃度**，**ガンマ**，**平均階調度**，**寛容度**(ラチチュード)，**相対感度**を求める

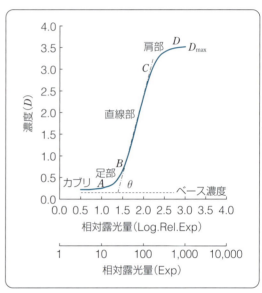

図 2-2-1 増感紙-フィルムシステムの特性曲線

ことができ，これらの値はフィルムの特性を知るうえで有用なパラメータである．

1) 最低濃度 D_{min}

カブリともよばれ，フィルムベースの濃度と黒化銀による濃度を合わせたグロス濃度で表す．X線フィルムの最低濃度は 0.15〜0.25 程度である．

2) 最高濃度 D_{max}

最も高い濃度．一般撮影用のX線フィルムの最高濃度は 3.0〜4.0，マンモグラフィ用フィルムでは 4.0 以上である．

3) ガンマ

直線部を延長して横軸とのなす角度を θ とすると，$\tan \theta$ を**ガンマ**(gamma, γ)とよび，ガンマの高いフィルムからはコントラストの高い画像が得られる．また，特性曲線上の任意の点の傾斜度を**階調度**(gradient, G)

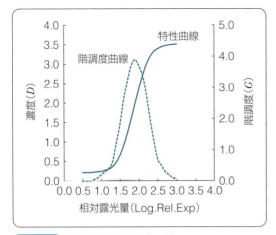

図 2-2-2 特性曲線と階調度曲線

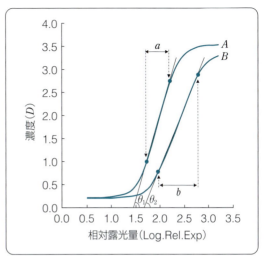

図 2-2-3 フィルムのラチチュード

といい，ある濃度 d における階調 G は，

$$G = \frac{\Delta d}{\Delta \log E} \quad (2-1)$$

によって求められる．特性曲線を微分して各相対露光量における階調度を縦軸にとったグラフを階調度曲線という．階調度曲線と特性曲線を重ねたものを図2-2-2 に示す．また，横軸には特性曲線を微分した濃度，縦軸には各濃度点の階調度を示した階調度曲線のほうがより実用的である．

4）平均階調度（average gradient） $\bar{G}$

特性曲線の実用域の傾きを表したものである．実際には，$D_1(D_{min}+0.25)$ と $D_2(D_{min}+2.0)$ の 2 点を結んだ直線と横軸のなす角度 θ の $\tan \theta$ で表す．

$$\bar{G} = \tan \theta = \frac{D_2 - D_1}{\log E_2 - \log E_1} = \frac{1.75}{\log E_2 - \log E_1} \quad (2-2)$$

$\log E_1$ は D_1，$\log E_2$ は D_2 の濃度を与える比露光量の対数の点である．一般撮影用の X 線フィルムの平均階調度は 2.0～3.0，マンモグラフィ用フィルムでは 3.0～4.0 である．

5）寛容度（latitude）

異なる 2 つの特性曲線 A，B を図2-2-3 示す．A や B フィルムの直線部の相対露光量の幅 a，b のことをラチチュードという．すなわち，写真濃度の濃淡として表せる X 線量の変化範囲である．コントラスト（ガンマ）が大きいほどラチチュードは狭く，コントラストが小さいほどラチチュードは広くなる．

胸部 X 線写真は，骨～肺（空気）までの広い露光量域を適切濃度域に描出する必要があり，ラチチュードの広い B のような X 線フィルムが使われる．一方，骨撮影やマンモグラフィは，骨や乳腺の石灰化など比較的狭い露光量域内の臓器や組織を適切濃度に描出すればよいことから，ラチチュードの狭い A のような X 線フィルムが好まれる．

6）相対感度（relative sensitivity） RS

比感度ともよぶ．複数の増感紙-フィルムに同一 X 線量を与えても，得られる写真濃度が異なる．図2-2-4 には感度の異なる 2 つの特性曲線 A，B を示す．任意の濃度（有効濃度 1.0 付近）を与える比露光量 E_A と E_B を求め，相対感度はその比露光量の逆数で表す．システム A の感度を 100 としたとき，システム B の相対感度は次式で求めることができる．

$$RS_B = \frac{1/E_B}{1/E_A} \times 100 = \frac{E_A}{E_B} \times 100 \quad (2-3)$$

2　デジタル系の特性曲線

X 線撮影や透視検査に用いられる digital radiography（**DR**）システムの検出器には，computed radiography（**CR**）で使用される輝尽性蛍光板と flat panel detector（**FPD**）がある．DR システムの検出器も増感

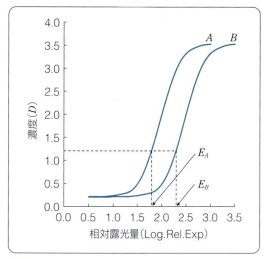

図 2-2-4　相対感度の算出例

紙 - フィルムシステムと同様な入出力特性を持っており，縦軸にデジタル値，横軸に相対露光量をとったグラフを**デジタル特性曲線**とよんでいる．

DR システムには，図 2-2-5 に示す CR のようなデジタル値が相対 X 線量の対数に比例するシステムと，FPD のようにデジタル値が相対露光量の真数値に比例するシステムがある．CR は，ログアンプを用いて信号強度を対数変換した後，FPD ではリニアアンプを介して信号強度を増幅した後，A/D 変換器によりデジタル値に変換しているために特性曲線の横軸に違いが生じる．

2 実際の測定方法

センシトメトリー（sensitometry）とは，感度（sensitivity）と測定法（metry）の合成語であり，感光材料の感度測定という意味になる．一般的には，フィルムの特性曲線を求めることをセンシトメトリーとよんでいるが，現在では感度，階調，カブリ，ラチチュードなどを評価する意味で使われている．ここでは，特性曲線を作成する代表的な方法である距離法，ブーツストラップ法，タイムスケール法について簡単に説明する．

1 距離法

露光量が**距離の逆二乗則**に従って減弱する性質を利用した方法である．点光源，真空中と仮定した場合，ある距離 R_1 での露光量を E_1，距離 R_2 での露光量を I_2 としたとき，$E_1 \times R_1^2 = E_2 \times R_2^2$ が成立する．これは，露光量が距離の二乗のオーダーで減衰することを意味している．露光量の対数を横軸に，そして，そのときの写真濃度を縦軸にプロットすることで特性曲線が得られる．

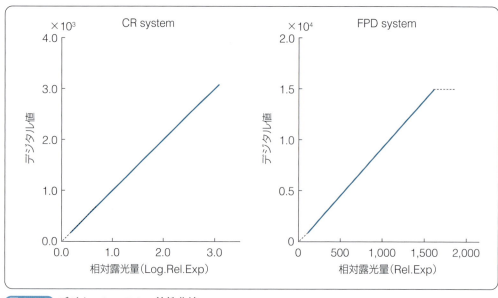

図 2-2-5　デジタルシステムの特性曲線

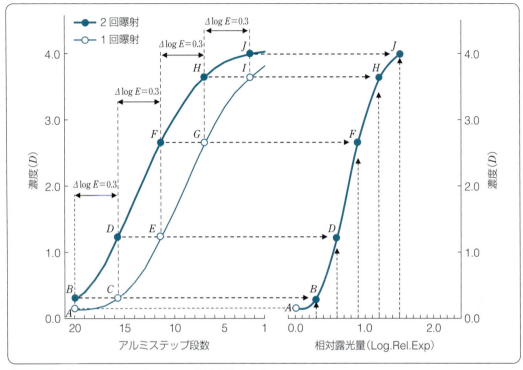

図 2-2-6 ブーツストラップ法による特性曲線の作成

距離法では，距離が変化しても線質が変わらないことから，X線出力の再現性が高いX線発生装置を用いること，そして正確に距離を変化させることで，精度の高い特性曲線が得られる．欠点としては，距離を長く変化させる必要があるため広い部屋を必要とすることである．

2　ブーツストラップ法

アルミ階段を1倍とN倍の露光量で撮影し，得られた写真濃度の分布曲線をつなぎ合わせることで特性曲線を得る方法である．

アルミ階段の最も厚い部分の写真濃度が0.2〜0.3になるように撮影条件を決定し，撮影を行う．次に，撮影を行った部分の半分を鉛板で遮蔽し，残り半分に同じ条件でN回撮影を行う．Nを2としたときの特性曲線の作成例を図2-2-6に示す．

AからHまでの写真濃度を順に読み取り，それらを特性曲線の縦軸の値とする．そして，特性曲線の横軸である相対露光量の間隔はNによって変わり，そ

の間隔は$\log_{10} N$で求められる．Nが2の際は，$\log_{10} 2 = 0.3$であることから，横軸の相対露光量の間隔は0.3になる．

最初に，横軸0.0の位置にA値をプロットする．次に，B値はA値の2倍の露光量で得られる濃度であるから，横軸0.3の位置にB値をプロットする．B値とC値は同一写真濃度であるから同一露光量である．さらに，D値は$C(B)$値の2倍の露光量で得られる濃度であるから横軸0.6の位置にD値を，横軸0.9の位置にF値を……の各点をプロットしてつなぐことで特性曲線が得られる．特性曲線を求める際の手順がブーツの紐を結ぶ様子に似ていることから**ブーツストラップ(bootstrap)法**とよばれている．

比較的簡便に測定できる点が利点であるが，作図中の誤差，隣り合うアルミ階段からの散乱X線の影響が測定の誤差につながることが欠点である．

3　タイムスケール法

管電圧(kV)と管電流(mA)を一定に保ち，撮影時間

を変化させることで露光量を変化させる方法である．使用するX線発生装置の繰り返し精度，タイマ表示値の精度，タイマ遮断の精度の問題や，撮影時間を広い範囲で変化させるために**相反則不軌**による誤差が避けられないことから，増感紙－フィルムシステムではあまり用いられていない．しかし，デジタルシステムでは相反則不軌が生じないため有効な方法である．

第3章 解像特性

1 解像特性と画質

　放射線画像の質は何によって決まるのであろうか．画像の質(以下，画質)はコントラスト，鮮鋭度，粒状性の3つの因子で構成されている．特にこのうち鮮鋭度と粒状性は，1枚の写真を見たときの画質に関する感覚的な評価用語であり，写真分野ではこの2つの因子をまとめて像構造とよんでいる．像構造に関しては過去，定量的な評価方法の研究が盛んに行われ，現在では本章3項で述べるフーリエ解析(Fourier analysis)による**空間周波数解析**が広く利用されている．

1 解像力

　従来，画像におけるボケの評価法として，**解像力**(resolution)が用いられてきた．解像力とは，その画像がどの程度まで細かい物体が再現できるのかを評価する手法である．ちなみに，解像度を表す言葉に**空間分解能**があるが，解像力と同義として使われることが多い．
　日本工業規格のJIS-Z-4916には，X線装置およびX線映像装置の解像力を測定するときに用いるX線吸収体を材料とする，X線用解像力テストチャート(以下，テストチャート)について規定されている．
　図2-3-1にType 10のテストチャートを示す．解像力は，X線写真やX線映像装置などの画像の描写能力を表す量であり，等しい幅を持つ明暗の線対の像(line pairs：LPラインペア)において，分解していると認められる最小線対の幅の逆数で表すとされ，単位は一般にLP/mmを用いると記載されている．すなわち，解像力Rは明暗の線対の像が，画像上で識別で

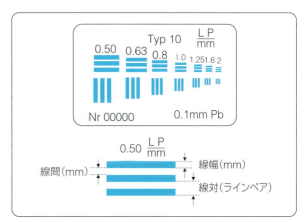

図2-3-1 直接撮影用解像力テストチャート：Type 10

きなくなる限界で表現される主観評価(視覚評価)である．たとえば，Type 10のテストチャートを撮影して，線幅がd(mm)の線対まで分離して観察できたときに，解像力R(LP/mm)は，次式となる．

$$R = \frac{1}{2d} \tag{3-1}$$

　線幅が0.5 mmまで識別できたとしたら，解像力Rは1 LP/mmと表現される．
　このように，過去の解像特性の評価は解像力が用いられてきたが，求まる量が工業量であり，測定法や測定器によって結果が異なることが最大の欠点であった．一方，物理量は測定器や測定方法によって得られる結果に違いはない．この工業量という欠点を解消するために，後述する物理量であるフーリエ解析による空間周波数解析が広く利用されるようになった．この解析方法は画像形成システムの各要素の分離や結合が容易であり，有益な情報が多く得られる方法である．

第2編　画像評価論

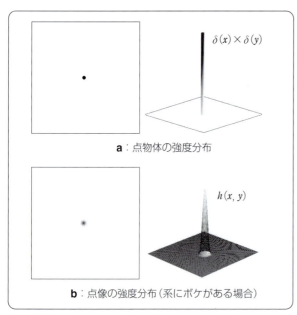

図 2-3-2　点物体と点像の強度分布

a：点物体の強度分布
b：点像の強度分布（系にボケがある場合）

力したとき，伝送系を通った後，出力波形はある広がりを持った波形 $h(x, y)$ になまってしまう（図 2-3-2 b）．この 2 次元で表現された $h(x, y)$ を，**点広がり関数**（point spread function：**PSF**）または**点像強度分布**とよぶ．

2　広がり関数

1　点広がり関数

画像の最小単位「点」をボケのある画像システムに信号として入力したときに，その信号「点」がどの程度広がって出力されるかを表すものが**広がり関数**（spread function）である．

具体的には，図 2-3-2 a に示すような 2 次元のδ関数で表されるような単位パルス信号 $\delta(x) \times \delta(y)$ を入

2　線広がり関数

通常，X 線写真の撮影において，被写体をカセッテの中心に置いても，少しずれた位置で撮影しても画質は変わらない．この性質を系の**定常性**とよぶ．また被写体をカセッテに対して真っすぐに置いても，やや斜めに置いて撮影しても，やはりボケの性質は変わらない．この性質を系の**等方性**（isotropic）とよぶ．測定する系がこの両方を持っていれば，「点」がどの程度広がるかの代わりに，「線」がどの程度広がるかを考えることができ，測定も解析もより簡便となる．

いま，点像強度分布 PSF を $h(x, y)$ とすると，1 次元の強度分布を次のように定義することができる．

$$l(x) = \int_{-\infty}^{\infty} h(x, y) dy \quad (3\text{-}2)$$

これを図で説明すると図 2-3-3 のようになる．すなわち，$l(x)$ は $h(x, y)$ を y 軸に平行な面で切ったときの断面積に対応している．この $l(x)$ を**線像強度分布**あるいは**線広がり関数**（line spread function：**LSF**）とよぶ．これを式で表すと，

$$LSF(x) = \int_{-\infty}^{\infty} PSF(x, y) dy \quad (3\text{-}3)$$

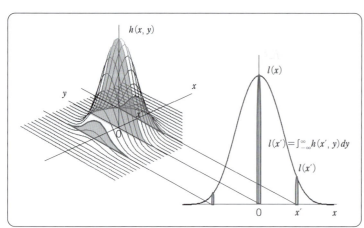

図 2-3-3　点像 $h(x, y)$ と線像 $l(x)$ の関係
（岡部哲夫編：医用放射線科学講座 14　医用画像工学．第 2 版，医歯薬出版，2004 より一部改変）

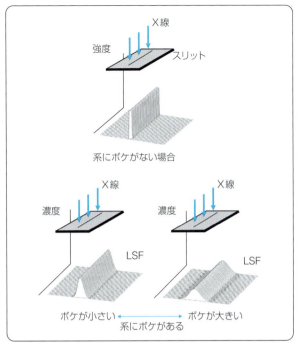

図2-3-4 線物体の像の強度分布(線広がり関数：LSF)

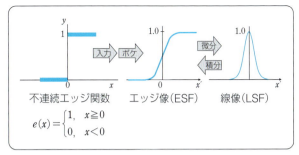

図2-3-5 エッジ像と線像の関係

となる．LSFは系が定常，等方性の性質を持っていればその位置，方向は無関係となり，PSFに比べ，はるかに取り扱いが容易である．

図2-3-4に，相対的に鮮鋭なシステムと非鮮鋭なシステムで得られたLSFを示す．ボケが大きいほど，LSFの広がりが大きくなり，鮮鋭なシステムほど広がりは小さくなる．

3 エッジ広がり関数

画像システムに入力する信号が1次元のLSFであれば，取り扱いが容易になることを説明したが，入力として次式のような不連続関数であるエッジを用いる方法もある．

$$e(x) = \begin{cases} 1, & x \geq 0 \\ 0, & x < 0 \end{cases} \quad (3\text{-}4)$$

図2-3-5のように，エッジ$e(x)$を画像システムに入力すると，その出力として**エッジ広がり関数**(edge spread function：**ESF**)が得られ，次式で表される．

$$ESF(x) = \int_{-\infty}^{x} LSF(x')dx' \quad (3\text{-}5)$$

すなわち，**ESFはLSFを積分**することで求めることができ，逆にESFを微分することでLSFを求めることができる．

$$LSF(x') = \frac{dESF(x')}{dx'} \quad (3\text{-}6)$$

この方法をエッジ法とよぶが，現在は医療デジタル画像システムの鮮鋭度評価に広く用いられる．

3 MTF

解像力にかわって画像の評価にどのような物理量を使っているかというと，それが電気通信系で発達してきた情報理論であり，レスポンス関数である．一般に，放射線画像系におけるボケの要因としては，X線管焦点や散乱線，デジタルX線画像検出器などが挙げられる．個々のボケはレスポンス関数で考えると，同一尺度で表すことができ，またボケの要素の合成が可能となる．

1 レスポンス関数

レスポンス関数を理解するには，画像における空間周波数を理解する必要がある．

通常，周波数は正弦波で定義されることから，空間周波数の単位にはcycles/mmが一般的に用いられている．しかし，空間的に明暗の正弦波のテストチャートを作ることは困難で，解像力テストチャートと同様の**矩形波チャート**が利用されている．空間周波数と線幅および線間の関係は，次式に示すとおりである．

$$u = \frac{1}{2d} \quad (3\text{-}7)$$

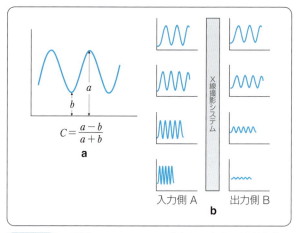

図 2-3-6 正弦波のコントラスト(a)と入出力の関係(b)

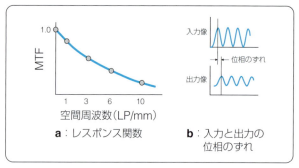

図 2-3-7 空間周波数特性と位相

u は空間周波数(LP/mm)または(cycles/mm)，d は線幅および線間の寸法(mm)である．

ここで，図 2-3-6 a に示すように，ボケのある画像システムでチャートを撮影した場合，最も明るい部分を a，最も暗い部分を b とすると，コントラスト（contrast）は次式で定義される．

$$C = \frac{a-b}{a+b} \qquad (3\text{-}8)$$

また図 2-3-6 b に示すように，入力側はコントラストが同じで空間周波数が異なるチャート A をボケのある画像システムで撮影すると出力側の画像コントラストは B のようになる．空間周波数が高くなるにしたがって，コントラストは減少する．入力側のコントラストを C_A，出力側のコントラストを C_B とすると，レスポンス R は次式となる．

$$R = \frac{C_B}{C_A} \qquad (3\text{-}9)$$

これは，画像がボケたためにコントラストが落ちた割合を示している．この R を縦軸に，空間周波数を横軸にとったものが図 2-3-7 a である．この正弦波は波であるので，正確には振幅(コントラスト)と位相を考える必要がある．図 2-3-7 b のように位相のずれが生じることがあり，そのずれは空間周波数によって異なり高い周波数ほど大きくなる．図 2-3-7 の絶対値と位相の 2 つを**レスポンス関数**または**空間周波数特性**とよんでいる．レスポンス関数自体は複素関数であり，**光学伝達関数**(optical transfer function：**OTF**)といい，その絶対値を**振幅伝達関数**または**変調伝達関数**（modulation transfer function：**MTF**），そして位相成分を**位相伝達関数**(phase transfer function：**PTF**)という．通常の一般撮影における X 線管にて数 μm 程度の焦点サイズで撮影を行う場合，生じる位相差は半影より小さく考慮しない．

2　空間周波数

放射線撮影系では，X 線管焦点，被写体散乱線，デジタル X 線画像検出器など，それぞれレスポンス関数を持った要素が直列につながっている場合は，重畳積分によって出力された画像のボケを算出することが可能である．しかし，空間周波数領域ではおのおののレスポンス関数の積で最終のボケを表すことができる．また，直接 X 線と散乱 X 線のようにボケの要素が並列につながっている系はレスポンス関数の和として表される．このことがレスポンス関数の大きな特徴でもある．

放射線画像を点や線の集合と考えるとき，像は個々の点や線のボケの集まりになることを述べてきたが，これらのことは 2 つの条件，加法性と定常性が満たされるときに成立し，単純に加え合わせて総合出力できる．その詳細は第 1 編 3 章の 3 に解説されているので参照されたい．

現在，一般的な画像のボケの解析，すなわち鮮鋭度評価は振幅伝達関数 MTF で行われ，1 次元 LSF を用いたフーリエ変換で評価され，より解析が簡便となっている．MTF は空間周波数の関数であり，直列系のおのおのの解析など多くの利点を有する．

3 MTFの定義

MTFには2つの定義がある．1つは**点像強度分布**あるいは**線像強度分布**のフーリエ変換であり，もう1つが正弦波形のコントラスト変調である**振幅比**（コントラスト比）である．MTFの測定として用いられている**スリット法**が前者に，**矩形波チャート法**が後者にあてはまる．いずれの測定法も過去の実験で異なる施設間においてもよく一致することが確かめられているが，再現性の高い正確な結果を出すためには多くの経験が必要である．

スリット法や矩形波チャート法のほかにも，エッジを撮影したエッジ像の微分によってLSFを求めMTFを測定する**エッジ法**もある．スリット法と同様フーリエ変換することから，スリット法とエッジ法を**フーリエ変換法**，矩形波チャート法を**コントラスト法**として区別する場合もある．エッジ法は現在，デジタル画像システムの鮮鋭度評価の最も一般的な手法となっている．

4 MTF測定法

1 スリット法

本来，MTFの定義では2次元で示されているので，測定法も点像強度分布が求まるピンホール像のほうがよい．しかし，従来のアナログシステムのような記録系に非線形特性を持つフィルムなどを用いる場合は，一般的にスリット法が用いられてきた．

スリット幅10 μmのときのナイキスト周波数は50 cycles/mmとなり，アナログ画像システムの鮮鋭度を評価するには十分に細い幅だといえる．逆に，これ以上広すぎると得られた線像の広がりは，ボケとスリットの幅を加えたものになってしまい，正確なボケを測定することが難しくなる．ちなみに，そのような場合は，スリット幅のsinc関数で近似したMTFで測定により得られたMTFを割り算することで補正できる．

1) LSFのフーリエ変換

スリット法で得られたLSFをフーリエ変換し，これを空間周波数0 cycle/mmの値で正規化したものが光学伝達関数（OTF）と定義され，次式で表すことができる．なお，iは虚数を表す．

$$OTF(u) = \int_{-\infty}^{\infty} LSF(x)\, e^{-i2\pi ux}\, dx \quad (3\text{-}10)$$

また，(3-10)式はオイラーの公式より，

$$A_1 - iA_2 = |OTF(u)| e^{-i\delta u} \quad (3\text{-}11)$$

$$A_1 = \int_{-\infty}^{\infty} LSF(x)\cos 2\pi ux\, dx \quad (3\text{-}12)$$

$$A_2 = \int_{-\infty}^{\infty} LSF(x)\sin 2\pi ux\, dx \quad (3\text{-}13)$$

となる．MTFはOTFの絶対値であるため，

$$MTF(u) = |OTF(u)| = \sqrt{A_1^2 + A_2^2} \quad (3\text{-}14)$$

$$\delta u = \tan^{-1}\frac{A_2}{A_1} \quad (3\text{-}15)$$

と定義される．ただし，uは空間周波数，δuは位相である．MTFはスペクトルの振幅を求めることであり，この場合それぞれの周波数成分の初期位相はわからなくなる．

ちなみに，アナログシステム（増感紙-フィルム）のLSFは左右対称であるため奇関数のsin成分はゼロとなり，偶関数cos成分のみとなる．したがって，MTFはLSFの半分のフーリエ・コサイン変換で求めることができた．

$$MTF(u) = \frac{\int_0^{\infty} LSF(x)\cos 2\pi ux\, dx}{\int_0^{\infty} LSF(x)\, dx} \quad (3\text{-}16)$$

2) エリアシングエラー

得られたスリット像の濃度分布を一定の間隔（サンプリング間隔）で読み取るが，その間隔が大きいと**エリアシングエラー**が起こる．その詳細は第1編第2章の3に譲るが，アナログシステムでも得られたLSFのデータを連続で読み取らない限り，このエラーは起こりうる．

MTFにエリアシングエラーが含まれないようにするには，標本化定理を満足する間隔で読み取る必要が

あり，また求める系のナイキスト周波数を考慮して，その間隔を決める必要がある．

2 デジタル画像システムのMTF

1）プリサンプルドMTF（presampled MTF）

デジタル系の解像特性を定量的に評価するには，アナログ系で広く用いてきたMTF（レスポンス関数）で評価する方法がある．アナログ系，デジタル系を問わず，レスポンス関数を適応するにはその前提条件である**線形性**と**位置不変性**（shift invariance）を満たす必要がある．

線形性については，デジタル特性曲線を用いてX線量に変換すればよい．しかし，デジタル系では離散的にデータを取り込むので，信号とサンプリング点との位置関係によって信号成分が変化し，位置不変性は成り立たない．このことは，デジタル系のMTFが従来のアナログシステムと同じように扱えないことを意味している．さらにデジタルシステムにおいては，読み取り間隔が十分に小さいとはいえず（アンダーサンプリング），エリアシングエラーを含んでいることにも考慮する必要がある．

位置不変性は具体的には，図2-3-8にみられるように，スリットとピクセルの位置関係によってスリットの見え具合が変化している．Cは両者の中心が一致している部分であり（**センター配置**），Sは半ピクセル分だけずれている部分である（**半ピクセルシフト配置**）．実際には，これらの中間の位置に対応する多くのLSFが存在する．図2-3-8のスリット像から，その直交のピクセル値を特性曲線で線形化し，各配置のLSFをフーリエ変換してMTFを求めると，図2-3-9のようになる．これは，スリットの位置によってMTFが変化していることを示し，エリアシングに起因するものである．

Fujita，GigerとDoiらの論文では，デジタル系のMTF解析にはデジタル系に固有な特性を十分に理解したうえで，注意深く解析を行う必要があるとしている．また"**プリサンプルドMTF**（presampled MTF）"というデジタル系に固有な新しいMTFの概念を提案

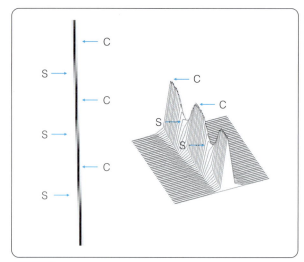

図2-3-8 位置依存性を示しているスリット像とそのsurface plot
C：センター配置，S：半ピクセルシフト配置．
（Fujita H, et al：Med Phys 12（6）：716, 1985 より改変）

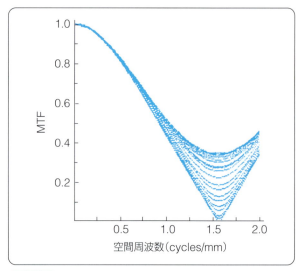

図2-3-9 異なった配置に対するデジタルMTFの変化
（Fujita H, et al. Med Phys 12(6)：716, 1985）

している．プリサンプルドMTFは，スリットとピクセルのいろいろな配置で得られたLSF（スリットを2～3°傾ける）を合成して（合成LSF），実効的なサンプリング間隔が細かくなった1本のLSFを合成し，エリアシング（aliasing）の影響しない，位置依存性もクリアしたMTFを計算する方法である．

（1）合成LSF

合成LSFを作成する方法は2種類あるが，ここで

はそのうちの1つで，さまざまなアライメントで得たLSFを合成して実効的なサンプリング間隔が小さくなった合成LSFからMTFを計算する方法を紹介する．

スリットを走査方向に対して垂直，または水平方向にわずかに角度をつけ，さまざまなアライメントのLSFを得る．一例として，走査方向に垂直な方向に対して，わずかに角度(2〜3°)をつけてスリットを配置したときの概略図を，図2-3-10 a に示す．

図2-3-10では，A，B，C，D(E = A)の4つのアライメントを示し，これらから4つの異なったアライメントのLSFが得られる(図2-3-10 b)．この図では，各LSFはサンプリング間隔が Δx の5個のデジタル値から構成されている．一方，この例ではシフテッド(またはセンター)アライメントからシフテッド(またはセンター)アライメントの間に4つのピクセルが存在しているので，合計20個のデータを $\Delta x/4$ のサンプリング間隔で合成すれば，サンプリング間隔(実効サンプリング間隔)が小さな**合成LSF**が得られる(図2-3-10 c)．さらにトランケーションエラーや量子化誤差などを避けるために，合成後のLSFの裾野の部分を指数関数で外挿したLSFを，MTFの計算に用いることが望ましい場合もある．合成LSFの外挿に関しては，次項で詳しく述べる．

このように，サンプリング間隔が小さくなった合成LSFからMTFを計算すれば，エリアシングエラーが含まれないプリサンプルドMTFが得られる．

(2) トランケーションエラー

LSFは無限大の広がり(−∞〜+∞)を持つと考えられるが，実験上の制約で有限の範囲までしか求まらず，LSFの裾野部分が欠如していると理論上は考えられる．裾野が欠如したLSFをフーリエ変換すると，振動したMTFが計算される．このような誤差を**トランケーション(裁断)エラー**という．

アナログシステムにおいてはトランケーションエラーを起こさないように倍数露光と外挿を行ったが，ダイナミックレンジが広いデジタルシステムに，必要であるのだろうか．

図2-3-11 a には，スリット像から合成したLSF，さらに，指数関数でLSF値0.01より外挿したLSFを

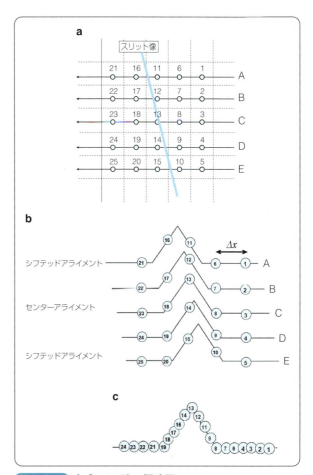

図2-3-10 合成LSF法の概略図
a：スリット像とアライメントの関係，b：合成前の各アライメントでのLSF，c：合成後のLSF．
(Fujita H, et al：IEEE Trans Med Imaging 11(1)：35, 1992 より一部改変)

示す．増感紙-フィルム系ではダイナミックレンジが狭いため，倍数露光と外挿を用いることで，LSF値0.01付近まで求めることができた．ダイナミックレンジの広いデジタルシステムデータでは，適正な条件(最高デジタル値の80%以上)でスリットを撮影すれば，LSF値で0.01程度までばらつきや誤差なくデータを得ることができるので，倍数露光は必要ない．デジタルにおける外挿はそれ以下の，**量子化誤差**が現れる領域の正確なデータを予測するために行う．

図2-3-11 b に外挿あり・なしそれぞれのMTFを示す．0.01より外挿を行ったMTFは外挿なしのMTFに比べ，低周波数部分でわずかに高い値(2%)を示したが，2 cycles/mm以上では，ほとんど一致している．

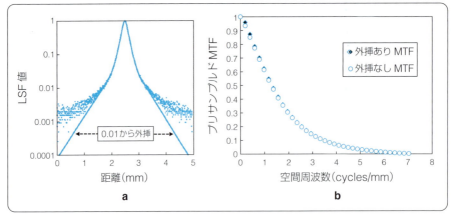

図 2-3-11 合成 LSF(a)と計算されたプリサンプルド MTF(b)

より精密なプリサンプルド MTF 算出には外挿を，注意深く行う必要がある．

2) プリサンプルド MTF(presampled MTF)：エッジ法

アナログシステムにおいて MTF 算出には，矩形波チャート法とスリット法が広く用いられてきた．しかし近年，X 線画像はデジタルシステムへと移行し，それに伴い DQE 測定においてエッジによるプリサンプルド MTF 測定が International Electrotechnical Commission(IEC)で標準とされたことから，エッジ法へと移行し広く普及している．

(1) エッジの撮影

IEC62220-1 に，タングステンエッジデバイスの形状と，撮影の配置図が説明されている．そのなかで，タングステン金属は 90% 以上の純度で 1.0 mm の厚みと 100 mm の長さ，そして少なくとも 70 mm の幅を持つものとされている．さらに X 線が照射されるエッジ面は真直ぐに丹念に磨いてあり，エッジリップル (平坦度) は 5 μm 以下でエッジ端角は正確に 90° であることとしている (図 2-3-12)．また，適切に MTF を測定するために厚さ 3 mm の遮蔽鉛で固定するように示されている．

このように作製されたエッジデバイスを X 線検出器の受光面に対して，約 2〜3° 傾けて配置し，X 線中心軸をエッジ面に対して垂直に入射し，エッジの撮影を水平方向と垂直方向の 2 方向行う．X 線の線質は，DQE まで測定することを考慮して，IEC62220-1 に

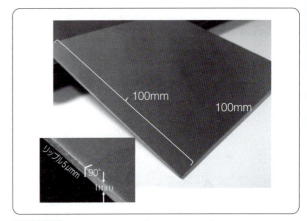

図 2-3-12 1mm 厚タングステンエッジ

基づく線質 (RQA) を用いることが推奨される．

(2) 合成 ESF

エッジ像から，合成 LSF と同じようにエッジを合成して，エリアシングエラーと位置不変性の問題を解決した，サンプリング間隔が小さくなった合成 ESF (edge spread function) を求める (図 2-3-13)．

また，合成サンプリング間隔とサンプリング間隔の関係を図 2-3-14 に示す．合成サンプリング間隔 Δx は，サンプリング間隔を P とすると，

$$\Delta x = P \tan \theta \tag{3-17}$$

で表すことができる．また，ESF を合成するのに必要なピクセルの行数 N は，

$$N \approx \frac{P}{\Delta x} = \frac{1}{\tan \theta} \tag{3-18}$$

で表すことができる．N はいちばん近い整数としているので多少精度が落ちるが，ナイキスト周波数の 1.4

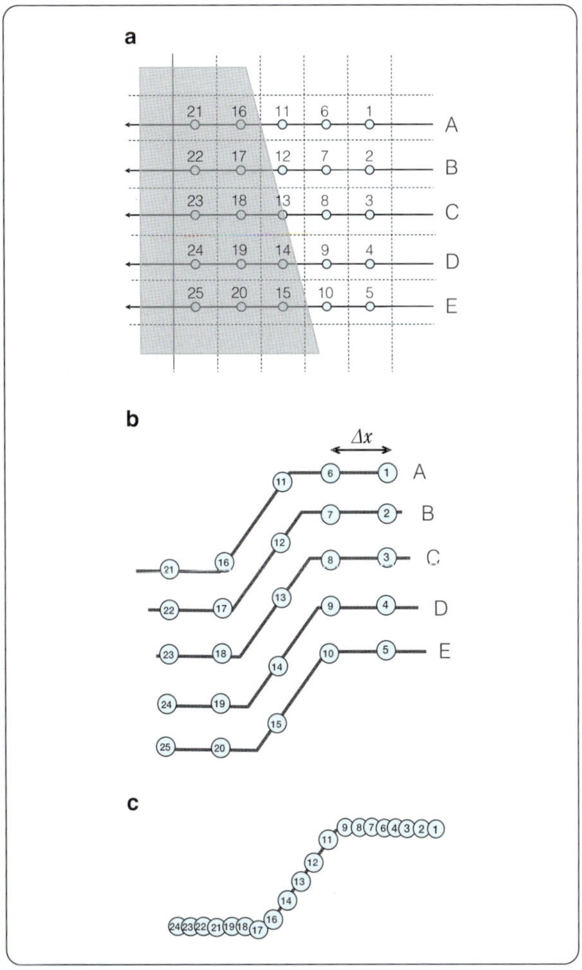

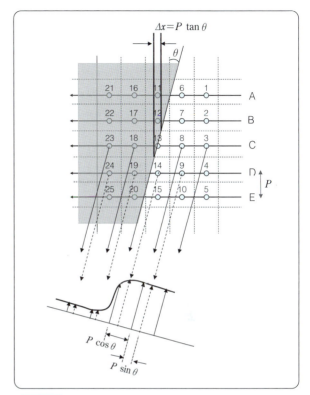

図2-3-13 合成ESF法の概略図
a：エッジ像とアライメントの関係，b：合成前の各アライメントでのESF，c：合成後のESF．

図2-3-14 エッジの配置とピクセルの関係
（Samei E, et al：A method for measuring the presampled MTF of digital radiographic systems using an edge test device. Med Phys 25(1)：102-113, 1998 より一部改変）

倍くらい正確なことが確かめられている．

ESFを合成するのに必要な行数を N とした場合，合成サンプリング間隔 Δx は(3-19)式となる．

$$\Delta x = \frac{P}{N} \quad (3\text{-}19)$$

ノイズを減らすために何十本もの合成ESFを作成して平均するとよい．得られた合成ESFは特性曲線より線量に変換して線形化を行った後，(3-6)式に示すように，エッジを微分することでLSFを得ることができる（図2-3-5）．ただし，ESFは離散データであるために実際は，(3-20)式に示すように，線量に変換されたデータの**隣接差分**を行い，これを合成サンプリング間隔で除した値として計算される．

$$LSF_k = \frac{(ESF_k - ESF_{k+1})}{\Delta x} \quad (3\text{-}20)$$

しかし，厳密には微分と差分は異なる演算のため，**SINC補正**を行う必要がある．SINC補正の係数は，(3-21)式で表すことができる．

$$\text{SINC補正} = \frac{\left(\frac{f \cdot \pi}{2f_n}\right)}{\sin\left(\frac{f \cdot \pi}{2f_n}\right)} \quad (3\text{-}21)$$

f は空間周波数，f_n は合成サンプリング間隔でのナイキスト周波数であり，(3-22)式で表すことができる．

$$f_n = \frac{1}{(2 \times \Delta x)} \quad (3\text{-}22)$$

最終的にLSFより計算されたMTFに隣接差分のSINC補正係数を乗じることで，真のMTFが計算できる．

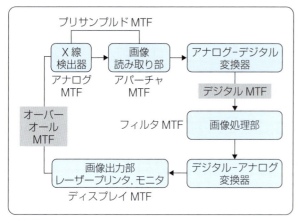

図 2-3-15 デジタル画像システムのおもな構成要素とさまざまな MTF

(Fujita, H, et al：Proc SPIE 1090：264, 1989)

3）デジタル画像システムのさまざまな MTF

デジタル系では多くの構成要素があるために，各構成要素にそれぞれの MTF が存在する．図 2-3-15 に，デジタル画像システムのおもな構成要素と各 MTF を示す．

いま，システム全体の MTF を"**オーバーオール MTF**"とすると，2 次元のオーバーオール MTF は(3-23)式によって表される．

$$MTF_{overall}(u,v) = \left\{ \left[MTF_A(u,v) \cdot MTF_S(u,v) \right] \\ * \sum_{m=-\infty}^{+\infty} \sum_{n=-\infty}^{+\infty} \delta(u-m/\Delta x, u-n/\Delta y) \right\} \\ \cdot MTF_F(u,v) \cdot MTF_D(u,v) \quad (3\text{-}23)$$

ここで，u，v は空間周波数軸を表し，*は重畳積分を表す．MTF_A はデジタル化される前のアナログ成分（X 線検出器など）の MTF でアナログ MTF とよび，

MTF_S はサンプリングアパーチャの MTF，MTF_F は画像処理フィルタの MTF，MTF_D は画像表示ディスプレイ部の MTF を示す．これらのなかで，アナログ MTF とサンプリングアパーチャの積を**プリサンプルド MTF** とよぶ〔(3-23)式の [ ] 内〕．プリサンプルド MTF は，X 線検出器のボケとサンプリングアパーチャのボケを含んだ MTF で，デジタル化される前の MTF と定義される．ゆえに，**エリアシングエラーのない MTF** である．一方，デジタル MTF を A/D 変換後のデジタル値から計算される MTF〔(3-23)式の{ }内〕と定義すると，これはプリサンプルド MTF と，櫛形のサンプリング関数（コーム関数）のフーリエ変換との重畳積分によって求められる．

通常のデジタルシステムは，サンプリング間隔が 0.05～0.2 mm 程度なので，デジタル値から直接計算した MTF は**エリアシングエラーを含む場合が多く**，正しい解像特性を示さない．オーバーオール MTF はデジタル MTF に，画像処理のフィルタ MTF とディスプレイ部の MTF の積とで求めることができる．デジタル MTF に含まれたエリアシングエラーは，画像処理のフィルタ MTF や，ディスプレイ部の MTF で値が小さくなるものの，その影響がなくなったわけではなく，正しい解像特性を示しているとはいいがたい．オーバーオール MTF にも**エリアシングエラーは含まれる**．

一方，プリサンプルド MTF，フィルタ MTF，ディスプレイ MTF は**エリアシングエラーを含んでいない**．特に，プリサンプルド MTF はデジタルシステムの重要な 2 つの構成要素を含んでいることから，アナログ系の MTF や，他のデジタル系の MTF と比較するのに有効である．

第4章 ノイズ特性

1 はじめに

X線画像においては，X線を一様に照射しても，画像上の信号値は均一にならず，ゆらぎが観察される．この画像上の不規則に変化するザラツキを粒状といい，粒状の示す性質を粒状性あるいは**ノイズ特性**という．人間の視覚を通して主観的に評価した粒状性を**心理的粒状度**(graininess)とよび，ウィナースペクトル(Wiener spectrum：WS)やRMS(root mean square)粒状度などの客観的な画質評価法で測定したものを**物理的粒状度**(granularity)という．

2 X線量子のゆらぎ

X線は熱電子がターゲットとの衝突によって発生し，その発生確率はポアソン(Poisson)分布に従うとされる．X線の発生確率は空間的，時間的にもポアソン分布に従い，ゆらぐとされるため，画像の信号値は均一にはならずに変動する．ポアソン分布は確率分布の一種である二項分布の特殊例であり，期待値(平均値)と分散が等しいという性質を持つ．したがって，単位面積当たりの平均入射量子数が q の場合，分散(標準偏差の二乗)は q と等しくなり，(4-1)式の関係が成立し，

$$q = \sigma^2 \tag{4-1}$$

したがって，X線量子のゆらぎ成分である σ_q は $\sqrt{q}$ となる．また，個々のX線量子の生成では時間的にも空間的にも無相関で，互いに他のX線量子と相関しないため，X線量子のゆらぎは，すべての周波数成分を一様に含んだホワイトノイズとなる．

画質を評価するうえで重要なパラメータである**信号対雑音比**(signal to noise ratio：SNR)は，X線量子のみで形成される理想的な信号 q では，次式で表すことができる．

$$SNR = \frac{q}{\sigma} = \frac{q}{\sqrt{q}} = \sqrt{q} \tag{4-2}$$

また，画像上の信号成分のコントラストを考慮したSNRの指標である**信号差対雑音比**(signal difference-to-noise ratio：SDNR)に対しても同様に示すことができる．

$$SDNR = \frac{\Delta q}{\sigma} = \frac{Cq}{\sigma} = \frac{Cq}{\sqrt{q}} = C\sqrt{q} \tag{4-3}$$

ただし，C はコントラストで，$C = \frac{|q_0 - q_B|}{q_B}$ と表され，q_0 は信号部分の平均量子数，q_B はバックグラウンドの平均量子数である．これらにより，画質は検出器に入射するX線量に対して，平方根で向上することがわかる．

画像に寄与したX線光子数に対する標準偏差として表される変動割合は，$\frac{\sqrt{q}}{q} = \frac{1}{\sqrt{q}}$ となる．図2-4-1に，デジタルラジオグラフィ(DR)システムにおいて，画像に寄与した単位面積当たりの平均X線量子数が25個と400個の場合の模式図を示す．それぞれの変動割合は，$\frac{\sqrt{25}}{25} = 0.2$，$\frac{\sqrt{400}}{400} = 0.05$ となり，量子数の増加に従い，画像内のゆらぎが低減され，表示画素のノイズも小さくなる．このことから，信号成分となるX線量子そのものがノイズ因子となり，X線量子数が少ない場合，つまり検出器に到達するX線量が少ない場合では，X線量子のノイズが相対的に多くなり，画質が悪くなることを示している．

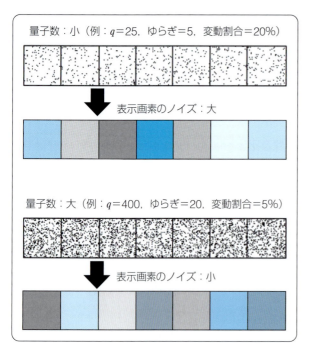

図 2-4-1 量子数，ゆらぎによる表示画素のノイズとの関係
量子数が多いときは変動割合が少ないため，表示画像上のノイズが減少する．

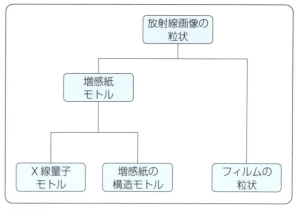

図 2-4-2 X線写真の粒状の構成（増感紙－フィルム系）

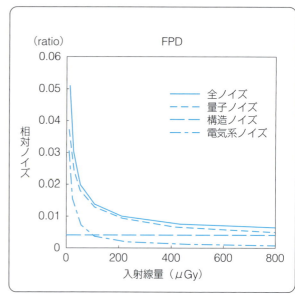

図 2-4-3 間接変換型 FPD におけるデジタル値に対するノイズ成分の割合

3 粒状の構造

図 2-4-2 は Rossman によって分類された X 線写真（フィルム・スクリーン [F/S] システム）之粒状の構成図である．**X 線量子モトル**，増感紙の**構造モトル**，フィルムの粒状からなり，放射線画像はこれらが組み合わさって画像に影響する．また，X 線量子モトルと増感紙の構造モトルを併せて**増感紙モトル**とよんでいる．**モトル**（mottle）とは，X 線フィルム上のまだら模様のことを示しており，ノイズとほぼ同義としてよい．

次に，デジタルシステムのノイズの構成は，X 線量子ノイズ（モトル）のほかに，X 線検出器の構造ノイズ，光量子ノイズ，電気系ノイズ，量子化ノイズ，エリアシングノイズが挙げられる．図 1-4-6（p.25）に CR，図 1-4-8（p.27）に FPD におけるデジタル化の過程とそのノイズ因子について示す（第1編第4章参照）．

このように，DR システムでは，X 線が検出されてからデジタル化するまでの過程で種々のノイズが付加され，これらのノイズ因子は加法性が成立する．ノイズ因子と X 線量との関係は，電気系ノイズと量子化ノイズは，X 線量により変化しない固定ノイズであり，X 線量子ノイズ，光量子ノイズとエリアシングノイズは，X 線量の平方根に比例し，X 線検出器の構造ノイズは，X 線量子数に比例する．

図 2-4-3 にマンモグラフィシステムの間接変換型 FPD のデジタル値に対するノイズ成分の割合を示す．グラフから検出器に到達する X 線量によって優位となるノイズ因子が異なり，極低線量領域では，量子ノイズの他に間接変換型 FPD では電気系ノイズが優位であるが，電気系ノイズは X 線量の増加に伴い急速

4 ノイズ特性の評価方法

1 RMS粒状度

画像上に不規則に現れるノイズ成分を評価する方法として，**RMS粒状度**(root mean square granularity)は，濃度のゆらぎの標準偏差であり，次式で表される．

$$\sigma = \sqrt{\frac{\sum_{i=1}^{N}(P_i - \overline{P})^2}{N-1}} \quad (4\text{-}4)$$

$\overline{P}$ は測定点の平均値，P_i は各測定点，N は測定点の数とする．RMS粒状度は，平均値に対して各データがどの程度変動するかを示しており，値が大きいほど粒状性は悪いことになる．ただし，RMS粒状度の測定の特性上，測定する試料のプロファイルに勾配(トレンド)があると，見かけより濃度差が大きくなり過小評価となるため，ノイズ特性を正確に評価することはできない．

また，RMS粒状度には空間周波数の情報がないため，異なる解像特性のシステムを比較することは適切ではない．さらに濃度のゆらぎの標準偏差であるため，画像上のコントラストによってRMS粒状度は変化する．したがって出力画像のノイズ特性の一部を示しているに過ぎない．

2 自己相関関数

自己相関関数(auto-correlation function)$ACF(\tau)$ は，信号の分布を $f(x)$ とすると，その位置から τ だけずれた位置(相関距離)の信号値 $f(x+\tau)$ との一般的依存性を表している．

$$ACF(\tau) = \lim_{L \to \infty} \frac{1}{2L} \int_{-L}^{L} f(x)f(x+\tau)dx \quad (4\text{-}5)$$

ただし，x は距離，L は試料長である．

自己相関関数は常に実数値の偶関数であり，$\tau = 0$ のとき最大値をとる．

また，

$$ACF(-\tau) = ACF(\tau) \quad (4\text{-}6)$$

である．正弦波のような特別な場合を除き，関数 $f(x)$ の平均値 $\overline{f(x)}$ は

$$\overline{f(x)} = \sqrt{ACF(\infty)} \quad (4\text{-}8)$$

で表され，二乗平均値は，

$$\overline{f(x)^2} = ACF(0) \quad (4\text{-}9)$$

で与えられ，自己相関関数から関数 $f(x)$ の分散 σ^2 が求まることがわかる．

3 ウィナースペクトル

画像上に存在するさまざまな空間周波数成分を含んだノイズ画像の周波数解析方法として**ウィナースペクトル**(Wiener spectrum：WS)がある．WSの解析方法としては，濃度の変動成分を直接フーリエ変換して求める直接フーリエ変換法，変動成分から自己相関関数を求め，フーリエ変換をするブラックマン・チューキー(Blackman-Tukey)法，情報エントロピーを最大にするようなスペクトルを決定する最大エントロピー法があり，現在では，フーリエ変換の計算速度を短縮する方法である高速フーリエ変換(fast Fourier transform：FFT)法によって行う方法が一般的である．

F/SシステムのWS測定には，マイクロデンシトメータにて走査した1次元の濃度分布を用いて解析を行う．取得した濃度分布を $D(x)$ とすると，

$$D(x) = \overline{D} + \Delta D(x)$$

(ただし，$\overline{D}$ は濃度分布の平均値，$\Delta D(x)$ は変動成分)で表すことができ，変動成分 $\Delta D(x)$ で求める1次元ウィナースペクトル $W(u)$ は

$$W(u) = \lim_{L \to \infty} \frac{1}{L}\left|F(u)\right|^2 \quad (4\text{-}10)$$

で表され，ここで，

$$F(u) = \int_{-\infty}^{\infty} \Delta D(x) e^{-i2\pi ux} \quad (4\text{-}11)$$

である．ただし，u は空間周波数である．

先に述べた自己相関関数 $ACF(\tau)$ をフーリエ変換すると，ウィナースペクトル $WS(u)$ を導くことができ，

$$WS(u) = \int_{-\infty}^{\infty} ACF(\tau) e^{-i2\pi u\tau} d\tau \quad (4\text{-}12)$$

また，ウィナースペクトル $WS(u)$ の逆フーリエ変換から，自己相関関数 $ACF(\tau)$ を求めることができる．

$$ACF(\tau) = \int_{-\infty}^{\infty} WS(u) e^{i2\pi u\tau} du \quad (4\text{-}13)$$

すなわち，$ACF(\tau)$ と $WS(u)$ は，互いにフーリエ変換の関係にあり，これを**ウィーナー・ヒンチン**(Wiener-Khinchin)**の定理**という．

F/S システムの WS 測定では，マイクロデンシトメータのスリットサイズをスリット幅 0.01 mm，スリット長 1.0 mm とする場合が多い．スリット長が不足すると対軸方向の成分によって，低周波数領域の WS 値の過小評価となる．

4 離散データによるデジタル WS

F/S システムの WS 測定では，マイクロデンシトメータのスリット幅と走査速度のよるサンプリングピッチを十分細かくすることで，10 cycles/mm 以上の高周波数の粒状特性を評価することが可能であるが，DR システムでは，すでにデジタル化された画像データからノイズ特性を評価するため，解析可能な空間周波数はナイキスト周波数までとなり，加えて，エリアシングエラーを含んだデジタル WS となる．

また DR システムのデジタル WS は，正規化ノイズパワースペクトル(normalized noise power spectrum：NNPS)ともよばれることも多く，国際電気標準会議(International Electrotechnical Commission：IEC)にて，IEC62220-1 のシリーズ(IEC62220-1-1，IEC62220-1-2，IEC62220-1-3)にて検出量子効率(detective quantum efficiency：DQE)の評価法として国際的に規定されている測定法がある．

ノイズ特性に限定した評価をするのであれば，IEC62220-1 の測定方法にこだわる必要はないが，デジタル WS の評価は X 線質や X 線量で大きく異なるため，装置間の比較等を目的にするのであれば，規定された X 線質，同一線量で評価すればよい．

また DR システムでは，画像データを取得後にさまざまな非線形の画像処理を行うことが可能である．そのような画像データを用いると正確なノイズ評価ができない．そのため，デジタル WS の解析には，画像処理を含まない線形化された画像データ(生データ：raw data)で行う必要がある．

DR システムの画像データは離散的であるため離散フーリエ変換(discrete Fourier transform：DFT)を用いる．F/S システムと同様に露光量に比例したゆらぎ $\Delta E(x,y)$ は，$\Delta E(x,y) = E(x,y) - \overline{E}$ のように表され，$\Delta E(x,y)$ を $\overline{E}$ で除することで信号値の大きさを 1 に正規化したゆらぎ $\Delta E_{nor}(x,y)$ として(4-14)式で表すことができる．

$$\Delta E_{nor}(x,y) = \frac{\Delta E(x,y)}{\overline{E}} = \frac{E(x,y) - \overline{E}}{\overline{E}} = \frac{E(x,y)}{\overline{E}} - 1 \quad (4\text{-}14)$$

よって，$\Delta E_{nor}(x,y)$ は平均信号値を 0 とする信号値の大きさを 1 に正規化したゆらぎで表される．

DR システムの単位面積当たりのパワースペクトルとするデジタル WS は $\Delta E_{nor}(x,y)$ の 2 次元 DFT を用いて次式より算出できる．

$$WS(u_j, v_k) = \frac{\Delta x \Delta y}{N_x N_y} \left| DFT_{2D}(u_j, v_k) \right|^2 \quad (4\text{-}15)$$

ただし，u_j, v_k：水平，垂直方向の空間周波数，N_x, N_y：1 回の計算に用いる関心領域(ROI)の水平，垂直方向のマトリックス数，Δx, Δy：水平，垂直方向のサンプリングピッチである．なお，2 次元離散フーリエ変換 $DFT_{2D}(u_j, v_k)$ は次式で表される．

$$DFT_{2D}(u_j, v_k) = \sum_{t=1}^{N_y} \sum_{s=1}^{N_x} \Delta D_{nor}(x_s, y_t) e^{-i2\pi(u_j x_s + v_k y_t)} \quad (4\text{-}16)$$

実際の IEC62220-1 による計算では，ROI を 256×256 ピクセルとし，M 個の ROI で加算平均するため，デジタル WS は，

$$WS(u_j, v_k) = \frac{\Delta x \Delta y}{M \cdot 256 \cdot 256} \sum_{m=1}^{M} \left| \sum_{t=1}^{256} \sum_{s=1}^{256} \Delta E_{nor}(x_s, y_t) e^{-i2\pi(u_j x_s + v_k y_t)} \right|^2 \quad (4\text{-}17)$$

となる．

また，信号値を対数に変換して出力するシステム(log システム)では，入出力特性の傾き G を用いて露光量変換をする必要があり，$\Delta E_{nor}(x,y)$ は次式で表される．

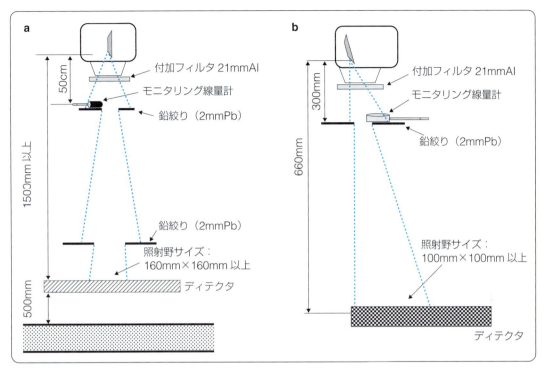

図 2-4-4 IEC62220 シリーズの規格に準拠した幾何学的配置
a：一般撮影装置（RQA5），b：マンモグラフィ装置（RQA-M2）

$$\Delta E_{nor}(x,y) = \frac{\Delta E(x,y)}{\overline{E}} = \frac{\Delta PV(x,y)}{G\log_{10} e} = \frac{PV(x,y) - \overline{PV}}{G\log_{10} e}$$

(4-18)

ただし，PV は対数に変換された信号値である．
よって，log システムのデジタル WS は，

$$WS(u_j, v_k) = \frac{1}{G^2(\log_{10} e)^2} \frac{\Delta x \Delta y}{N_x N_y} \left| DFT_{2DPV}(u_j, v_k) \right|^2$$

(4-19)

ここで $DFT_{2DPV}(u_j, v_k)$ は

$$DFT_{2DPV}(u_j, v_k) = \sum_{t=1}^{N_y} \sum_{s=1}^{N_x} \Delta PV(x_s, y_t) e^{-i2\pi(u_j x_s + v_k y_t)}$$

(4-20)

となり，(4-19) の式を用いて信号値のまま計算し，デジタル WS を求めることができる．
また，同様に IEC62220-1 の解析方法に当てはめると

$$WS(u_j, v_k) = \frac{1}{G^2(\log_{10} e)^2} \frac{\Delta x \Delta y}{M \cdot 256 \cdot 256} \sum_{m=1}^{M} \left| \sum_{t=1}^{256} \sum_{s=1}^{256} \Delta PV(x_s, y_t) e^{-i2\pi(u_j x_s + v_k y_t)} \right|^2$$

(4-21)

となる．

5　デジタル WS の測定方法

図 2-4-4 に IEC62220-1 に準拠した DR システムのデジタル WS のデータ取得の幾何学的配置の一例を示す．

一般撮影領域では，RQA5 の線質を基準とし，管電圧を 70 kV，付加フィルタとして 21 mmAl を X 線管の射出部に配置する．そして第 1 半価層が 6.8 mmAl となるように付加フィルタ厚を調整する．モニタリング用線量計と鉛絞りを X 線管の近傍に配置する．鉛絞りにて絞られた照射野サイズを検出器上で 160×160 mm 以上とし，その照射野の中心の約 125×125 mm をデジタル WS の解析範囲とする．また，照射条件は，基準線量と基準線量の 1/3.2 倍と 3.2 倍の線量にて照射する．取得した画像データは 1 回の解析範囲を 256×256 ピクセルとし，128 ピクセルずつ解析範囲を移動させながら，約 400 万画素を解析し，デジタル WS とする．

マンモグラフィ装置では，RQA-M2 となる線質で

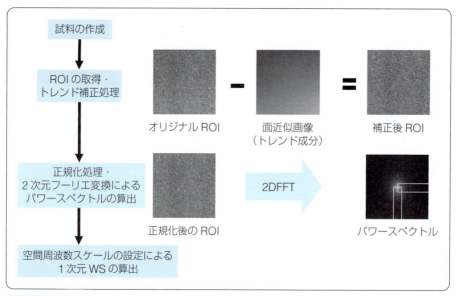

図 2-4-5 DR における 2 次元フーリエ変換によるウィナースペクトル測定の手順
（IEC62220 シリーズに準拠）

ある管電圧 27 kV，ターゲット／フィルタを Mo/Mo を基準とし，付加フィルタを 2.0 mmAl とし，第 1 半価層が 0.6 mmAl とする．また，照射野サイズを検出器面で 100×100 mm 以上とし，胸壁側から 60 mm のところを中心とし約 50×50 mm の範囲でデジタル WS を解析し，照射条件は，基準線量と基準線量の 1/2 と 2 倍の線量にて照射する．

デジタル WS の解析手順を図 2-4-5 に示す．均一に照射した試料から 256×256 ピクセルの ROI を解析範囲として切り出す．FFT では切り出した試料のプロファイルを周期データとみなして計算するため，ROI の両端部に著しい信号差があると，その信号差を周期成分として扱うため低周波数のノイズスペクトルが過小評価となる．そのため IEC62220-1 では，二次元二次多項式による近似にて近似画像を取得し，オリジナルの ROI から減算し，トレンド補正処理を行う．

補正処理後の ROI をオリジナル ROI の平均信号値で除して，信号成分を 1 としたゆらぎに正規化する．正規化した ROI に対して 2 次元フーリエ変換を実行し，パワースペクトルを取得する．

デジタル WS として 1 次元のパワースペクトルで評価するために水平方向の空間周波数である u 軸と垂直方向の空間周波数野 v 軸のスペクトルとして評価

するために IEC62220-1 では，図 2-4-6 のように軸上を除く両サイド 7 ライン，合計 14 ラインの値を周波数ビンとして平均する．この周波数ビンの間隔 f_{int} を

$$f_{int} = \frac{0.01}{pixel\ pitch(\mathrm{mm})} \qquad (4\text{-}22)$$

と定義し，

$$2f_{int}(n) \pm f_{int}\ (n=1,2,3,\cdots,24) \qquad (4\text{-}23)$$

で示される周波数区分にまとめ，その範囲の値を平均する．これにより，1 周波数ビン当たり約 70 点のデータが平均され，異なる画素ピッチのシステムにおいても，同精度で測定できる．

図 2-4-7 a に CR システムの一般撮影装置のデジタル WS を示す．この CR システムのサンプリングピッチは 0.0875 mm であるため，ナイキスト周波数は 5.7 cycles/mm となり，ナイキスト周波数までのデジタル WS の測定となる．CR システムは水平方向にレーザー走査にて信号を抽出するため，水平方向の信号は一次元の連続したアナログ信号となり，A/D 変換時にエリアシングエラーが生じないようにローパスフィルタをかけている．そのため水平方向の 5 cycles/mm 以上では急激に WS 値が低下している．図 2-4-7 b に

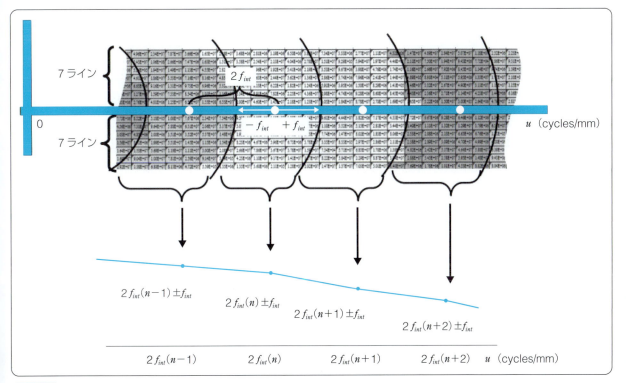

図 2-4-6 周波数ビンによるウィナースペクトルの平均化処理

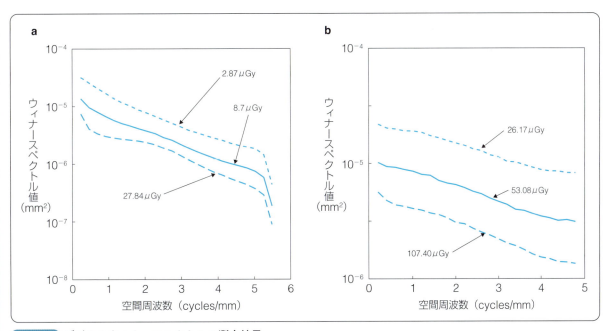

図 2-4-7 デジタルウィナースペクトルの測定結果
a：一般撮影装置(水平方向)…基準線量，1/3.2 線量，3.2 倍線量，b：マンモグラフィ装置(水平方向)…基準線量，1/2 線量，2 倍線量

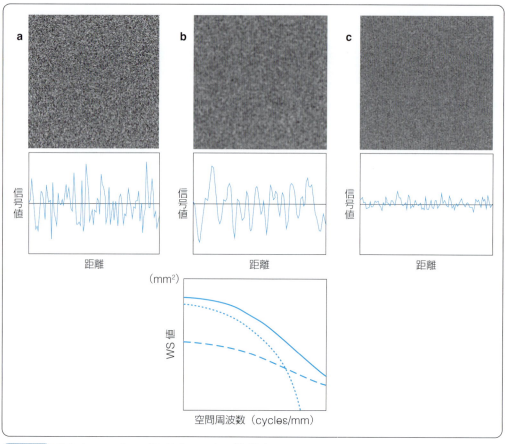

図 2-4-8 異なるレベル（a～c）に対する WS の模式図

間接変換型 FPD のマンモグラフィ装置のデジタル WS を示す．FPD は水平，垂直方向のノイズ特性に大きな違いはなく，また照射線量に対して，WS 値が等比関係になっていることがわかる．

6 解像度特性とデジタル WS との関係

図 2-4-8 にノイズ画像とそのプロファイルと，ノイズ特性を模したデジタル WS のグラフを示す．デジタル WS のグラフはノイズの空間周波数特性を示しており，図 2-4-8 a のように振幅が大きくかつ細かなノイズプロファイルの画像では，低周波数から高周波数にわたり WS 値は高い値となる．図 2-4-8 b のノイズ画像のように振幅は大きいがノイズプロファイルが緩やかな画像では，高周波数のノイズ成分が少ないため，低周波数領域では図 2-4-8 a と同等のノイズ特性であるが，高周波数になるに従い，急峻に WS 値が低下する．図 2-4-8 c のノイズ画像では，振幅が小さくかつ細かなノイズプロファイルの画像であるため，図 2-4-8 a，b と比較して低周波数領域の WS 値は十分に小さいが，高周波数の WS 値は保たれたままとなる．

第5章 信号検出理論

信号検出理論とは，雑音のあるなかでの信号の有無を決定する理論である．粒状性の視覚による評価法のもう1つの方法は，**信号対雑音比**(signal-to noise ratio：**SN比**)を基盤としたもので，フィルムサンプルに低コントラストの微小信号を写し込んだフィルムを用いて信号像の検出率をみるものである．信号検出理論として知られるこの理論を基礎とした手法のうち最も代表的なものは，**ROC曲線**(receiver operating characteristic curve)による解析である．ROC曲線を求める手法としては，**yes-no手続き**，**評定手続き**がある．

yes-no手続きは，観測者が意識的に信号の有無を決めるしきい値を変化させ，いくつかのレベルで提示されている刺激に信号があるかないかの判断を単純にyesかnoの2段階で評定し，それに対応する的中確率(true positive)と誤報確率(false positive)を求めてROC曲線を描く方法である．これに対して評定手続きは，たとえば"ありそうな"あるいは"なさそうな"など何段階かの基準を設定しておき，観測者はその基準に従って判断・決定していく．これには，両極性カテゴリーの5段階評定手続きが用いられる．また，段階を設定しない**連続確信度法**もよく用いられる．

また，ROC曲線の面積に対応するものとして，強制選択手続き(forced choice)がある．選択肢の数に応じて最も簡単な2肢強制選択(2-alternative forced choice：2 AFC)から，18 AFCあるいは25 AFCなど上限はない．これらの手法では，理論的には信号の的中確率がROC曲線の下側の面積に等しくなる．

同様にSN比を基盤とするが，もう少し簡単な方法に**C-Dダイアグラム**(contrast-detail diagram)がある．これは信号の大きさとコントラストを段階的に変化させたものを1枚のフィルムサンプルに写し，どの信号まで検出できるかを観測者に尋ねるもので，その結果を横軸に信号の大きさ，縦軸にそのとき検出できた信号の限界のコントラストをプロットする．

以下に，これらの手法を順に説明する．

1 統計的決定理論

信号検出器としてレーダーを考えてみよう．レーダーは，エコーパルスなどを利用して標的の距離や速度を推定するものであるが，初期のレーダーでは信号の存在そのものの有無を検討していたであろう．そのとき，返ってきた信号が，対象(飛行機など)によるものか，雲によるものか，単なる雑音に由来するものかの判断を行わなければならない．このような，不規則な擾乱のもとにおいて，有限個の観測値に基づいて真の情報を推定し決定を下す理論を，統計的決定理論という．

この理論の論理構造としては，あらかじめ次の3つの条件が与えられているものと仮定する．

①推定しようとする事象の真の状態(たとえば，信号の有無など)が，$x_1, x_2, x_3, \cdots, x_n$ の n 個存在し，それぞれの生起(事前)確率

$$P(x_i), \quad i=1, 2, \cdots, n \tag{5-1}$$

が，わかっていること($n=2$の場合を統計的仮説検定論とよぶ)．

②上述の事象の観測された状態を $y_1, y_2, \cdots, y_m$ としたとき，次の遷移確率行列が与えられること．

$$\begin{array}{c} & \begin{array}{cccc} y_1 & y_2 & \cdots & y_m \end{array} \\ \begin{array}{c} x_1 \\ x_2 \\ \vdots \\ x_n \end{array} & \left(\begin{array}{cccc} P_{11} & P_{12} & \cdots & P_{1m} \\ P_{21} & P_{22} & \cdots & P_{2m} \\ \vdots & \vdots & \ddots & \vdots \\ P_{n1} & P_{n2} & \cdots & P_{nm} \end{array} \right) \end{array} \tag{5-2}$$

ここで，$P_{ij}=p(y_j|x_i)$

③真の状態が x_i であるにもかかわらず，状態 x_k で

あると推定した場合(これを決定 a_k と表す),それに伴う次の損失行列が与えられること.

$$
\begin{array}{c c c c c}
 & a_1 & \cdots & a_2 & a_n \\
x_1 & L_{11} & L_{12} & \cdots & L_{1n} \\
x_2 & L_{21} & L_{22} & \cdots & L_{2n} \\
\vdots & \vdots & \vdots & \ddots & \vdots \\
x_n & L_{n1} & L_{n2} & \cdots & L_{nn}
\end{array}
\quad (5\text{-}3)
$$

ここで,L_{ik} は真の状態が x_i であるとき,決定 a_k を下した場合の損失である.

統計的決定理論による解析を考えるとき,以下のような状態を考えればよいであろう.すなわち,"ある観測値 x が得られたとき,それが信号を含んだものが示されたのか,雑音だけのものなのか,そのどちらかを答えなければならない"ものとする.ここで,信号は特異的に送られ情報を持ち,雑音は環境や観測系に固有の存在でどちらも確率過程であるとする.

次に,以下に示す 2 つの**条件付確率密度関数**を考える.

$f(x|s)$:雑音と信号が与えられて,ある観測値 x が得られたときの条件付確率密度関数

$f(x|n)$:雑音だけが与えられて,ある観測値 x が得られたときの条件付確率密度関数

図 2-5-1 にそれぞれの関数の分布の例を示す.横軸は,信号のあるなしの受信者の確信の度合いを示す.右にいくほど,信号が存在すると思う確信の度合いが大きい.2 つの分布が左右に分離している場合,信号は 100%検出可能である.逆に,2 つの分布が完全に重なっている場合は,信号を検出することは不可能である.横軸上の判別点 x_c は,そのときどきの判断の境界を示している.この点より右側の状態を信号ありと判断し,左側を信号なしと判断する.

したがって,図 2-5-1 の状態では,$f(x|n)$ の右端の一部が判別点より右側にあり,この部分は雑音であるにもかかわらず信号ありと判断されることを意味する.同様に,$f(x|s)$ の左端の判別点より左側の部分は信号があるにもかかわらず信号なしと判断されることになる.雑音のなかに存在する微弱な信号を検出しようというとき,この判別点 x_c をどのように定めたら,最も効率よく信号を決定できるかということは,重要

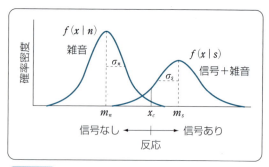

図 2-5-1 信号のあるときとないときの条件付確率密度関数

m_s, m_n:平均,σ_s, σ_n:標準偏差,x_c:判別点.

な問題である.

以下にその考え方を示す.

1 刺激−反応行列

観測者に提示される入力を刺激,出力を反応とよび,刺激と反応を次のように定義する.

刺激 s:信号を含んだもの$(s+n)$
　　n:雑音だけのもの(n)
反応 S:信号あり(yes)
　　N:信号なし,雑音だけ(no)

これは 2 入力 2 出力の組み合わせとなり,その関係は図 2-5-2 のようになる.この図において,ある判別点 x_c についての 4 つの確率(的中確率,誤報確率,ミス確率,正しい否定確率)を以下のように定義することができる.

1)的中確率(hit)

信号+雑音の分布 $f(x|s)$ に対して,観測値 x が S(信号あり)と答える確率 $P(S|s,x_c)$

$$P(S|s,x_c) = \int_{x_c}^{\infty} f(x|s)dx \quad (5\text{-}4)$$

信号+雑音の分布 $f(x|s)$ の x_c から右側の部分の面積に相当する(図 2-5-3 a).この確率は,**真の陽性**(true positive:**TP**),あるいは**感受性**(sensitivity)ともよばれる.

2)誤報確率(false alarm)

雑音だけの分布 $f(x|n)$ に対して,観測値 x が S(信

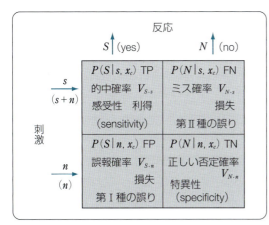

図 2-5-2 刺激 - 反応行列

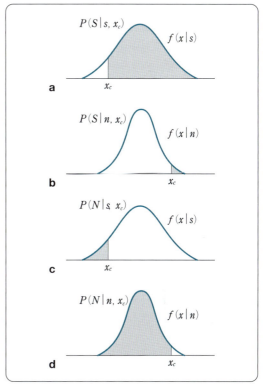

図 2-5-3 刺激 - 反応行列に対応するそれぞれの確率
a：的中確率，b：誤報確率，c：ミス確率，d：正しい否定確率．

号あり)と答える確率 $P(S \mid n, x_c)$

$$P(S \mid n, x_c) = \int_{x_c}^{\infty} f(x \mid n) dx \tag{5-5}$$

雑音の分布 $f(x \mid n)$ の x_c から右側の部分の面積に相当する(図 2-5-3 b)．この確率は，**偽の陽性**(false positive：**FP**)，あるいは**第 I 種の誤り**ともよばれる．

3) ミス確率 (miss)

信号＋雑音の分布 $f(x \mid s)$ に対して，観測値 x が N(信号なし)と答える確率 $P(N \mid s, x_c)$

$$P(N \mid s, x_c) = \int_{-\infty}^{x_c} f(x \mid s) dx \tag{5-6}$$

信号＋雑音の分布 $f(x \mid s)$ の x_c から左側の部分の面積に相当する(図 2-5-3 c)．この確率は，**偽の陰性** (false negative：**FN**)，あるいは**第 II 種の誤り**ともよばれる．

4) 正しい否定確率 (correct rejection)

雑音だけの分布 $f(x \mid n)$ に対して，観測値 x が N(信号なし)と答える確率 $P(N \mid n, x_c)$

$$P(N \mid n, x_c) = \int_{-\infty}^{x_c} f(x \mid n) dx \tag{5-7}$$

雑音の分布 $f(x \mid n)$ の x_c から左側の部分の面積に相当する(図 2-5-3 d)．この確率は，**真の陰性**(true negative：**TN**)，あるいは**特異性**(specificity)ともよばれる．

$f(x \mid s)$ と $f(x \mid n)$ は確率密度関数であるので，

$$\left. \begin{array}{l} P(S \mid s, x_c) + P(N \mid s, x_c) = 1 \\ P(S \mid n, x_c) + P(N \mid n, x_c) = 1 \end{array} \right\} \tag{5-8}$$

の関係が成り立つのは明らかであろう．

2 ベイズの決定則

損失関数と遷移確率が既知であり，さらに事前確率もわかっていると仮定すると，平均損失を最小にする(利得を最大にする)最適決定則を選定することができる．

いま，観測値 x が得られたとき yes という期待値を $E(S \mid x)$ とすると

$$E(S \mid x) = V_{S \cdot s} \cdot P(s \mid x) + V_{S \cdot n} \cdot P(n \mid x) \tag{5-9}$$

$V_{S \cdot s}$：信号が示されたときに正しく yes といったときの利得

$V_{S \cdot n}$：雑音だけしかないときに誤って yes といったときの利得(≦ 0：損失)

$P(s \mid x)$：信号が提示される確率(観測値 x が得

られたときの事後確率)
$P(n|x)$：雑音が提示される確率(観測値 x が得られたときの事後確率)

で定義することができる.

また，観測値 x が得られたとき no という期待値を $E(N|x)$ とすると

$$E(N|x) = V_{N \cdot n} \cdot P(n|x) + V_{N \cdot s} \cdot P(s|x) \quad (5\text{-}10)$$

$V_{N \cdot s}$：信号が示されたときに誤って no といったときの利得(≤ 0：損失)

$V_{N \cdot n}$：雑音だけしかないときに正しく no といったときの利得

期待値(平均利得)を最大にするには，

$$E(S|x) \geq E(N|x) \quad (5\text{-}11)$$

のとき，観測者は常に yes といい，逆の場合には no といえばよい.（5-11）式に，（5-9）式，（5-10）式を代入すると，

$$V_{S \cdot s} \cdot P(s|x) + V_{S \cdot n} \cdot P(n|x) \geq V_{N \cdot n} \cdot P(n|x) + V_{N \cdot s} \cdot P(s|x) \quad (5\text{-}12)$$

$$\frac{P(s|x)}{P(n|x)} \geq \frac{V_{N \cdot n} - V_{S \cdot n}}{V_{S \cdot s} - V_{N \cdot s}} \quad (5\text{-}13)$$

となる. ベイズの定理(Bayes theorem)

$$\left. \begin{array}{l} f(x|s) = \dfrac{P(s|x) \cdot P(x)}{P(s)} \\ f(x|n) = \dfrac{P(n|x) \cdot P(x)}{P(n)} \end{array} \right\} \quad (5\text{-}14)$$

より

$$\left. \begin{array}{l} P(s|x) = \dfrac{f(x|s) \cdot P(s)}{P(x)} \\ P(n|x) = \dfrac{f(x|n) \cdot P(n)}{P(x)} \end{array} \right\} \quad (5\text{-}15)$$

$P(s)$：信号の事前確率
$P(n)$：雑音の事前確率
$P(x)$：観測値 x の得られる確率
$P(s) + P(n) = 1$

を得る.

（5-15）式を（5-13）式に代入すると，

$$\frac{P(s|x)}{P(n|x)} = \frac{f(x|s)}{f(x|n)} \cdot \frac{P(s)}{P(n)} \geq \frac{V_{N \cdot n} - V_{S \cdot n}}{V_{S \cdot s} - V_{N \cdot s}} \quad (5\text{-}16)$$

$$\frac{f(x|s)}{f(x|n)} \geq \frac{P(n)}{P(s)} \cdot \frac{V_{N \cdot n} - V_{S \cdot n}}{V_{S \cdot s} - V_{N \cdot s}} \quad (5\text{-}17)$$

となる.（5-17）式の左辺を $l(x)$，右辺を β とおくと，

$$l(x) \geq \beta \quad (5\text{-}18)$$

が得られる. $l(x)$ は，いわゆる尤度関数(likelihood function)の比であり，尤度比(likelihood ratio)とよばれている. β はしきい値(threshold)とよばれ，事前確率比と利得行列の値を考慮に入れたとき，期待値を最大にする値である. したがって，（5-11）式の場合と同様，期待値(平均利得)を最大にするには，

$l(x) \geq \beta \longrightarrow$ yes
$l(x) < \beta \longrightarrow$ no

とすればよい. これは一種の尤度比検定法であるといえる. β に等しい $l(x)$ は，信号と雑音の確率密度分布において，期待値を最大にする境界を決定する.

（5-17）式より，境界は低い損失しか要しない信号(あるいは雑音)のほうへ動き，また低い事前確率を持つ信号(あるいは雑音)のほうへずれていくことを示している. これは直観的にみても合理性のあることであり，次のように考えることができる. すなわち，その信号(あるいは雑音)が誤認されても低い損失しか要せず，また誤りの確率が高くても，その信号(あるいは雑音)がめったに生起しない場合は無視することができる.

2 ROC 曲線

ROC 曲線(receiver operating characteristic curve)は，受信者(機)動作特性曲線と訳され，観測者の刺激に対する反応の特性を示すもので，与えられた入力信号の SN 比と観測者の SN 比によって決まる. 縦軸に的中確率 $P(S|s, x_c)$，横軸に誤報確率 $P(S|n, x_c)$ をとって表示する(図 2-5-4). 曲線上の各値は，異なる判別点によって得られた 2 つの確率の値を示している.

ROC 曲線を求める方法としては，yes-no 手続き，評定手続きの 2 つがある. また，ROC 曲線の曲線下の面積が求まる方法に強制選択手続き(forced choice)がある.

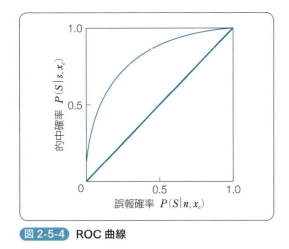

図 2-5-4　ROC 曲線

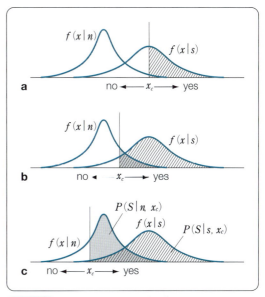

図 2-5-5　yes-no 手続き
a：最も厳しい判断基準，b：中程度の判断基準，c：最も緩い判断基準．

1　yes-no 手続き

観測者が意識的にしきい値 β を変化させ，それに対応する的中確率 $P(S \mid s, x_c)$ および誤報確率 $P(S \mid n, x_c)$ を求めて ROC 曲線を描く（図 2-5-5）．この方法は，1 人の観測者が何度も判断基準を変えて観測しなければならず，測定が面倒なことに加えて，1 つの判断基準での観測中に観測者の判断基準が移動した場合に誤差が生じるという欠点を持っている．

2　評定手続き

提示されている刺激（画像）に信号があるかないかの判断を，yes-no 手続きのように単に yes か no かの 2 段階で評定するのではなく，たとえば，"ありそうな"あるいは"なさそうな"など，何段階かの基準を設定しておき，観測者はその基準に従って判断・決定していく．基準は，両極性カテゴリーの 5 段階評定がよく用いられているが，最近では観測中の基準のゆらぎにも強い連続評定がしばしば用いられている．

5 段階評定を用いた場合の方法による ROC 曲線の求め方を簡単に説明する．

① 観測しようとするシステムの試料を作成する．信号の入った試料と入っていない（雑音のみの）試料を数十組（30〜100 組程度）準備する．試料数は多いほどよいが，あまり多すぎても観測がたいへんになるので，通常は 50 組前後で行うことが多い．信号の入った試料で信号が簡単にわかるようでは，ROC 曲線を作成することはできない．図 2-5-1 の関係で示すなら，この場合は 2 つの分布が完全に分離していることを示す．ROC 曲線を作成するためには，図 2-5-1 のように 2 つの分布がある程度重なるように試料を作成する必要がある．

② 信号の入っている試料と入っていない試料をランダムに観測者に提示し，次に示すカテゴリーに分類してもらう．
　ⅰ．信号は絶対にない．
　ⅱ．信号はたぶんないだろう．
　ⅲ．わからない．
　ⅳ．信号はたぶんあるだろう．
　ⅴ．信号は絶対にある．

③ これらの観測結果を図 2-5-6 のように集計し，それをもとに的中確率 $P(S \mid s, x_c)$ と誤報確率 $P(S \mid n, x_c)$ を計算する（表 2-5-1）．

④ 的中確率 $P(S \mid s, x_c)$ と誤報確率 $P(S \mid n, x_c)$ の値をもとに ROC 曲線を作成する（図 2-5-7）．

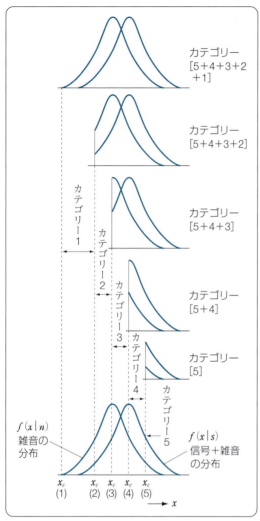

図 2-5-6 5つのカテゴリーをもとに想定した判別点 x_c とデータ集積の方法
(Goodenough DJ, Rossmann K, Lusted LB：Radiology 110: 89-95, 1974 より引用)

3 連続確信度法

先の5段階評定手続き法は，ROC曲線の測定方法として長い間使われてきたが，その過程においていくつか問題も指摘されていた．たとえば，多くの信号ありなしの画像を続けて観察するには長い時間を要するが，その間に信号のあるなしの基準が観察者のなかでずれていかないかということ，また，ある観察者においては，5つのカテゴリーのなかで，i の信号は絶対にないと v の信号は絶対にあるを答えず，カテゴ

リーが3つになってしまうこともある．この場合には，期待される ROC 曲線をプロットすることは難しい．このようなことから，次に述べる**連続確信度法**が提案され，今日ではほとんどの ROC 曲線はこの方法で求められている．

以下にその方法を簡単に述べる．試料と観察方法は同じであるが，画像の提示者側は図 2-5-8 に示すような回答用紙を準備する．この用紙には観察する画像ごとに 10 cm 程度の直線のラインがあり，観察者は信号のあるという確信度が高いと右側にチェックを入れ，ないという確信度が高いと左側にチェックを入れる．ラインの右端はあるという確信度が 100%で，左端は 0%である．どちらかわからないときは中央にチェックを入れる．ラインには目盛りはなく，おおよその感覚でチェックを入れることになる．

すべての観察が終わったら，ラインの左端を原点にしてチェックの位置までの距離を測る．それぞれの画像において，信号があるものを○，ないものを●として，チェックの位置までの距離の長いほうから並べると，○○○○●○○●○…のようになる．たとえば，提示した画像が 200 枚で，そのうち 100 枚に信号が入っていたとすると，距離の長いほうから 40 枚ごとに区切っておのおののカテゴリーとし，信号のあるなしを数えて表 2-5-1 のようにカテゴリー内の信号のあるなしの確率を求めると，ROC 曲線を求めることができる．この方法は，観察者のカテゴリーが一部に偏ることがなく，どのようにチェックしてもほぼ同じように ROC 曲線を求めることができるという点で優れている．

数名の観察者で実験を行ったときのデータのまとめ方や有意差検定など，連続確信度法のさらに詳しい解説については日本放射線技術学会画像部会の Metz ROC Software Users Group を参照していただきたい．

4 強制選択手続き

この手法では，観測者は信号を含む 1 つの画面と，雑音のみのいくつかの画面を同時に観測し，そのなかのどの画面に信号があるかを答える．このとき，いくつかの画面に信号があるように見えたり，あるいはど

表 2-5-1 評定手続きで得られたデータから ROC 曲線を求める方法を示す理論的な例

a：100 枚の信号のある画像と 100 枚の雑音のみの画像からなる 100 組のデータを提示された観測者の反応の例

	カテゴリー					
	1	2	3	4	5	計
カテゴリー内の信号の数	2	14	34	34	16	100
カテゴリー内の雑音の数	16	34	34	14	2	100

b：a のデータを右から順次足し込んでいった値

	カテゴリー				
	1+2+3+4+5	2+3+4+5	3+4+5	4+5	5
カテゴリー内の信号の数	100	98	84	50	16
カテゴリー内の雑音の数	100	84	50	16	2

c：a のデータ的中確率と誤報確率

	カテゴリー					
	1+2+3+4+5	2+3+4+5	3+4+5	4+5	5	
カテゴリー内の信号の確率	1.0	0.98	0.84	0.50	0.16	$= P(S\|s)$
カテゴリー内の雑音の確率	1.0	0.84	0.50	0.16	0.02	$= P(S\|n)$

(Goodenough DJ, Rossmann K, Lusted LB：Radiology 110: 89-95, 1974 より引用)

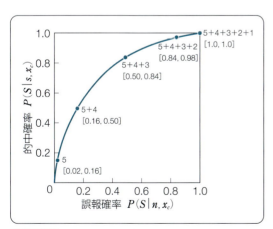

図 2-5-7 表 2-5-1 の例をもとにして得られた ROC 曲線
(Goodenough DJ, Rossmann K, Lusted LB：Radiology 110: 89-95, 1974 より引用)

の画面にもまったく信号がないように見えても，強制的に 1 つの画面を選択しなければならないところからこの名称がついている．いくつの画面から信号を選択するかで手法は若干異なってくるが，ここでは最もシンプルな 2 肢強制選択について説明し，一般的な場合に拡張する．

2 肢強制選択（2-alternative forced choice：2 AFC）

どちらかに信号が含まれている 2 つの画面を同時に提示し，観測者はそのどちらに信号があるかを答える．この的中確率を $P(2A)$ とすれば，

$$P(2A) = \int_{-\infty}^{\infty} [P(l(s)=k) \cdot P(l(n)<k)] dk \quad (5\text{-}19)$$

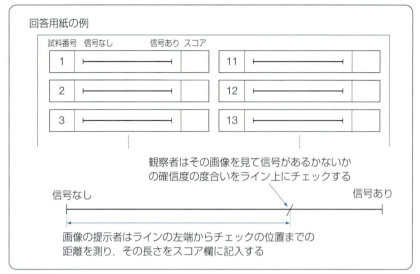

図 2-5-8 連続確信度法に用いる回答用紙の例

k：観測者の基準のレベル
$l(s)$：信号を含む画像に対する尤度比
$l(n)$：雑音のみの画像に対する尤度比

である．(5-19)式は次のような仮説のもとに導かれる．

いま，提示された信号を観測者が信号であると認めたとすると，その確率は $P(2A)$ であるが，そのとき，信号のレベルが観測者の基準のレベル k と等しい確率は，

$$P(l(s)=k)=f(k\,|\,s) \tag{5-20}$$

である．また，雑音レベルが，基準のレベル k を超える確率（誤報確率）は，

$$P(l(n)>k)=\int_k^\infty f(x\,|\,n)dx = P_k(S\,|\,n) \tag{5-21}$$

である．したがって，正しく雑音を雑音と認識する確率（正しい否定確率）は，

$$P(l(n)<k)=\int_{-\infty}^k f(x\,|\,n)dx = 1-P_k(S\,|\,n) \tag{5-22}$$

となる．すなわち，信号のレベルが観測者の基準のレベルに等しく，そのとき，雑音のレベルが基準のレベルより低い場合（このとき，観測者は信号があると判定する）の確率は，

$$P(l(s)=k)\cdot P(l(n)<k) \tag{5-23}$$

である．2 AFC では，どんな場合にも一方を信号があると判定しなければならないため，観測者の基準のレベルは任意に変化させなければならない．したがって，種々の信号，雑音対に対する的中確率は(5-19)式となる．(5-19)式に(5-20)式と(5-22)式を代入することにより次式を得る．

$$P(2A)=\int_{-\infty}^\infty f(k\,|\,s)[1-P_k(S\,|\,n)]dk \tag{5-24}$$

(5-4)式の的中確率の式において，変数を x から k に変換して表示すると，

$$\int_k^\infty f(k\,|\,s)dk = P_k(S\,|\,s) \tag{5-25}$$

となる．両辺を k で微分すると，

$$f(k\,|\,s)=-\frac{dP_k(S\,|\,s)}{dk} \tag{5-26}$$

が得られる．次に積分すると，

$$\int_{-\infty}^\infty f(k\,|\,s)dk = -\int_1^0 dP_k(S\,|\,s)$$
$$= \int_0^1 dP_k(S\,|\,s) \tag{5-27}$$

$$\begin{cases} k=\infty \to P_k(S\,|\,s)=0 \\ k=-\infty \to P_k(S\,|\,s)=1 \end{cases}$$

となる．したがって，(5-24)式は，

$$P(2A)=\int_0^1 [1-P_k(S\,|\,n)]dP_k(S\,|\,s) \tag{5-28}$$

となる．

$1-P_k(S\,|\,n)$ は，図 2-5-9 の破線で示されるが，こ

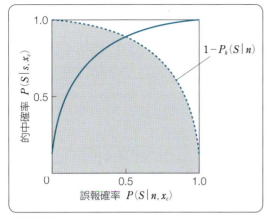

図 2-5-9 ROC 曲線下の面積と強制選択手続きによって得られた的中確率の関係

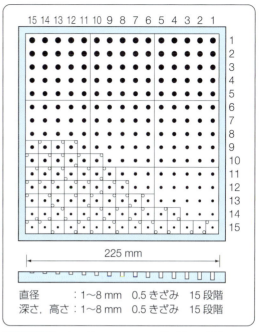

図 2-5-10 バーガーファントム(凸型，凹型)

れを的中確率 $P(S\mid n)$ で，範囲 0 から 1 で積分するとアミ点の部分となる．これは，ROC 曲線の下側の部分の面積に等しく，ゆえに(5-28)式は 2 AFC の的中確率 $P(2A)$ が ROC 曲線の下側の面積に等しいことを示している．

一般に，強制選択手続きの的中確率は，強制選択の肢数を m とすれば，

$$P(mA) = \int_0^1 [1 - P_k(S\mid n)]^{m-1} dP_k(S\mid s) \qquad (5\text{-}29)$$

で定義される．

3 C-D ダイアグラム

C-D ダイアグラム(contrast-detail diagram)は，X線画像を観察するとき，信号がその背景によってどのような影響を受けるかを確定するため，図 2-5-10 に示すような特殊なファントムを用いて，種々の条件下での像の特性(コントラストや微小像の良否)を主観的に評価する方法である．

図 2-5-10 は，バーガー(G. E. C. Burger)が考案したファントムで，**バーガーファントム**とよばれている．バーガーファントムは，一定の厚さのファントムに深さ(高さ)と大きさの異なる円形の穴(あるいは突起)を付したもので(図 2-5-11)，ファントムを適切な観察条件の濃度になるような照射条件で撮影し，観測者は信号の見える範囲を報告する．一般に信号の径が大き

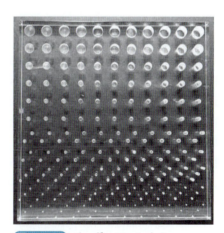

図 2-5-11 バーガーファントム

いと低コントラストでも像は観察できるが，径が小さくなると大きなコントラストが必要になる．縦軸に信号の見える境界の濃度(コントラスト)を，横軸に信号の見える境界の信号の直径を図示することから C-D ダイアグラムとよばれている．

図 2-5-12 に，典型的なモデルの C-D ダイアグラムの例を示す．

各システムの曲線は，一般に左上から右下へ下がる傾向にある．信号の大きさが小さいとき(横軸の左側)

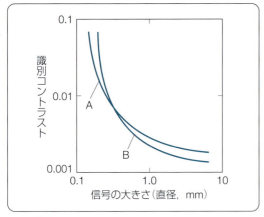

図 2-5-12 C-D ダイアグラムの模式図

は，信号を検出するためにはコントラストが十分に大きくなければならないことを示している．逆に，信号の大きさが大きいとき（横軸の右側）は，信号のコントラストは低くても検出できる．見方を変えれば，コントラストが十分に大きいときは，どこまで小さな信号が検出できるかを見ることによってシステムの解像度がわかり，信号の大きなところでは，どこまで低いコントラストの像を検出することができるかを見ることによって，システムの持つ雑音すなわち粒状度がわかることになる．図 2-5-12 において，A のシステムは B のシステムに比べて小さな直径の信号まで見えるが，コントラストの低い信号は見えにくいことがわかる．したがって，A のシステムは鮮鋭度はよいが，粒状性（雑音特性）のわるいことが推定できる．

このように，C-D ダイアグラムは，比較的簡単な方法で視覚評価を行えることから手軽に用いられる方法であるが，先の ROC 曲線と比較して，誤報確率（false positive）の得られないこと，試料の数が少ない場合は統計的な変動を受けやすいことなどの欠点がある．

4 DQE と NEQ

視覚評価において，SN 比の概念を用いた評価をいくつか紹介したが，物理評価においても SN 比の概念は重要な評価の指標となる．その最も代表的なものは，**DQE**(detective quantum efficiency；検出量子効率）と **NEQ**(noise-equivalent number of quanta；雑音等価量子数）である．また，これらを空間周波数の関数に拡張したものも報告されている．

画像の画質を表す因子であるコントラスト，鮮鋭度，粒状性は，それぞれが互いに密接に関係しているが，特に粒状性はほかの因子であるコントラストと鮮鋭度の影響を大きく受ける．また，システムの感度の影響も大きい．1 枚の画像の，あるいは 1 つのシステム（単体）の粒状性そのものを評価する場合には，先に述べた粒状性を評価する種々の評価法（RMS 粒状度，ウィナースペクトルなど）を用いればよいが，たとえば増感紙 - フィルム系と CR(computed radiography) というモダリティの異なるシステム同士を比較するときには，システム間のコントラストの違いや鮮鋭度の違い，感度の違いを排除したほうが望ましい場合がある．

1940 年代，TV カメラ，蛍光体，光伝導素子，写真過程など種々のタイプの放射線検出器の開発や，ヒトの目など異なるタイプの検出器の特性を互いに比較しクラスに分けようとする研究が，ローズ (A. Rose)，ジョーンズ (R. C. Jones)，フェルゲット (P. B. Fellgett) ら多くの人々によって行われた．当時，検出器の特性を記述する最も一般的な方法は，出力の事象と入力の事象の比を測定して表す量子効率 (quantum efficiency) であった．たとえば，100 個の量子を入力してそれが何個出力されたかということで，これは応答量子効率 (responsive quantum efficiency：RQE) とよばれた．

ジョーンズは，放射線検出器の評価に関するこれまでの研究に対して広範な調査を行い，RQE の不備な点を調べ上げた．RQE の最も大きな欠点の 1 つは，上限として 1 の値を持たないということであった．たとえば，光電子増倍管の RQE は 1 よりはるかに大きくなるであろう．このように，RQE は入力と出力の量に関する比であって，質に関するものではなかった．

このような問題を考慮したものとして，これから述べる DQE と NEQ が考えられた．

1 DQE ─入力と出力のゆらぎの比

ゆらぎの表現として，先に定義した RMS 粒状度の自乗（分散）を用いることにする．RMS 粒状度はアパー

チャ(走査開口)の形と大きさの影響を受けることから，ここでは開口面積を A とする．

X線画像系での粒状性の多くはX線量子のゆらぎ，いわゆる量子モトル(quantum mottle)が支配的であることはよく知られた事実である．したがって，入力のゆらぎとして，ここでは量子モトルを考えることにする．

いま，X線が均一に照射されたとして，単位面積当たりに入射する量子の数の平均値を q としたとき，面積 A の検出器表面に照射される量子の数の平均値は，

$$q_A = A \cdot q \tag{5-30}$$

となる．X線量子の空間的な分布がポアソン(Poisson)分布に従うと仮定すると，その分散は平均値に等しいから，入力のゆらぎ Δq_A^2 は，

$$\Delta q_A^2 = q_A \tag{5-31}$$

となる．

出力の具体的な例として，検出器がフィルムの場合を考えてみよう．マイクロデンシトメータでフィルムを走査すると，出力は濃度 D(平行光濃度)となる．面積 A の開口で得られた濃度分布の標準偏差を σ_A としたとき，σ_A が RMS 粒状度となることから，出力のゆらぎ ΔD_A^2 は，

$$\overline{\Delta D_A^2} = \frac{1}{n}\sum_{i=1}^{n}(D_i - \overline{D})^2 = \sigma_A^2 \tag{5-32}$$

で表される．ここで，$D = \overline{D} + \Delta D$ である．出力のゆらぎ ΔD_A^2 を入力のゆらぎ Δq_A^2 と比較するためには，出力のゆらぎを入力の次元と等価の値(X線量子数)に変換しなければならない．この変換係数は

$$\gamma = \frac{dD}{d\log_{10} q} = \frac{q}{\log_{10} e} \cdot \frac{dD}{dq} \tag{5-33}$$

であるから，変換係数を dq/dD とすると，

$$\frac{dq}{dD} = \frac{q}{\gamma \cdot \log_{10} e} \tag{5-34}$$

である．これを用いて，出力のゆらぎは

$$\overline{\Delta D_A^2}\left(\frac{dq}{dD}\right)^2 = \sigma_A^2 \left(\frac{q_A}{\gamma \cdot \log_{10} e}\right)^2 \tag{5-35}$$

となる．以上のことから，入力と出力のゆらぎの比を ε とすると，

$$\varepsilon = \frac{\overline{\Delta q_A^2}}{\overline{\Delta D_A^2}\left(\frac{dq}{dD}\right)^2} = \frac{1}{q_A}\left(\frac{\gamma \cdot \log_{10} e}{\sigma_A}\right)^2 \tag{5-36}$$

となる．ε は comparative noise level とよばれていたが，1946年ローズによって，detective quantum efficiency(DQE)とよばれるようになった．

2　DQE と SN 比

DQE はまた，SN 比の概念を用いて解釈することができる．入力の雑音が量子によるゆらぎのみであるとき，面積 A に対して平均 q_A 個の照射X線量子があった場合，入力のSN比をX線量子の平均値と量子のゆらぎの標準偏差(RMS粒状度)の比として定義すると，

$$(S/N)_{IN} = \frac{平均値}{RMS 粒状度} = \frac{q_A}{\sqrt{q_A}} = \sqrt{q_A} \tag{5-37}$$

となる．したがって，

$$(S/N)_{IN}^2 = q_A \tag{5-38}$$

である．出力のSN比は，入力信号 q_A に対する濃度で測定したゆらぎ σ_A^2 の平方根で割ったもの D/σ_A として定義できるが，濃度 D とX線量子数 q は非線形の関係にあることから，D と σ_A の値をそれぞれX線量子の値に換算したもので比をとる．D は簡単に q_A とおくことができる．σ_A についても変換係数 dq/dD をかければよい．すなわち，

$$(S/N)_{OUT} = \frac{q_A}{\sigma_A\left(\frac{dq}{dD}\right)} = \frac{\gamma \cdot \log_{10} e}{\sigma_A} \tag{5-39}$$

である．したがって，

$$(S/N)_{OUT}^2 = \left(\frac{\gamma \cdot \log_{10} e}{\sigma_A}\right)^2 \tag{5-40}$$

となる．(5-38)式と(5-40)式より，出力のSN比の自乗と入力のSN比の二乗の比をとると，

$$\frac{(S/N)_{OUT}^2}{(S/N)_{IN}^2} = \frac{1}{q_A}\left(\frac{\gamma \cdot \log_{10} e}{\sigma_A}\right)^2 \tag{5-41}$$

となり，右辺は(5-36)式で示した DQE と等しい．すなわち，

$$DQE = \frac{(S/N)_{OUT}^2}{(S/N)_{IN}^2} \tag{5-42}$$

である．

3　NEQ — 雑音に等価な量子数

(5-38)式において，入力信号のSN比の二乗は入射した量子の数 q_A になることを示した．同様に，出力のSN比の二乗も

$$(S/N)_{OUT}^2 = q'_A \tag{5-43}$$

とおくことにより，仮想的な q'_A 個のゆらぎとして定義することができる．ここで，q'_A は

$$q'_A = \left(\frac{\gamma \cdot \log_{10} e}{\sigma_A}\right)^2 \tag{5-44}$$

となる．q'_A は系の出力の雑音を表すことから，雑音等価量子数(noise-equivalent number of quanta：NEQ)とよばれている．

理想的な検出器では，1つ1つの量子が検出されるので，照射量が q_A のとき，そのSN比は q_A になるが，実際の検出器では効率がわるいため，q_A より少ない q'_A となる．

画像の単位面積当たりのNEQを q' とすると，

$$q'_A = A \cdot q' \tag{5-45}$$

である．ここで，$G = A\sigma_A^2$ となるような値 G を定義したとき，G が広い範囲で面積 A に依存しないことが知られており，

$$q' = \frac{1}{A}\left(\frac{\gamma \cdot \log_{10} e}{\sigma_A}\right)^2 = \frac{(\gamma \cdot \log_{10} e)^2}{G} \tag{5-46}$$

となる．これは，NEQが走査開口に依存しない値であることを示す．

4　空間周波数特性としてのDQE，NEQ

1〜3で定義したDQEとNEQの信号成分と雑音成分を，システムのMTFとウィナースペクトル $W(u)$ で表し，

$$DQE(u) = \frac{(\log_{10} e)^2 \cdot \gamma^2 \cdot MTF(u)^2}{q \cdot W(u)} \tag{5-47}$$

$$NEQ(u) = \frac{(\log_{10} e)^2 \cdot \gamma^2 \cdot MTF(u)^2}{W(u)} \tag{5-48}$$

と定義すると，空間周波数領域に拡張したDQE，NEQとなる．これらの値の物理的な，そして画像論的な意味づけはまだ十分ではなく，意見の分かれるところであるが，1つの指標としての役割は持っているであろう．デジタル画像系の評価の必要性とも相まって種々適用が試みられている．

(画像を表現する物理量につきまして，弊社ホームページの本書紹介ページに『画像の表現』を掲載しております)

第6章 さまざまな医療画像

1 マンモグラフィ画像の画像評価

　マンモグラフィの画質は，MTF，WS(NPS)やDQEなどを用いて評価する．これらの評価は，一般撮影系においても同様の方法が用いられている(ただし，一般撮影と比して高空間周波数領域の評価が必要である)．そのため，ここでは，マンモグラフィのみで行われているファントムを用いた画像評価について記載する．

1 ACR推奨ファントムとステップファントムを用いた視覚評価

　ACR(米国放射線学会)推奨ファントムは，日常の品質管理における画像評価の基準ファントムとして広く使用されている．このファントムは，乳腺と脂肪の割合が50%である標準的な乳房をモデルにしており，PMMA(ポリメタクリル酸メチル)をベースにその内部にパラフィンのワックスブロックにより構成されている．ワックス内には，模擬乳腺(ナイロン繊維)，模擬石灰化(酸化アルミニウム)，模擬腫瘤(フェノール樹脂)が入っており，それらをどの段階まで確認できるかにより画質の視覚評価を行う．
　ステップファントムは，デジタルマンモグラフィの評価として，ACR推奨ファントムの左右におき同時に撮影する(図2-6-1)．ステップファントムは京都科学製AGH-D210型または同等品であり，日本医学放射線学会により推奨されている．ファントムは密度の異なる10段からなり，ウレタン樹脂($\rho=1.061$ g/cm^3)をベースにして，リン酸カルシウム($\rho=0.0243$ g/cm^3)

$\times(N-1)$ (Nは段数)を付加して，各段のX線吸収差を変化させている．これらのファントムは，スクリーン-フィルム系でも用いられており，その評価は，デジタル系と異なっているので注意を要する．

2 マンモグラフィのためのC-Dダイアグラム

　CDMAM(Contrast-Detail MAMmography：Nuclear Associates社製)ファントムは，Thijssenらにより，デジタルマンモグラフィの視覚評価のためのツールとして開発された．
　CDMAMファントムは，バーガーファントムのように，碁盤目状のマス目に信号が添付されている．信号は，直径および厚さが対数的に変化した金のディスクであり，四角に区切られた領域の中央と四隅のいずれかに各1個配置されている(図2-6-2)．信号の直径は，0.06~2.00 mmの16ステップ，厚さは0.03~2.00 μmの16ステップである．試料作製は，一般的には厚さ2 mmのアクリル板を上下に配置し，その中間部

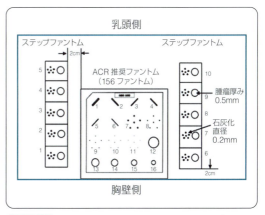

図2-6-1 ACR推奨ファントムとステップファントムの配置

図 2-6-2 CDMAM ファントム
（Nuclear Associates 社製）

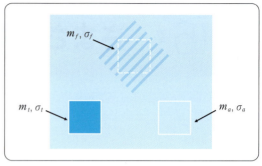

図 2-6-3 SCTF 計測例

に CDMAM ファントムを挟んで撮影する．CDMAM ファントムによる視覚評価により，システムや画像処理の比較さらに表示系の比較にも用いられている．

また，C-D 曲線を比較するための方法として，IQF（image quality figure；画質指数）を用いた手法が提案されている．IQF_{inv} は信号の各コントラストにおける最小しきい径の積分値であり，（6-1）式で計算される．

$$IQF_{inv} = \frac{n}{\sum_{i=1}^{n} C_i \cdot D_{i,min}} \quad (6\text{-}1)$$

ここで，C_i，D_i は，それぞれディスクの厚さ（μm）および直径（mm），n はステップ数である．IQF_{inv} は，画質の向上に伴い増加するため，その値を比較することでコントラスト検出能を比較することができる．また，その評価として，統計的有意差検定を追加することが多い．

CDMAM ファントムは，EUREF（European Reference Organisation for Quality Assured Breast Screening and Diagnostic Services）が推奨する標準ファントムであり，マンモ品質保証プログラムにも使用されている．EUREF からは，CDMAM Analyzer version 1.5.5 など自動解析ソフトが配布されており，客観的かつ国際的整合性の高いデータの算出が可能である．また，EUREF では，PMMA の厚みごとに許容レベル（acceptable level），到達レベル（achievable level）が提示されており，至適撮影条件を決定するツールとして使用されている．

3 デジタルマンモグラフィの品質管理のための画像評価

Droege は，CT 画像の解像特性を簡便に評価する方法として，周期的なバーパターン像からシステムコントラスト伝達関数（system contrast transfer function：SCTF）を算出する方法を提唱した．デジタルマンモグラフィの品質管理において，空間分解能を表す指標として SCTF が用いられている．この方法は，従来の MTF 計測などと比較しても単純な計測のみで算出ができる．

SCTF の算出方法を図 2-6-3 に示す．デジタルマンモグラフィの SCTF は，2 line/mm，4 line/mm のバーパターンを有するチャートを使用する．チャート像より 3 カ所の ROI を設定して画素値の計測を行う．ROI の大きさは，測定誤差を小さくするためにバーパターン領域を超えない範囲でできるだけ大きく設定し，3 カ所とも同じ大きさで計測を行う．

チャート透過領域の平均画素値 m_t，標準偏差 σ_t，バーパターン上の平均画素値 m_f，標準偏差 σ_f，チャートの遮蔽部の平均画素値 m_a，標準偏差 σ_a とし，（6-2）式より SCTF（$M(f)$）を求める．

$$M(f) = \frac{\sqrt{\sigma_f^2 - \sigma^2}}{M_0} \quad M_0 = \frac{\sqrt{2}}{\pi}|m_a - m_t| \quad \sigma^2 = \frac{\sigma_a^2 + \sigma_t^2}{2}$$

(6-2)

SCTF は，MTF と異なり，画像処理後の計測も可能であり，製品仕様への適合性の確認，経時的劣化の有無の確認（不変性試験）に用いることができる．

4 デジタルブレストトモシンセシス用ファントム

デジタルブレストトモシンセシス（digital breast tomosynthesis：DBT）における検出器の画像評価は，CDMAMなど2次元と同じ方法が利用される．ここでは，DBT特有のZ軸方向（圧迫板 – 乳房支持台方向）を評価する手法について記載する．

これまで，Z軸分解能（深さ分解能）を評価する方法として，Z軸方向に傾斜をさせたワイヤ法やエッジ法が提案されてきた．これらの方法は，ワイヤの歪みによるプロファイル取得の再現性やエッジのアンダーシュートなど問題がある．そこで，マンモグラフィでは，図 2-6-4 に示すファントムを使用して，幾何学的な歪みやZ軸分解能を計測できる．ファントムは，純度 99.9%以上の 1 mm アルミ球を 50 mm 間隔で配置する．Z軸方向の分解については，アルミ球のプロファイルを計測し，FWHM（full width at half maximum）または FWQM（full width at quarter maximum）により算出する．

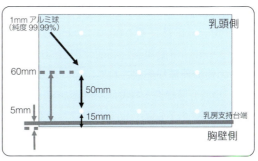

図 2-6-4　Z軸分解能（深さ分解能）用ファントム

また，DBT においても，マンモグラフィにおける ACR 推奨ファントムのように，日常の品質管理に使用できるファントムが必要となる．TORMAM ファントム（図 2-6-5 a）は，左半分が均質なバックグラウンド，右半分が模擬乳腺となっている．左半分には，10 mm の長さで 0.40-0.20 mm の模擬乳腺が 6 グループ，大きさの異なる模擬集簇性石灰化群（354-224, 283-180, 226-150, 177-106, 141-90, 106-93 μm）が 6 グループ，3 mm 径で 18 種類の異なるコントラストディテールを持つ模擬腫瘤が 3 個を 1 組として 6 グループ配置されている．右半分には模擬乳房上に 6 グループの模擬集簇性石灰化群が配置されている．

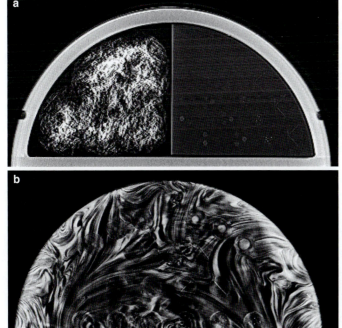

図 2-6-5　デジタルブレストトモシンセシス用ファントム
a：TORMAM ファントム，b：BR3D ファントム．

BR3D ブレストイメージングファントム(図 2-6-5 b)は，10 mm の長さで 0.60-0.15 mm の模擬乳腺，0.40-0.13 mm の模擬集簇性石灰化群(各 6 個)，6.3-1.8 mm の模擬腫瘤が配置されている．バックグラウンドは，模擬乳腺構造と模擬脂肪構造がマーブル状に混ざって作成されている．いずれのファントムも描出能や機種間の評価，撮影条件の確認などに使用できる．

その他にも，VOXMAM ファントム，Tomophan など多くのファントムが提案されている．

2 CT 画像の画質評価

CT 画像のおもな評価項目として，CT 値の精度，ノイズ特性，解像特性，コントラスト分解能がある．これらの評価は，視覚的な判断に基づく主観的評価法と，定量値として計測する客観的評価法に分けられる．さらに客観的評価には，関心領域内の CT 値やその標準偏差(standard deviation：SD)を計測する方法とフーリエ変換に基づく周波数解析がある．また CT 画像は再構成画像であることから，投影データをそのまま使う一般 X 線撮影画像とは異なり，再構成フィルタ関数やスライス厚も画質に影響を及ぼし，装置構成や表示方法，スキャン方式などさまざまな要素が関連する．本節では基本的な評価項目と影響を及ぼす撮影条件の関係を中心に取り上げる．

画質評価を行う前に，CT 画像形成の特徴を理解する必要があるため，現状における一般的な仕様を解説する．CT は X 線を用いて線減弱係数 μ の空間分布を測定している．算出された減弱係数は，水に対する相対的な値，いわゆる CT 値として表現され，次式で定義されている．

$$CT\ number(HU) = \frac{\mu_s - \mu_w}{\mu_w} \times 1000$$

ここで，μ_w は水の線減弱係数，μ_s は物体の線減弱係数を示す．μ_w との比をとることで，どの装置でも基準となる水が 0 Hounsfield unit(HU)となり，また空気が $-1,000$ HU になるように設定されている．

基本的な画像再構成は，投影データから filtered back projection(FBP)法を用いて行われる．この方法では，投影データにフィルタリングを行うが，そのフィルタ関数は撮影の目的に応じて変更され，腹部の観察にはノイズを抑制したローパス型のフィルタ関数，肺野や骨の観察には解像度を重視した高周波強調フィルタ関数のものが用いられている．

撮影時に収集した面内の有効径(または矩形の 1 辺のサイズ)である scan field of view(SFOV)は，撮影部位ごとに最適なものが選択され，そのなかから再構成する範囲である display field of view(DFOV)を選択できる．また，CT 画像は通常 512×512 のマトリックスサイズに格納される．

1 CT 値の精度

CT 値の精度に関しては，その値の正確性と均一性を評価する必要がある(図 2-6-6)．正確な値を表示しているかは，空気と水が含まれるセクションの CT 値を測定し，水の CT 値が 0 HU，空気の CT 値が $-1,000$ HU となっているか確認する．この影響因子としては，検出器のキャリブレーション不良がある．

均一性は，水などの均質な構造のセクションにおいて，周辺 4 点と中心の CT 値を測定し，それらの CT 値差を確認する．この影響因子としては，ビームハードニングに起因するカッピングアーチファクト(中心付近と周辺付近の CT 値が異なる現象)などが考えられる．

2 ノイズ特性

ノイズの評価は，おもに X 線量子のゆらぎ(量子ノイズ)によって引き起こされる CT 値の変動を解析する．目的に応じて 20～30 cm 程度の径の水ファントムを使用する．

評価指標としては，関心領域内の SD 計測が簡便な指標となるため，点検や保守などに用いられている．SD 計測では，単に CT 値のバラツキを評価することから空間周波数特性が無視されているため，より解析的な画質評価としてフーリエ変換を用いた noise power spectrum(NPS)の測定が行われる．ノイズが多くなれば SD は増加し，NPS 値も増加する．

おもな影響因子は，量子ノイズであることから撮影

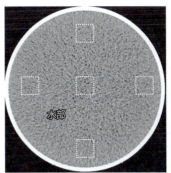

図 2-6-6 CT 値精度と均一性評価用ファントム画像および測定例

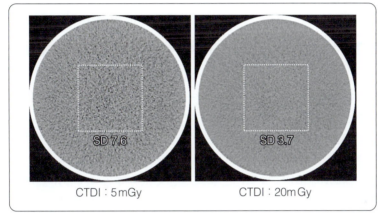

図 2-6-7 撮影線量と SD 計測値との関係

線量であり，SD が X 線量の平方根に反比例する関係が成り立つ．図 2-6-7 は，撮影線量指標である CT dose index（CTDI）を 5 mGy と 20 mGy とした水ファントム画像であり，線量を 4 倍にすると，SD は約 1/2 に低減されているのがわかる．低線量で撮影された場合や薄いスライス厚で表示された場合などの 1 画像に寄与する X 線量が少なくなるとノイズは増加する．さらに，再構成フィルタ関数を高解像度のものにするとノイズは増加するが，これは高解像度化に伴いノイズが強調された結果である．

3　面内の空間分解能

CT の画質評価において，空間分解能は面内と体軸方向に分けられ，その影響因子も異なる．面内の特性は，ノイズの影響を除外するため高コントラスト物体をファントムとし，どこまで小さい物体まで識別できるかを解析する．

主観的評価としては，等間隔に並んだ複数の穴やバーパターンを観察した際，それぞれが独立して観察できる最小径を記録する．また定量的に解像度を評価する手法としては，modulation transfer function（MTF）の測定が行われている．

図 2-6-8 は，MTF 計測用のワイヤファントム画像とその解析例である．ワイヤ法では，直径が 0.15 m 程度の金属ワイヤを体軸方向に平行に配置して撮影することで，図のようなインパルス信号を与え，この画像に対してフーリエ変換を用いた解析をすることで MTF を取得できる．解像度が高くなると MTF も高くなるが，高解像度フィルタ関数を使用した場合，物体辺縁にオーバーシュートやアンダーシュートが発生することがあり，その MTF 曲線が 1.0 を超える現象が

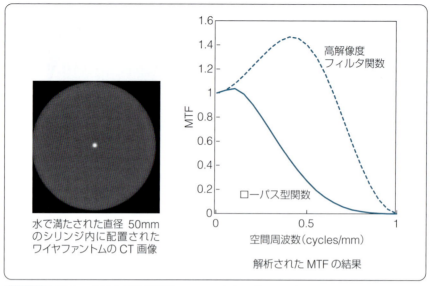

図 2-6-8 面内の空間分解能評価法における評価画像および MTF の測定例

観察できるのは CT では特徴的である．

　面内の空間分解能は，幾何学的な不鋭（焦点の半影）や検出器素子開口幅などが基本的な影響因子となり，再構成範囲やフィルタ関数の影響を受ける点で CT 特有である．CT の画像は，DFOV を小さくすることや高解像度フィルタ関数を使用することで，一般的には解像度が増加する．しかし，いくら DFOV を小さくして描出できる最高周波数を増加させても，適切な再構成フィルタ関数が選択されず，CT 画像がそれを表現できなければ空間分解能は増加しない．また，上記の基本的な影響因子に基づく空間分解能の限界を超えた特性を高解像度フィルタ関数によって得ることもできない．

4　体軸方向の空間分解能

　体軸方向の空間分解能は，撮影もしくは再構成時に設定するスライス厚により規定される特性である．この評価には，円柱のなかに微小物体（ビーズもしくはコイン）を封入したファントムを用いて，図 2-6-9 a に示すように体軸方向の CT 値変化を解析する．

　この際，スライス厚の 1/10 以下に再構成間隔を設定することで，測定の精度を担保することができる．ここで得られた CT 値変化は，スライス感度プロファイルと定義され，システムの体軸方向のレスポンスを示し，特に半値幅（full width at half maximum：FWHM）は実効スライス厚とされている．

　体軸方向の空間分解能は，設定するスライス厚に大きく依存する．図 2-6-9 b は，スライス厚 3 mm と 5 mm で測定されたスライス感度プロファイルである．これらは，部分容積効果とも関連し，小さな物体の描出に影響する．

5　低コントラスト検出能

　低コントラスト検出能は，周囲との CT 値差が小さい物体の描出能を示す．主観的評価としては，均一な背景のなかにいくつかの低コントラスト円柱もしくは球が埋め込まれたファントムを用い，それらの視認可能な最低コントラストと最小径を評価する．視覚評価の精度を高めるために，たとえば，同じ径の円柱のうち見えるものが 1/2 以上である最小の円柱の直径を対象とするなど，個人間の変動を減らすために基準を定めることが望ましい．また，定量的な指標としては，コントラスト - ノイズ比（contrast-to-nose ratio：CNR）がある（図 2-6-10）．CNR の値が高ければ，基本的には低コントラスト物体の視認性が良いことを示す．しかし，CNR は周波数特性を評価することがで

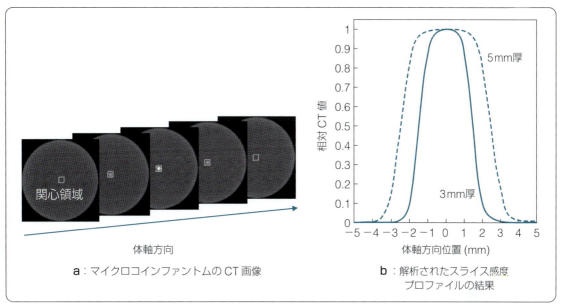

図 2-6-9 体軸方向の空間分解能評価法における評価画像およびスライス感度プロファイルの測定例

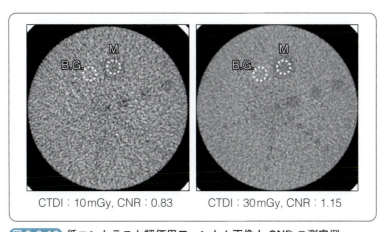

図 2-6-10 低コントラスト評価用ファントム画像と CNR の測定例

きないため，装置や再構成フィルタ関数が異なる画像間の比較には適さない．

低コントラスト検出能のおもな影響因子は，ノイズである．ノイズが増加すると淡い信号がノイズに漏れ，その描出能が低下する．

6 非線形画像の画質評価

近年，CT の画像再構成法は，ノイズ低減を目的に，逐次近似再構成法などの技術に置き換わってきている．これらの技術により生成された CT 画像は，非線形の特性を有しており，対象とする被写体のコントラストやバックグラウンドのノイズ量（線量）に依存して画質が変化する．そのため，前述した点検や保守を想定した画質評価では，その性能を表す指標として十分ではない．円柱ロッドを用いた解像度測定法やノイズテクスチャの評価などが提案されており，従来の画質評価に加え，非線形画像の特性を十分に理解し，応用していくことが重要である．

第3編 画像処理論

- 第1章　画像処理の基礎
- 第2章　情報理論と画像圧縮
- 第3章　3次元画像の可視化
- 第4章　コンピュータ支援診断

第1章 画像処理の基礎

第3編 画像処理論

現在では医療画像はデジタル画像として扱われ，さまざまな手法で画像処理され，診断に役立てられている．実際の画像処理は，X線CT装置などの医療画像装置で画像を取得し画像の読影を行うまでに，各医療画像装置内や画像表示ワークステーションで行われる．また，近年の画像診断では，医療画像装置で取得され，画像処理が行われた結果の画像を人工知能（artificial intelligence：AI）を利用した装置に入力し，病変の位置や形状，性質などを出力させ，診断の場面で医師の診断を支援している．これらの画像処理を理解し活用するには，デジタル画像や画像処理の基礎を理解することが必要である．ここでは，画像処理の基礎について説明する．

1 画像情報の可視化

デジタル画像を構成する最小単位を画素（またはピクセル）とよび，画素が持つ値を画素値（またはピクセル値）とよぶ．デジタル画像はマトリックス数分の画素から成り立っている．画素値の統計的な分布を調べることで画像の性質を把握できる．

画像の性質（または画像情報）を把握することは，画像処理を行う上で重要である．画像処理を行う際には，処理対象の画像（入力画像）がどのような分布を持つかをあらかじめ把握し，処理後の画像（出力画像）が目的の画像となるよう，適切な画像処理を選択する．また，出力画像の性質を把握することで目的の結果が得られたことを確認する．ここでは画像情報を可視化する指標として，ヒストグラムとプロファイルを挙げて説明する．

1 ヒストグラム

ヒストグラム（histogram）とは，量的なデータの分布を把握するために用いられる度数分布図である．一般に，横軸にデータの階級を，縦軸にその階級に含まれるデータの数をとり，柱状グラフまたは棒グラフとしたものである．

画像のヒストグラムは，横軸に画素値の区間（または画素値），縦軸に各画素値の区間の出現頻度（画素数）をとった度数分布図である．画像がどのような画素値から構成されているかを視覚的に把握することができる．たとえば，全体的に明るい画像や暗い画像であれば，ヒストグラムは明るい画素値や暗い画素値の周辺に偏ったものになる．

ヒストグラムを把握することは，たとえば階調変換をどのようにすべきかの判断，2値化処理のしきい値の決定，対象物体の面積の計算などに役立つ．

図3-1-1は，マトリックスサイズ512×512，階調数256のCT画像である．この画像を元に，データ区間の幅を10としてヒストグラムを作成すると図3-1-2になる．ヒストグラムから，画素値0～40の範囲と，100～160の範囲の画素が多く，160より高い画素値を持つ画素はほとんどないことがわかる．

また，データ区間の幅を20とすると図3-1-3となる．データ区間の幅を変えるとヒストグラムも変化する．度数の最大値が変化するだけでなく，ヒストグラム全体の形状も細かい形の違いは表現されなくなるので注意が必要である．

データ区間の数をビン（bin）数とよぶこともある．階調数とビン数を同じ値にすると，それぞれの画素値の数を表すヒストグラムとなる．画素値のヒストグラムから最大値や最小値，平均値や分散，中央値や最頻値などを求めることができ，画像全体の明るさやコントラスト，その他の統計的な性質がわかる．

第1章　画像処理の基礎

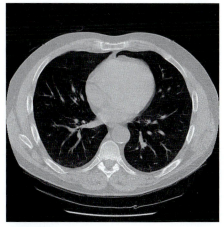

図3-1-1　マトリックスサイズ 512×512，階調数 256 の CT 像

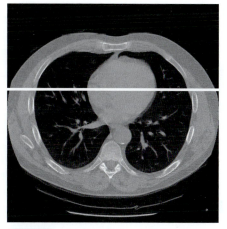

図3-1-4　CT 像に設定した線状の ROI

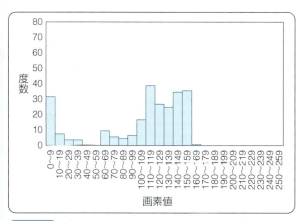

図3-1-2　データ区間の幅を 10 としたヒストグラム

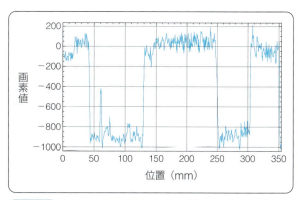

図3-1-5　図 3-1-4 の線状の ROI に沿ったプロファイル

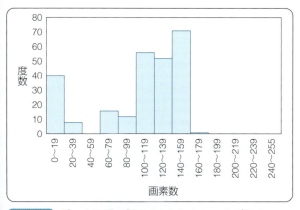

図3-1-3　データ区間の幅を 20 としたヒストグラム

イルとは，線状あるいは幅を持った帯状の関心領域（ROI）に沿った画素値をプロットした曲線である．横軸は位置，縦軸は画素値とした曲線となる．画像のエッジ部分や濃度勾配，濃度の細かい変動などについて，画像の濃淡を直接視覚で把握するよりも，プロファイルに沿った画素値の変化をより詳細に把握することができる．画質評価や画像処理結果の確認や分析に用いる．

図 3-1-4 は CT 画像に水平方向の線状の ROI を設定した例であり，図 3-1-5 はこの ROI 上の画素値をプロットしたプロファイルである．この場合，線状のROI のプロファイルは水平方向の画素値の変動を表している．線上の ROI に幅を持たせた帯状の ROI でプロファイルを得ることもある．このとき，プロファイルは一般に平均値をプロットした曲線とする．

2　プロファイル

画像の**プロファイル**（profile）あるいは濃度プロファ

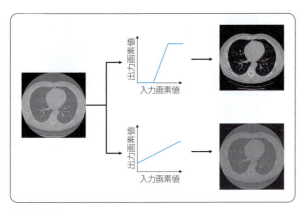

図 3-1-6 濃度変換の例

2 階調処理

　画素値を変換して別の階調を持つようにする処理を**階調処理**という．一般に階調処理を行う際には，入力画像のそれぞれの画素値に対応する出力画像の画素値の関係を曲線として用い，階調を変換する．このような入力画素値を横軸，出力画素値を縦軸としてプロットした曲線を**階調変換曲線**（あるいはトーンカーブ）または**濃度変換曲線**とよぶ．階調変換曲線の傾きが大きいとき，階調処理変換後の出力画像のコントラストは高くなり，反対に傾きが小さいとき，出力画像のコントラストは低くなる（図 3-1-6）．

　画像を表示するときには，入力画像の画素値と変換後の画像の画素値の対応表を作成しておき，これを参照して階調変換を行うことがある．この対応表を**ルックアップテーブル**（look-up table：**LUT**）とよぶ．この場合，画像の階調を変更するには，実際に画素値を変更することなく，LUT の値を変更することで階調を変更できる．

1 濃度ウインドウ処理

　一般に X 線画像を表示する場合，入力に対して出力値がシグモイド状に変化する階調変換曲線を用いる場合が多い．これは，古くから使われてきたスクリーン - フィルム系での表示に近くなるためである．

　一方，X 線 CT 画像や MRI 画像の表示では，画素値の一定の範囲のみ直線の階調になるような階調変換曲線を用いて変換する．これを**ウインドウ処理**またはウインドウイング処理とよぶ．ウインドウ処理では，**ウインドウレベル**（window level：**WL**）と**ウインドウ幅**（window width：**WW**）の 2 つのパラメータがある．ウインドウレベルは表示する画素値の範囲の中央値で，ウインドウ幅は濃淡のコントラストをつけて表示される画素値の範囲を意味する．

　図 3-1-7 は胸部 CT 画像のウインドウ処理の例である．表示範囲の画素値の最小値を min，最大値を max とし，肺野領域の画素値に WL と WW を設定すると，肺野領域のコントラストが向上して観察しやすくなる．しかし，WW を設定した領域以外では，画素値は最小値または最大値に設定されるのでコントラストがつかなくなる．

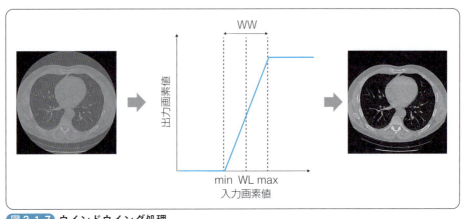

図 3-1-7 ウインドウイング処理

2　ヒストグラム平坦化

ヒストグラムに着目して階調を変換する方法をヒストグラム変換とよぶ．ヒストグラム変換には，出力画像のヒストグラムを特定の形状（平坦な形状やガウス分布）にする手法がある．出力画像のヒストグラムの分布を平坦（一様）にする変換処理を**ヒストグラム平坦化**（histogram equalization または histogram flattening）処理とよぶ．

階調変換曲線や階調変換式を使わずに，アルゴリズムによってすべての画素値の画素数が同じになるように画素値を変換する処理である．すなわち，あらかじめ入力画像のヒストグラムを調べたうえで，それぞれのレベルについてどのレベルに移動するかを決定していく．ヒストグラム平坦化処理後の画像では，各画素値のレベルが一様に用いられるようになるため，画像の階調変化が明瞭になり，一般にコントラストが高くなる．

具体的な手法のひとつとして，画像のマトリックス数を $A×B$，階調数を C とすると，各画素値の出現頻度が $(A×B)/C$ となるように，小さいほうの画素値（または大きいほうの画素値）からひとまとめにして出力画像の画素値に割り当てる方法がある．しかし実際には画素値の度数がすでに $(A×B)/C$ を超えていることも多く，このような場合，度数が高い画素値の部分では，度数がまばらに分布する結果となる．

別の手法として，画素値を変更する際に，周辺画素値により重みづけをして周辺画素値の高いものから順に画素値を割り当てる方法がある．ノイズが少なくなるが処理時間がかかる．また，画像の累積ヒストグラムの値を階調変換として用いることで，ヒストグラムの平坦化を実現する方法もある．

ヒストグラム平坦化処理を行うと，入力画像の画素値の度数が高い部分は，その周辺の画素値になるよう出力画素値が割り当てられるのでコントラストが高くなる．逆に度数が少ない部分では周辺の画素値とまとめられるので，コントラストが低下する．画素の度数が高い部分は画素数が多く，コントラストが高くなる部分が多いので，画像全体としてはコントラストが高くなることになる．

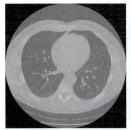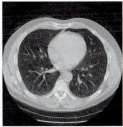

図 3-1-8　胸部 CT 画像（左）をヒストグラム平坦化処理した結果（右）

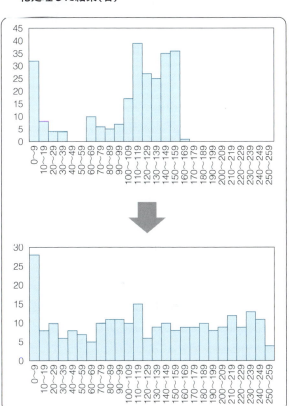

図 3-1-9　ヒストグラム平坦化処理によるヒストグラムの変化

図 3-1-8 は胸部 CT 画像のヒストグラムの平坦化処理の例である．原画像の画素値 0 付近の部分と 100〜160 の範囲のヒストグラムのピークが，処理後のヒストグラムでは広がっており，処理結果の画像では肺野や縦隔のコントラストが高くなっていることがわかる．

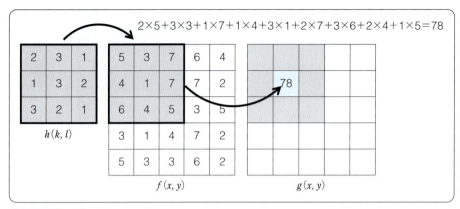

図 3-1-10　画像の畳み込み積分

3　X線像の空間フィルタ処理

　空間フィルタ処理はデジタル画像に対して平滑化や鮮鋭化を行う処理である．この時，入力画像に対応する画素値だけでなく，その周囲も含めた領域内の画素値を用いて計算する処理のことを空間フィルタリングとよび，そこで用いるフィルタを空間フィルタという．空間フィルタは，画像の局所領域の画素値に対して重みづけをするための係数で局所オペレータや演算子ともよばれ，目的によって値が異なる．フィルタ処理は空間フィルタと画像との畳み込み積分（重畳積分，コンボルーション積分）によって行う．デジタル画像の畳み込み積分は図 3-1-10 のように空間フィルタ h と原画像 f の対応する局所領域の画素値をそれぞれ乗じ，その合計を局所領域の中心位置での出力画素値とする演算操作を，演算中心を 1 画素ずつずらしながら画像全体に繰り返す．これを画像の畳み込み積分とよび，(1-1) 式のようになる．

$$g(x,y) = \sum_{k=-K}^{K} \sum_{l=-L}^{L} f(x+k, y+l) h(k,l) \quad (1-1)$$

　ここで $f(x,y)$，$g(x,y)$ はそれぞれマトリックスサイズ $X \times Y$ の画像と空間フィルタ処理後の画像であり，$h(k,l)$ は $M \times N$ の空間フィルタである．また，x，y は局所演算の中心位置を示す変数であり，k，l は空間フィルタ内の位置を示す変数である．図 3-1-10 に空間フィルタの畳み込み積分処理を示す．図は原画像の左から 2 列目，上から 2 行目の位置での出力画素値の計算例である．処理画像の赤色の位置に出力される．畳み込み積分ができない外周の領域には，原画像の画素値をそのまま利用する方法や，外周の領域を使わないようにする方法がある．さらに空間フィルタは線形フィルタと非線形フィルタに大別される．なお，空間フィルタの値の合計が 1 となるように空間フィルタを設計すると，処理の前後で画像全体の明るさが変化しない．

1　画像の平滑化

　平滑化とは，画像をぼかすことである．これは画素値の変化を滑らかにすることともいえ，放射線画像に含まれるランダムノイズや画像の高周波成分を低減させる効果がある．この画像の平滑化を行う空間フィルタは線形フィルタでは平均値フィルタ，加重平均値フィルタ，ガウシアンフィルタなどがある．また，非線形フィルタではメディアン（中央値）フィルタがある．図 3-1-11 に原画像，平均値フィルタ処理画像，加重平均値フィルタ，ガウシアンフィルタ処理画像を示す．

1）平均値フィルタ

　平均値フィルタは注目している画素とその近傍の画素値の平均値を，注目している画素の新しい画素値とする方法である．図 3-1-12 a にフィルタを示す．この方法は局所領域内で平均値を求めながら 1 画素ずつ移動していくため，移動平均法ともよばれる．図 3-1-11 b のように画像のノイズを低減するが，エッジにボケが生じる．

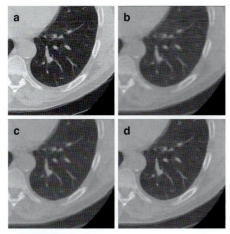

図 3-1-11 原画像と平滑化フィルタ(5×5)処理画像
a:原画像, b:平均値フィルタ, c:加重平均値フィルタ, d:ガウシアンフィルタ

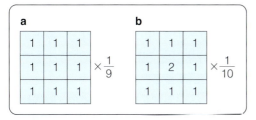

図 3-1-12 平滑化フィルタ
a:平均値フィルタ, b:加重平均フィルタ

2)加重平均フィルタ

平均値フィルタの中心部の画素に対して重み係数を大きくしたものが**加重平均フィルタ**である.図 3-1-12 b に加重平均フィルタの例を示す.同じフィルタサイズの平均値フィルタ処理画像と加重平均フィルタ処理画像(図 3-1-11 b と図 3-1-11 c)を比較すると,重みづけすることで,エッジに対しボケの程度を抑え,自然な平滑化となる.

3)ガウシアンフィルタ

ガウシアン(Gaussian)フィルタは空間フィルタの中心をピークとしたガウス分布状に重みづけしたものである(図 3-1-13).ガウシアンフィルタの係数を求めるための二次元のガウシアン関数を(1-2)式に示す.

$$h(x,y) = e^{\frac{x^2+y^2}{\sigma^2}} \qquad (1\text{-}2)$$

標準偏差 σ を大きくするとガウス分布が広がり,平滑化をする局所領域が大きくなるため,ボケの程度が大きくなる.

4)メディアン(中央値)フィルタ

メディアン(中央値)フィルタは,局所領域の画素値のヒストグラムから中央値を求めて出力するフィルタである.中央値とは局所領域に含まれる画素が N 個あるとき,それらの画素を小さい順もしくは大きい順に並べ,$N/2$ 番目の画素値である.したがって,画像にスパイク状ノイズ(ごま塩ノイズ)といわれる極端に高い値や低い値のノイズが含まれている場合は,画像のボケを抑えて画像のエッジを保ちつつ,ほぼ完全にスパイク上ノイズを除去することができる.スパイク状ノイズを付加した胸部 X 線画像にフィルタサイズ 3×3 のメディアンフィルタで処理した画像を図 3-1-14 に示す.スパイク状ノイズがほぼ完全に除去され,血管影のボケも小さいことがわかる.

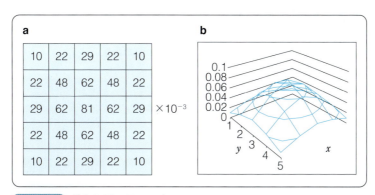

図 3-1-13 ガウシアンフィルタ
a:ガウシアンフィルタ, b:ガウシアンフィルタ係数の分布図

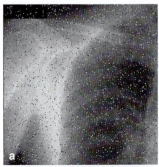
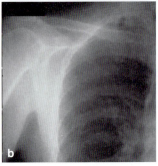

図3-1-14 メディアンフィルタによるスパイク状ノイズの除去
a：スパイク状ノイズを加えた原画像，b：メディアンフィルタ（3×3）処理画像

2 画像の鮮鋭化

画像の**鮮鋭化**とは，ボケた画像の輪郭を際立たせることをいう．画像に対して画像の高空間周波数成分を強調すると画像を鮮鋭化することができる．代表的なものとして**ボケマスク処理**（unsharp masking）と**ラプラシアン**（Laplacian）**フィルタ**を用いた**鮮鋭化処理**がある．ラプラシアンフィルタはエッジ検出フィルタとしても用いるが，詳細は次項で説明する．

ボケマスク処理は医療画像でよく用いられる鮮鋭化処理である．この方法は（1-3）式のように原画像から原画像を平滑化した画像（低周波成分）を引いて得られた高周波成分に強調係数を乗じて原画像に加算する．

$$g(x, y) = f(x, y) + w\{(f(x, y) - f_{avg}(x, y)\} \quad (1\text{-}3)$$

図3-1-15 で $g(x, y)$ はボケマスク処理画像，$f(x, y)$ は原画像，w は強調係数，$f_{avg}(x, y)$ は平滑化した画像である．通常ぼかした画像の作成には平均値フィルタを用いる．したがって平均値フィルタのフィルタサイズを大きくすると，より大きな構造の陰影や低周波成分を含んだ成分を取り出すことになる．原画像からこの低周波成分を引き，係数 w を乗じることでより高周波成分を強調することができる．

このボケマスク処理で平均値フィルタの代わりにラプラシアンフィルタを用いた場合について説明する．ラプラシアンフィルタは図3-1-16a または図3-1-16b のようなフィルタであり，画像を f とすると（1-4）式のように表現できる．

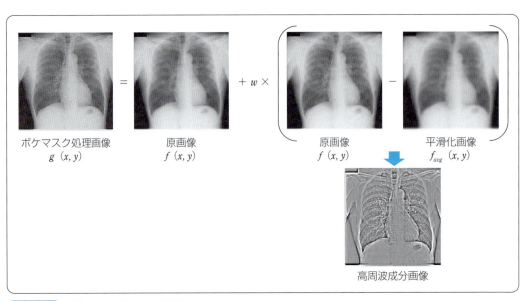

図3-1-15 ボケマスクフィルタ処理

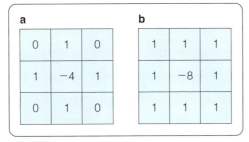

図 3-1-16 ラプラシアンフィルタ
a：4近傍，b：8近傍

$$\Delta^2{}_{f(i,j)} = \Delta x^2{}_{f(i,j)} + \Delta y^2{}_{f(i,j)}$$
$$= \{f(i+1,j) + f(i-1,j) + f(i,j-1)$$
$$+ f(i,j+1)\} - 4f(i,j) \quad (1\text{-}4)$$

原画像 f からラプラシアンフィルタを差分する操作は，(1-5)式のように，原画像から原画像を平滑化した成分を差分して得られた高周波成分を5倍し原画像に加算することになる．その結果，原画像が鮮鋭化する．

$$f(i,j) - \Delta^2{}_{f(i,j)}$$
$$= 5f(i,j) - \{f(i+1,j) + f(i-1,j)$$
$$+ f(i,j-1) + f(i,j+1)\} \quad (1\text{-}5)$$

4 エッジ検出

エッジとは「ふち」や「へり」を意味する．画像では画像値の大きさが急に変化している境界を示す．胸部画像では肋骨の境界部分などがエッジとなる．エッジ検出とは，この境界を検出することであり，画像の位置合わせや領域抽出，画像の中から特徴抽出のための前処理としても利用される．

エッジ部は画素値が大きく変化しているため，画像の微分処理（隣り合う画素値の差分処理）によってエッジ部を強調することができる．エッジ検出の代表的なものに1次微分フィルタと2次微分フィルタがある．

1 1次微分フィルタ

1次微分フィルタは図 3-1-17 のように1回微分を行い，差分を取り出すことでエッジを検出する．デジタル画像においては隣り合った画素値の差分処理を行

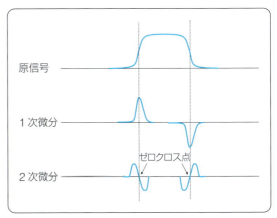

図 3-1-17 原信号を1次微分・2次微分した波形

図 3-1-18 ロバーツフィルタ

う．1次元画像 $f(x)$ の着目する点 x における微分 $g(x)$ は(1-6)式で求める．

$$g(x) = f(x) - f(x-1) \quad (1\text{-}6)$$

また，2次元画像では微分する方向は横方向（x方向）と縦方向（y方向）の2つを考える必要がある．そのため図 3-1-18 や図 3-1-19 のように2つの空間フィルタを用いる．

1次微分フィルタには，ロバーツ(Roberts)フィルタ，プレヴィット(Prewitt)フィルタ，ソーベル(Sobel)フィルタがある．

1) ロバーツフィルタ

ロバーツ(Roberts)フィルタは斜め方向の画素値の差を利用したエッジ検出フィルタ（図 3-1-1 b）である．このフィルタは画素値の大きさが急激に変化するエッジ部を検出できるが，同時に画像に含まれるノイズも強調する傾向がある．

2) プレヴィットフィルタ

画像に含まれるノイズを強調する傾向を改善するため，平滑化フィルタのように，近傍領域に拡張した微分フィルタがプレヴィット(Prewitt)フィルタである

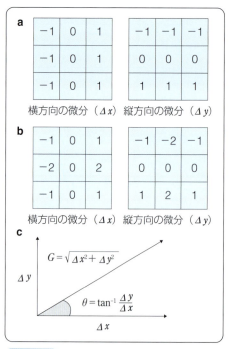

図3-1-19 1次微分フィルタによるエッジ検出
a：プレヴィットフィルタ，b：ソーベルフィルタ，c：エッジの強度と角度

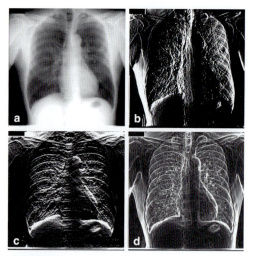

図3-1-20 ソーベルフィルタによるエッジ検出
a：原画像，b：横方向の微分(Δx)，c：縦方向の微分(Δy)，d：エッジ検出画像

像になっている．ただし，横方向(x方向)と縦方向(y方向)は絶対値で表示していることに注意が必要である．

2　2次微分フィルタ

2次微分フィルタは，図3-1-17のように1次微分を2回行い，ゼロクロス点をエッジとして検出する．2次微分フィルタにラプラシアンフィルタがある（図3-1-16）．横方向(x方向)の2次微分の結果と縦方向(y方向)の2次微分の結果を足し合わせることによりラプラシアンフィルタの値となる．ラプラシアンフィルタには4近傍のものと8近傍のフィルタがある．4近傍のラプラシアンフィルタでは対象画素の縦方向(y方向)と横方向(x方向)で2次微分処理を行い，エッジを検出する．8近傍のラプラシアンフィルタでは対象画素の縦方向(y方向)と横方向(x方向)に加えて，斜め方向にも2次微分処理を行い，ゼロクロス点を検出することでエッジを検出する．ラプラシアンフィルタでは方向に依存しないエッジが直接得られる．2次微分フィルタ処理画像を原画像に加算するとエッジ強調画像となる．2次微分画像はノイズの影響を受けやすい．そこで，しばしばスムージング効果のあるガウシアンフィルタと組み合わせて用いられる．

（図3-1-19 a）．

3）ソーベル(Sobel)フィルタ

プレヴィットフィルタにおいて，中央の重みを大きくしたものを**ソーベル**(Sobel)**フィルタ**という（図3-1-19 b）．

図3-10-19 c のように，それぞれのフィルタを画像に畳み込み積分して得られた出力値をそれぞれΔx，Δyとするとエッジの強度G(Gradient)とエッジの角度Dは(1-7)式および(1-8)式のように計算される．

$$G = \sqrt{(\Delta x)^2 + (\Delta y)^2} \quad (1-7)$$

$$D = \tan^{-1}\frac{\Delta y}{\Delta x} \quad (1-8)$$

胸部画像に対するソーベルフィルタでの処理画像を図3-1-20 d に示す．横方向(x方向)のエッジ成分画像（図3-1-20 b）では心臓の辺縁などの縦郭境界が描出され，縦方向(y方向)画像（図3-1-20 c）では横隔膜境界と肋骨のエッジが描出されている．エッジ強度画像（図3-1-20 a）はすべての方向のエッジが描出された画

5 空間周波数フィルタ処理

空間領域の画像を**フーリエ変換**(Fourier transform)することによって，空間周波数領域のスペクトルに変換することができる．フーリエ変換の利点は，画像に細かな陰影やエッジや粗い陰影などのさまざまな空間周波数の成分がどの程度含まれているかを定量的に知ることができる点と，空間周波数領域での画像処理が容易に行える点である．ここでは，空間周波数領域での画像処理法である空間周波数フィルタ処理について述べる．

1 畳み込み積分とフーリエ変換

空間領域におけるフィルタ処理は，画像：$f(i,j)$に空間フィルタ：$h(i,j)$を畳み込み積分で行う．ここで，畳み込み積分を記号"$*$"で表すと，

$$g(i,j) = f(i,j) * h(i,j) \tag{1-8}$$

と表すことができる．$g(i,j)$は処理後の画像である．これに対して，空間周波数領域でのフィルタ処理は，画像$f(i,j)$をフーリエ変換して得られたスペクトル$F(u,v)$と，画像と同じマトリックスサイズの空間フィルタ$h(i,j)$（中心の空間フィルタ部以外はすべて0とする）を，フーリエ変換して得られた空間周波数フィルタ$H(u,v)$を掛け算することによって，空間周波数領域でフィルタ処理されたスペクトル$G(u,v)$を求めた後，それをフーリエ逆変換し，空間領域の画像に変換して行う．この操作を(1-8)式に対応させて書くと，

$$G(u,v) = F(u,v)H(u,v) \tag{1-9}$$

となる．複数の空間周波数フィルタを組み合わせて用いたい場合，空間周波数フィルタ同士を掛け算することによって，複数のフィルタ効果を持つ1つの空間周波数フィルタを得ることができる．

ここで，2次元離散フーリエ変換(2-dimensional discrete Fourier transform：2 D-DFT)は(1-10)式，2次元離散フーリエ逆変換(2-dimensional inverse discrete Fourier transform：2 D-IDFT)は，(1-11)式で表される．

$$F(u,v) = \sum_{x=0}^{M-1}\sum_{y=0}^{N-1} f(x,y) e^{-j2\pi(xu/M+yv/N)} \tag{1-10}$$

$$f(x,y) = \frac{1}{MN}\sum_{u=0}^{M-1}\sum_{v=0}^{N-1} F(u,v) e^{j2\pi(xu/M+yv/N)} \tag{1-11}$$

$x=0,1,2,3,\cdots,M-1$，$y=0,1,2,3,\cdots,N-1$，$u=0,1,2,3,\cdots,M-1$，$v=0,1,2,3,\cdots,N-1$，jは虚数単位である．離散フーリエ変換を高速に行うために，**高速フーリエ変換**(fast Fourier transform：FFT)とよばれる計算法が用いられている．一般に，FFTは画像のマトリックスサイズが2のべき乗である必要がある．パワースペクトルは，(1-12)式で求められる．

$$\begin{aligned}PWS_F(u,v) &= |F(u,v)|^2 \\ &= \{F_r(u,v) - jF_i(u,v)\}\{F_r(u,v) + jF_i(u,v)\} \\ &= F_r(u,v)^2 + F_i(u,v)^2 \end{aligned} \tag{1-12}$$

ここで，$PWS_F(u,v)$はパワースペクトル，$F(u,v)$は画像をフーリエ変換した結果得られたスペクトルで，$F(u,v)$の実数部を$F_r(u,v)$，虚数部を$F_i(u,v)$とする．

2 空間周波数フィルタ処理

基本的な空間周波数フィルタとして，**ローパスフィルタ**(low pass filter；低域通過フィルタ)，**ハイパスフィルタ**(high pass filter；高域通過フィルタ)，**バンドパスフィルタ**(band pass filter；帯域通過フィルタ)がある．これらのフィルタによって，画像からある範囲の空間周波数成分を選択的に抽出することができる．

フーリエ変換によって求められるスペクトルは実数部と虚数部で表される複素数である．したがって，(1-9)式の掛け算は，(1-13)式のように複素数の積として計算する．

$$\begin{aligned}G(u,v) &= F(u,v)H(u,v) \\ &= (F_r(u,v) + jF_i(u,v))(H_r(u,v) + jH_i(u,v)) \\ &= \underbrace{\{F_r(u,v)H_r(u,v) - F_i(u,v)H_i(u,v)\}}_{実数部} \\ &\quad + j\underbrace{\{F_r(u,v)H_i(u,v) + F_i(u,v)H_r(u,v)\}}_{虚数部}\end{aligned} \tag{1-13}$$

ただし，空間フィルタが偶関数の場合は，虚数部は0になるので，(1-14)式のように計算できる．

$$G(u,v) = F(u,v)H(u,v)$$
$$= (F_r(u,v) - jF_i(u,v))H_r(u,v)$$
$$= \underbrace{F_r(u,v)H_r(u,v)}_{実数部} - \underbrace{jF_i(u,v)H_r(u,v)}_{虚数部} \quad (1\text{-}14)$$

6 画像の2値化

　医療画像は，濃淡画像である場合が多いが，そのなかから目的とする陰影を抽出し，その形状や大きさなどの特徴量を調べるために，**2値画像**が用いられることがある．濃淡画像から2値画像を得るためには，**しきい値処理**が用いられる．しきい値処理は，濃淡画像における画素値が，あるしきい値以上の場合は1，しきい値より小さい場合は0とする処理である．この処理を濃淡画像の2値化という．2値化には，しきい値の決定が重要となるが，その方法としては，p-タイル法，モード法，判別分析法，微分ヒストグラム法，そして可変しきい値法などが用いられる．ここでは，しきい値の決定によく用いられている判別法について述べる．

　画像の画素値のヒストグラムを，ある画素値のところで2分割し，2つのクラスに分けたとき，その2つのクラス間の分離が最もよくなる画素値をしきい値とする方法である．ここで，画像を構成する全画素数をNとする．画素値ヒストグラムを2つに分ける画素値をkとし，kより低い画素値側の分布をクラス1，k以上の画素値側の分布をクラス2とする．また，クラス1に属する画素の数：$n_1(k)$，クラス1の平均画素値：$a_1(k)$，クラス1の画素値の分散：$\sigma_1(k)^2$，クラス2に属する画素の数：$n_2(k)$，クラス2の平均画素値：$a_2(k)$，クラス2の画素値の分散：$\sigma_2(k)^2$，そして画像全体の平均画素値がAであったとすると，クラス内分散：$\sigma_w(k)^2$は，それぞれのクラス内分散の和として，(1-15)式で表される．

$$\sigma_w(k)^2 = n_1(k)\sigma_1(k)^2 + n_2(k)\sigma_2(k)^2 \quad (1\text{-}15)$$

また，クラス間分散：$\sigma_B(k)^2$は，(1-16)式で表される．

$$\sigma_B(k)^2 = n_1(k)n_2(k)[a_1(k) - a_2(k)]^2 \quad (1\text{-}16)$$

そして，2つのクラスの分離を最もよくするしきい値kを決めるには，それぞれのクラス平均画素値から求めたクラス間分散：$\sigma_B(k)^2$および各クラスのクラス内分散：$\sigma_w(k)^2$の比：$\sigma_B(k)^2/\sigma_w(k)^2$が最大となるように$k$を選べばよい．

7 ラベリング

　2値画像において，個々の陰影ごとに異なるラベル（番号）をつけた画像を**ラベル画像**といい，ラベル画像をつくる操作を**ラベリング**という．ラベリングは，2値画像において，画素値が1である部分を探索し見つかったとき，その周辺との連結性を調べることによって，陰影に別々の番号をつける処理である．この処理は，2値化で得られた個々の陰影の面積や円形度などの特徴量を求めたいときに必要な処理である．

8 モルフォロジカルフィルタ

1 膨張と収縮

　モルフォロジカルフィルタ(morphological filter)は，集合演算を基礎とした非線型な画像処理の手法である．基本的な処理として，2値画像の膨張(expansion)と収縮(contraction)がある．膨張は拡張(dilation)，収縮は侵食(erosion)とよばれることもある．基本的なモルフォロジカルフィルタは図3-1-21 a，b に示されるように，3×3の演算中心点〔画素(i,j)〕に対して，その上下左右の4画素(4近傍)を用いて処理を行う場合と，周囲のすべての8画素(8近傍)を用いて処理を行う場合とがある．

　2値画像の膨張は，ある画素(i,j)を中心としたフィルタと重なる2値画像領域内に1つでも1があれば中心画素(i,j)の画素値を1とし，それ以外の場合は0とする操作を，中心画素をずらしながら繰り返し行えばよい．

　2値画像の収縮は，ある画素(i,j)を中心としたフィルタと重なる領域内に1つでも0があれば中心画素値を0とし，それ以外の場合は1とする操作を，中心画素をずらしながら繰り返し行えばよい．

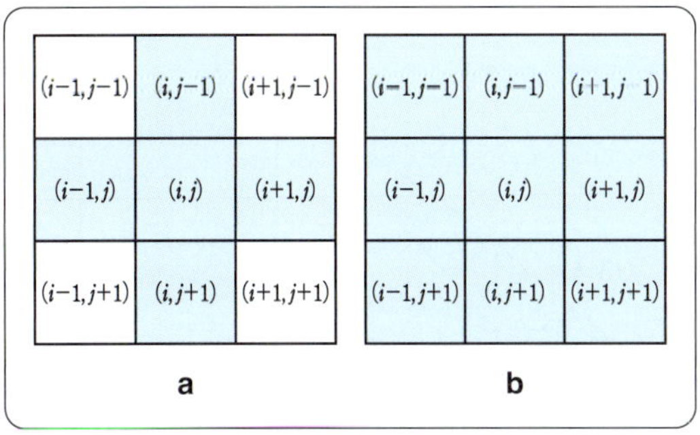

図3-1-21 モルフォロジカルフィルタ
a：モルフォロジカルフィルタ処理を行うための4近傍．b：モルフォロジカルフィルタ処理を行うための8近傍．

2 オープニングとクロージング

収縮を先に行い，収縮画像に対して膨張を行う処理を**オープニング**（opening）といい，膨張を先に行い，膨張画像に対して収縮を行う処理を**クロージング**（closing）という．オープニングには，小さい陰影や細い陰影を取り除いたり，陰影の辺縁を平滑化したりする効果がある．クロージングは，小さな孔や細い溝を埋める効果がある．オープニング（クロージング）において，その効果をより高くするために，先に収縮（膨張）を数回繰り返して行い，膨張（収縮）を収縮（膨張）と同じ回数だけ繰り返して処理したり，フィルタのサイズを大きくしたりして処理をすることもある．

濃淡画像に対するオープニングは，最小値フィルタ処理を先に行い，続いて最大値フィルタ処理をすればよい．また，クロージングは，最大値フィルタ処理を先に行い，続いて最小値フィルタ処理を行えばよい．

9 画像の拡大・縮小

デジタル画像の基本的な幾何学的変換には，拡大・縮小，平行移動，回転がある．これらの変換処理を行うには，変換後画像のすべての画素が原画像のどの位置に対応しているかを決める座標変換と，変換後画像の画素値を，変換後画素の原座標近傍の原画像画素値を用いて決定する濃度補間を行えばよい．

1 座標変換

画像の拡大・縮小，平行移動，そして回転の座標変換には，アフィン変換（affine transform）が用いられる．ここで，原画像の座標系を(x', y')，変換後画像の座標系を(x, y)，a〜fを変換係数とすると，アフィン変換は（1-17）式で表される．

$$x' = ax + by + c$$
$$y' = dx + ey + f \quad (1\text{-}17)$$

（1-17）式において，a，e以外の係数がすべて0ならば拡大・縮小，$b=d=f=0$，$a=e=1$，$c\neq 0$ならばx方向への平行移動，$a=\cos\theta$，$b=\sin\theta$，$d=\sin\theta$，$e=\cos\theta$，$c=f=0$ならば原点$(0,0)$を中心とした$\theta°$回転の座標変換を表す．

2 濃度補間

デジタル画像の画素値の補間法には，最近傍法，線形補間法，およびバイキュービック補間法などがある．

1）最近傍法（nearest neighbor method）

最近傍法は，図3-1-22 a に示すように，座標変換後画像のある点$d(a,b)$の変換前座標の近傍4画素のうち，最も近くにある画素の値〔図の例では$f(i,j)$〕を変換後の点dにおける画素値とする方法である．高速に補間処理できるが，原画像のノイズの影響を受けやすい．

2）線形補間法（bilinear interpolation method）

線形補間法は，図3-1-22 b に示すように，座標変換後画像のある点$d(a,b)$の変換前座標の近傍4点の画素値$f(i,j)$，$f(i+1,j)$，$f(i,j+1)$，$f(i+1,j+1)$を線形に配分して変換後の点$d(a,b)$の画素値を求める方法であり，（1-18）式で計算することができる．

$$\begin{aligned}f(a,b) =& [f(i+1,j) - f(i,j)](a-i) + [f(i,j+1)\\&- f(i,j)](b-j) + [f(i+1,j+1)\\&+ f(i,j) - f(i,j+1) - f(i+1,j)](a-i)\\&\cdot (b-j) + f(i,j) \quad (1\text{-}18)\end{aligned}$$

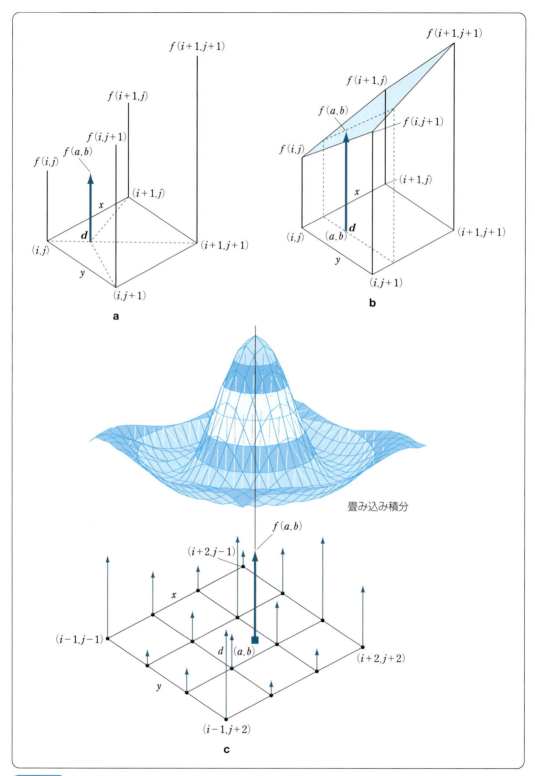

図 3-1-22 画素値の補間法
a：最近傍法，b：線形補間法，c：バイキュービック補間法．

3）バイキュービック補間法（bicubic interpolation method）

バイキュービック補間法は，図 3-1-22 c に示すように，座標変換後画像のある点 $d(a,b)$ の変換前座標の近傍 16 点の画素値と点 d を中心とする sinc 関数を畳み込み積分して補間する方法で，(1-19)式で計算することができる．この補間法は，補間による情報の損失が最も少ない画像が得られる．画像をわずかに鮮鋭化する効果もある．

$$f(a,b) = \sum_{j=0}^{3}\sum_{i=0}^{3} h([a]-1+i) \cdot h([b]-1+j) \cdot f([a]-1+i, [b]-1+j) \quad (1\text{-}19)$$

ここで，$f(a,b)$ は，拡大・縮小画像の座標 (a,b) における画素値，$[a]$，$[b]$ はそれぞれ a，b を超えない最大の整数，関数 $h(x)$ は sinc 関数で，$\mathrm{sinc}(x) = \sin(\pi x)/\pi x$ を表す．ただし，この方法では，sinc 関数の生成を高速化するために，sinc 関数を(1-20)式のような 3 次多項式で近似する．そのため，この手法の名称にキュービック（3 次の）という名がついている．

$$h(x) = \begin{cases} |x|^3 - 2|x|^2 + 1 & (0 \leq |x| < 1) \\ -|x|^3 + 5|x|^2 - 8|x| + 4 & (1 \leq |x| < 2) \\ 0 & (2 \leq |x|) \end{cases} \quad (1\text{-}20)$$

$$\begin{cases} (a+2)|x|^3 - (a+3)|x|^2 + 1 \\ a|x|^3 + 5a|x|^2 + 8a|x| - 4a \\ 0 \end{cases}$$

a には－1 がよく用いられているが，この値が小さくなるほど画像が鮮鋭になる．

ここで，図 3-1-23 a のような微小石灰化陰影を含むデジタルマンモグラフィを最近傍法，線形補間法，バイキュービック補間法で，縦横ともに 4 倍拡大した画像を，それぞれ図 3-1-23 b～d に示す．

3 つの補間法のなかで，最近傍法による拡大の結果（図 3-1-23 b）は最も鮮鋭であるが，画像のノイズや画素の境界が目立つチェッカーボード効果みられる．線形補間法による拡大の結果（図 3-1-23 c）は，最近傍法より滑らかでノイズは目立たないが，微小石灰化像もボケている．バイキュービック補間法による拡大の結果（図 3-1-23 d）は，最も原画像に近い像になっている．

10 画像間演算

複数のデジタル画像を用いた画像間演算処理の基本として，同じマトリックスサイズの画像同士の四則演算や論理演算がある．

1 四則処理

1）加算処理

加算は，2 枚の画像の対応する画素の画素値をたす操作であるが，これによって，画像の重ね合わせができる．また，同じ被写体を同じ配置で別々に撮影した画像同士を加えることによって，ランダムノイズを減弱させ**信号対雑音比**（signal-to-noise ratio：**SNR**）を向上させることができる．

2）減算処理

減算は，2 枚の画像の対応する画素の画素値を引く操作であり，2 枚の画像間の差を強調することができる．血管造影前と造影後のデジタル画像の引き算により，造影された血管のみを描出する digital subtraction angiography（**DSA**）とよばれる手法は，医療の現場で利用されている減算処理である．

また，シカゴ大学で開発された胸部単純 X 線画像における**経時的差分像技術**（temporal subtraction）は，異なる時期に撮影された 2 枚の胸部画像間のポジショニングなどに起因する側方向のずれや水平・垂直方向のずれを大まかに整合したうえで，さらに残る画像間の局所的なずれを，非線形の幾何学的ワーピングとよばれる技術で画像を整合した後，引き算をすることによって，経時的変化を強調できる．

3）乗算処理

乗法は，2 枚の画像の対応する画素の画素値を掛ける操作である．これにより，画像の類似度を調べることができる．

画像同士の積の総和を求める際に，それぞれの画像

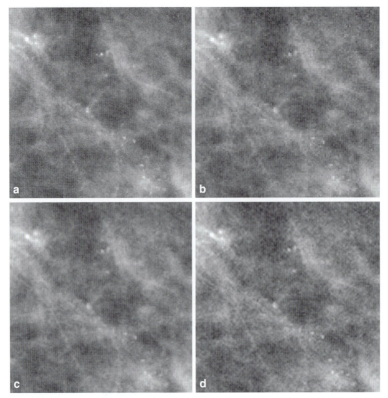

図 3-1-23 各種補間法による処理結果
a：微小石灰化陰影を含む乳房X線画像，b：最近傍法，c：線形補間法，d：バイキュービック補間法($a=1$).

の平均値と標準偏差を用いて正規化した相互相関係数（cross-correlation coefficient）は，画像の類似度を表す係数としてよく用いられている．(1-21)式は正規化相互相関係数を表す式である．

$$C = \frac{1}{MN} \sum_{i=0}^{M-1} \sum_{j=0}^{N-1} \frac{(f(i,j)-\overline{f})(g(i,j)-\overline{g})}{\sigma_f \sigma_g} \quad (1\text{-}21)$$

ここで，C は相互相関係数，$\overline{f}$ は画像 $f(i,j)$ の平均値，$\overline{g}$ は画像 $g(i,j)$ の平均値，σ_f, σ_g はそれぞれの画像の標準偏差である．

4）除算処理

除法は，一方の画像 $f(i,j)$ と他方の画像 $g(i,j)$ の逆数の掛け算と考えることができる．したがって，$f(i,j)$ と $g(i,j)$ が同じ形状をしていて白黒反転している部分が強調される．

第2章 情報理論と画像圧縮

1 情報理論の概要

　現在の医療現場では，患者情報が文字データとしてコンピュータで取り扱われ，医療画像もフィルムに代わりデジタル画像として転送・記録されている．そのため，これらのデジタル化された情報の取り扱いは医療において重要度を増している．この情報を数学的に論じたものが情報理論である．

　情報理論は，「情報とは何かを定義し，より良い取り扱い方を論ずる学問」である．インターネットによるデータ通信，さまざまなデジタルデータの記録，データ圧縮などはこの理論に基づいて行われており，今日の情報化社会においては，物理学，化学，生物学に匹敵するほど重要な学問ともいわれている．そこで本章では，この情報理論の概要と，これを利用して行われる画像圧縮技術について説明する．

2 情報の定量化

1 情報量の定義

　情報を定量的に取り扱うために，まず情報とは何かを定義したい．情報とは，「われわれの不確実な知識を確実にしてくれるもの」である．すなわち情報の量は，その情報を得たことにより知識の不確実さがどれくらい解消したかで数値化すればよい．

　たとえば，Aさんが1，2，3，4の数字を書いたカードを合計4枚持っており，そのなかから1枚のカードをBさんが引いたときの数値が何であるか，Bさんが知りたいとする．何も事前知識がない状態では，カードの数値は1〜4のいずれかであり，もしAさんが答えとなる数値をBさんに伝えたら1/4の確率の情報を伝達したことになる．この伝わった内容が情報の量を表しており，確率が低い事象ほど，それを知ったときに得た情報が多いと考える．

　次に，Aさんが数値に関して次のヒントを与えた場合に得た情報の量はどうなるだろうか．
　〔ヒント1：数値は奇数である〕
　〔ヒント2：数値は2より大きい〕

　2つのヒントはそれぞれ，実際の数値が何であるかわかる確率を1/2に上昇させる．また，2つのヒントを組み合わせることで，実際の数値が3であることを特定することができ，Aさんから数値を直接教えてもらった場合に得られる情報の量と同じ価値がある．

　以上のことは直感的にも理解できると思われるが，情報理論ではそれを**情報量**として定量的に取り扱う．事象Eが起こる確率を$P(E)$とするとき，事象Eが生じたときに得られる情報量$I(E)$を以下のように定義する．情報量の単位はbit（ビット）である．

$$I(E) = \log_2 \frac{1}{P(E)} = -\log_2 P(E) \quad (2\text{-}1)$$

　先ほどの例に戻ると，引いた1枚のカードの数値を知らされたときに得られる情報量は2 bit，ヒントを得たときの情報量はそれぞれ1 bitになる．2つのヒントを得たときの情報量は1+1＝2 bitとなり，数値を直接知らされたときと同じ情報量になることから，加法性が成り立つ尺度となっている．

2 画像データの情報量

　デジタル画像の画素値がM通りの値（階調数）で表現されるとき，1画素当たりの情報量は$\log_2 M$ bitであり，$M=256$のとき8 bit，$M=65536$のとき16 bitとなる．画像を構成するおのおのの画素値は独立であるため，水平・垂直方向の画素数N_x，N_yの2次元画

像の情報量は $N_x \times N_y \times \log_2 M$ bit となる．なお，現在のコンピュータではデータを 8 bit 単位で取り扱うことが多いため，8 bit を 1 byte と定義し，byte 単位で情報量が表現されることが多い．

〔画像の情報量計算例〕
512×512 画素，階調数 65536 の画像 1 枚の情報量
$$512 \times 512 \times \log_2 65536 \text{ bit}$$
$$= 512 \times 512 \times 2 \text{ byte}$$
$$= 524{,}288 \text{ byte} \fallingdotseq 524 \text{ kbyte}$$

3 平均情報量（エントロピー）

次に，事象により確率が異なる場合の情報量の取り扱いについて考えてみる．

先のカードの例では，各数値の出現確率は同じであったが，たとえば宝くじの場合，確率がきわめて低い「当たり」を引いたことを知ったときの情報量は大きく，ありふれた「はずれ」であることを知ったときの情報量は小さい．この例のように，複数の事象（E_1, E_2, …, E_n）がそれぞれ異なる確率（$P(E_1)$, $P(E_2)$, …, $P(E_n)$）にて生じるとき，どの事象が生じたか知ったときに得られる平均的な情報量を，**平均情報量**あるいは**エントロピー**（entropy）とよび，次式のように定義される．

$$H = -\sum_{i=1}^{n} P(E_i) \log P(E_i) \tag{2-2}$$

3 情報の符号化

符号化とは，情報を一定の規則に基づいてデジタルデータとして表現することを表す．符号化には，文字，音声，画像などの情報を，それらの特徴に合わせてコンパクトに表現することをおもな目的とする情報源符号化と，データをインターネットなどによって通信する際に，冗長（余分）なデータを付加して通信の誤りを検出・修正できるように符号化する通信路符号化がある．

情報源符号化によりデジタルデータの情報量を保ったまま，より小さいデータ量に変換する処理は圧縮ともよばれている．デジタル画像は多次元情報であり，データ量が非常に大きくなる．そのため画像データの圧縮は必要不可欠な技術である．そこで，ここでは情報源符号化に分類され，画像圧縮にも利用されている，ハフマン符号化とランレングス符号化について概要を説明する．

ハフマン符号化：データ中の数値・文字などの出現頻度を求め，高い頻度で出現する値には短い符号，出現頻度の低い値には長い符号を割り当て，データをコンパクトに表現する符号化手法である．前述のエントロピーを最小化したデータ表現が可能であるため，**エントロピー符号化**に分類される方法である．

ランレングス符号化：データ内に繰り返し現れる符号を回数として表すことでデータ全体の長さを縮めることができる．たとえば「AAAAABBBCCCC」という符号列を符号と連続回数のペアで記録すると「A5 B3 C4」と表現でき，半分の個数の符号で同じデータが表現できる．画像データは同じ値が連続して存在することが多く，この方法によってデータを圧縮することが可能となる．

4 可逆圧縮と非可逆圧縮

圧縮の方式は，**可逆圧縮**と**非可逆圧縮**に大別される．可逆圧縮は圧縮後のデータから圧縮前のデータを完全に復元できる圧縮方式であり，非可逆圧縮は圧縮後のファイルを復元した際にデータが完全には元に戻らない圧縮方式を指す．両者の違いは圧縮率である．圧縮率とは，圧縮後のデータ量が圧縮前のデータ量の何 % になるかを表したものであり，この値が小さいほど圧縮率が高いという．

画像を圧縮する場合，可逆圧縮は圧縮率が 30〜50 % であるが，非可逆圧縮を用いると 5〜10 % まで圧縮率を高めることができる．それと引き換えに，非可逆圧縮の場合は一部の情報が欠損することになるため，用途に応じて 2 つの圧縮方式を使い分ける必要がある．

1 可逆圧縮のアルゴリズム

データの出現頻度や連続性に着目した符号化方式であるエントロピー符号化，ランレングス符号化などが可逆圧縮のアルゴリズムに利用される．データに対する可逆圧縮の方式には Zip 形式，LZH 形式などがあり，画像フォーマットとしては GIF や Tiff などが利用されている．

2 離散コサイン変換を用いた画像圧縮

非可逆圧縮は，データを利用する人間の知覚特性を利用してデータを圧縮する方法であり，おもに音声，画像，動画の圧縮に利用されている．ここでは，代表的な画像の非可逆圧縮方式であり，**離散コサイン変換**（discrete cosine transform：**DCT**）を用いた **JPEG 圧縮**について説明する．

人間の視覚の特徴として，①明暗には敏感だが色の変化には鈍感である，②低い周波数の信号には敏感だが高い周波数には鈍感である，という特性がある．JPEG 圧縮では，この 2 つの性質を利用して，主観的な画質を極力低下させないようにしながら，画像データのサイズを圧縮前の 1/10〜1/20 程度まで小さくすることができる．

以下に，おもな処理内容について説明する．

1）色情報の削減

自然画像，眼底写真，内視鏡，顕微鏡画像など，カラー情報を有する画像の場合，上述の特徴①に基づき，色情報を削減する．カラー画像の個々の画素は色と輝度という 2 つの属性を有しており，それを表現するため画像は RGB の 3 つの成分に分けた状態で輝度情報が記録されている．JPEG 圧縮ではカラー画像を RGB 成分に分けて取り扱うのではなく，RGB 成分を次式のように輝度成分 Y と，R と B 成分に対する色差成分に変換した画像を取り扱う．

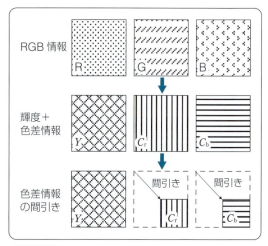

図 3-2-1 JPEG 圧縮における色情報の削減

$$Y = 0.299\,R + 0.587\,G + 0.114\,B$$
$$C_b = -0.1687\,R - 0.3313\,G - 0.5\,B + 128 \quad (2\text{-}3)$$
$$C_r = 0.5\,R - 0.4187\,G - 0.0813\,B + 128$$

このように変換された Y，C_b，C_r 成分に対し，人間の視覚特性上敏感な輝度情報 Y はすべて残し，鈍感な色に関する C_b，C_r は水平・垂直方向の画素数がそれぞれ半分になるように画素を間引く（図 3-2-1）．それによって，画像の総データ量は元のデータに対して 1/2 になる．

2）高周波成分のデータ削減と可逆圧縮

上述の特徴②に基づき，低周波数の情報を密，高周波数の情報を粗に表現することで情報を圧縮する．圧縮は以下の手順で行う．

Step 1：与えられた画像を 8×8 画素のブロックに分割する．

Step 2：各ブロックに含まれる周波数成分を把握するため，ブロック内の画素値を用いて DCT を行い，各周波数成分の振幅を得る．これを DCT 係数とよぶ．u，v を水平・垂直方向の周波数としたとき，$N \times N$ 画素の画像 $f(x, y)$ の DCT 係数 $C(u, v)$ は次式にて求められる．

$$C(u,v) = \alpha(u)\alpha(v) \sum_{x=0}^{N-1} \sum_{y=0}^{N-1} f(x,y)$$
$$\cdot \cos\left[\frac{(2x+1)u\pi}{2N}\right] \cos\left[\frac{(2y+1)v\pi}{2N}\right] \quad (2\text{-}4)$$

ここで，$\alpha(x)$ は，$x=0$ のとき $\alpha(0) = \sqrt{1/N}$ であり，

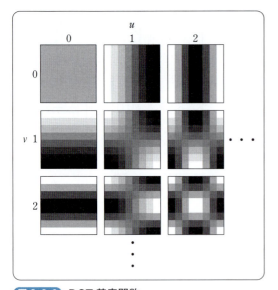

図 3-2-2 DCT 基底関数

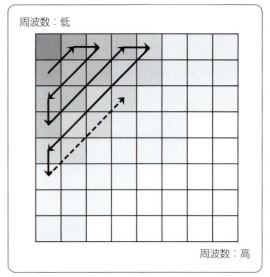

図 3-2-3 DCT 係数のジグザグ走査

それ以外のときには $a(x) = \sqrt{2/N}$ である．また，2つの cos 関数の積の部分は DCT 基底関数とよばれており，図 3-2-2 のようなパターンである．すなわち，(2-4)式は元の画像 $f(x, y)$ と DCT 基底関数の一致度を表している．

Step 3：DCT 係数を再度量子化する．量子化レベル数（＝何段階で数値を表すか）は低い周波数に対して大きく，周波数が高くなるにつれ小さくする．それによって重要な情報を残したままデータ量をコンパクトに表現することができる．

Step 4：量子化された DCT 係数を符号化する．このとき，ブロック内の直流成分（図 3-2-3 の左上の画素）と交流成分に分けて符号化が行われる．直流成分については，ハフマン符号化を利用して可逆圧縮が行われる．また，交流成分の画素データについては，図 3-2-3 のようにブロックの左上からジグザグ走査することによって順次つなぎ合わせて 1 次元のデータにする．この走査を行うことで比較的類似した数値が連続するようになり，Step 3 の量子化にて 0 に置き換えられた高周波領域では連続して同じ値が存在することになる．このデータを前述のランレングス法，ハフマン符号化により可逆圧縮することで JPEG データが記録される．

3）非可逆圧縮による影響

JPEG 圧縮では圧縮率を高めるとデータサイズを小さくすることができるが，画像に図 3-2-4 に示すようなノイズが生じ，画質が劣化する．そのため，良好な画質を保つためには圧縮率は 1/10 よりも低くしたほうがよい．

ブロックノイズ：DCT 後の量子化において，高周波成分の量子化レベル数を小さくしすぎると 8×8 画素のブロックが均一な値となり，隣接するブロックとの境界が目立ち，ブロック状のパターンが生じる．これをブロックノイズとよぶ．

モスキートノイズ：量子化レベル数が小さいと，輪郭が明瞭な部分において細かいギザギザやノイズが生じ，蚊（モスキート）がまわりに飛んでいるように見える．これをモスキートノイズとよぶ．

3 ウェーブレット変換を用いた画像圧縮

JPEG 圧縮では，小さく区切った領域で DCT を行い，高周波成分を疎に表現することで圧縮を行っている．しかし，固定サイズのブロックごとに処理が行われているため，圧縮率を高くすると前述のブロックノイズ

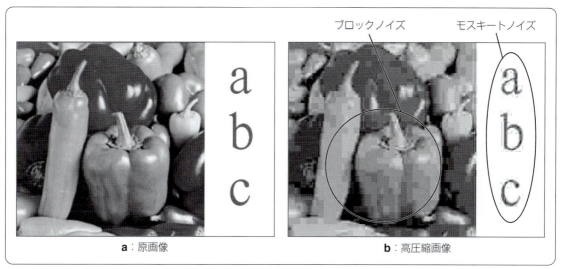

図 3-2-4 JPEG 圧縮の影響

やモスキートノイズといった画質劣化が生じるといった問題があった．これを解決する方法として，**ウェーブレット変換**(wavelet transform)を用いた非可逆圧縮があり，画質劣化を抑えながら高い圧縮率で画像を保存することができる．

ここでは，ウェーブレット変換の原理と，それを応用した画像圧縮法について述べる．

1) ウェーブレット変換とは

ウェーブレット(wavelet)とは，"小さな波"という意味を持つ造語である．ウェーブレット変換は，任意の時間あるいは位置の信号を，波長の異なる多数のウェーブレットに分解して表現する方法である．

同様の目的にて用いられるフーリエ変換は三角関数を基本単位とし，対象となる信号を無限に続く三角関数に分解するものであるが，ウェーブレット変換は図 3-2-5 a に示すように，連続しない"小さな波"を基本単位とする．これをウェーブレット関数とよぶ．ウェーブレット関数は，図 3-2-5 b のように波形を水平方向に a 倍だけ伸縮させることでさまざまな周波数成分を表現し，b だけ平行移動させることで，信号の任意の位置にウェーブレット関数を移動させることができる．このウェーブレット関数 ψ を用いて次式のようにウェーブレット変換が定義され，この変換により位置と周波数の情報を得ることができる．

$$W(a,b) = \int_{-\infty}^{\infty} f(x) \psi_{a,b}(x) dx \quad (2\text{-}5)$$

$$\psi_{a,b}(x) = \frac{1}{\sqrt{a}} \psi\left(\frac{x-b}{a}\right) \quad (2\text{-}6)$$

2) 多重解像度表現

ウェーブレット変換を用いることで，信号を高周波成分と低周波成分に分離することができる．この処理によく利用されるのが，ハール(Harr)関数である．ハール関数は図 3-2-6 a に示す基本ウェーブレット $\psi_b(x)$ と図 3-2-6 b に示すスケーリング関数 $\psi_s(x)$ で成り立っている．

$\psi_b(x)$ は，信号を微分する作用があり，信号に含まれる高周波成分を取り出す．一方，$\psi_s(x)$ は信号を積分(平均化)するはたらきがあり，低周波成分を取り出すことができる．

たとえば，元のデータを $f(x) = \{5, 3, 5, 9\}$ とする．$f(x)$ に対し，基本ウェーブレット関数により隣り合うデータの差の平均，スケーリング関数により同じく隣り合う2つのデータの平均値を求めるとしよう．x を2ずつ移動させながら計算すると，前者は $\{-1, +2\}$，後者は $\{4, 7\}$ となる．なお，この変換後の数列を $\{+1, -1, -2, +2\}$，$\{4, 4, 7, 7\}$ と変形し，両者の和を求めれば元の $f(x)$ に戻り，可逆変換できることがわかる．このように，低周波成分と高周波成分に分解しデータ

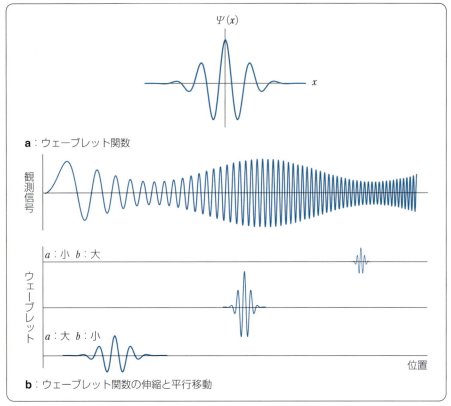

図 3-2-5　ウェーブレット変換

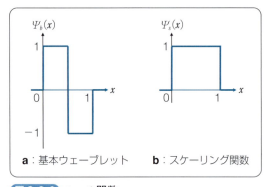

図 3-2-6　ハール関数

表現することを多重解像度表現とよび，信号の大まかな性質を調べたり，必要に応じて元の情報に復元したりすることができる．

これを画像に応用すると図 3-2-7 のようになる．まず，図 3-2-7 a の元画像の水平方向に対して図 3-2-7 b のように低周波成分（L）と高周波成分（H）に分ける．次に，図 3-2-7 b の画像に対し同様にして垂直方向の処理を行うと図 3-2-7 c のように 4 つの成分の画像が得られる．図 3-2-7 c 中の LL は元画像を水平・垂直方向にそれぞれ半分のサイズに縮小したものであり，周りの 3 つの高周波成分の情報を用いることで原画像に復元することができる．また，LL をさらに 4 つに分割することもできる．分割の処理を繰り返すほど，より低い周波数成分と多数の高周波成分に分解されていく．

3）画像圧縮への応用

ウェーブレット変換により多重解像度表現された画像を用いて画像の圧縮を行うことができる．図 3-2-7 c の HL，LH，HH 部分は高周波成分のみの情報を含み，視覚的には感度が低い情報である．そこで，これらの信号の量子化レベルを低くし，データ量を減らすことができる．また，量子化したデータを記録する際に，前述の JPEG 圧縮と同様に可逆圧縮を行う．この方式を採用した画像フォーマットに JPEG2000 がある．

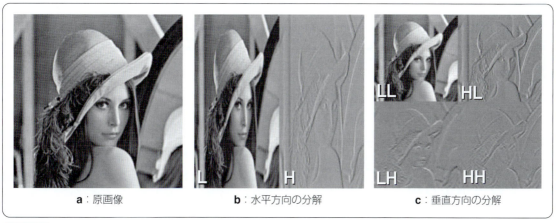

a：原画像　　　　**b**：水平方向の分解　　　　**c**：垂直方向の分解

図 3-2-7　ウェーブレット変換による画像の多重解像度表現

a：JPEG 圧縮　　　　**b**：JPEG2000

図 3-2-8　画像圧縮方式の比較

　JPEG2000 と JPEG 圧縮を同じ画像データサイズで比較したものを図 3-2-8 に示す．ウェーブレット変換を用いた画像圧縮では，固定サイズのブロック内で処理が行われないため，ブロックノイズなどが生じず，主観的な画質も良好である．

第3章 3次元画像の可視化

1 医学領域における3次元画像とその可視化方法

臨床現場における3次元画像の利点は，
- 正常構造や病変など3次元位置関係の把握が容易であること
- 計算機上で3次元画像を生成することから対象物（病変，血管など）の容積・距離などの計測が可能であること
- 再現性があるので医師らのなかで客観的な共通認識を持つことが可能であること
- 患者が直感的に理解しやすいこと

などが挙げられる．

3Dプリンタの技術およびその普及により，3次元画像上に表示された臓器を触って確認することが可能となった．3Dプリンタによる出力は，3次元画像の新しい見せ方（出力）として期待でき，整形外科などの手術支援や教育への利用が期待されている．

3次元画像を作成するためには，断層画像からボリュームデータを作成する必要がある．ボリュームデータは，多数の2次元断層画像を取得位置に従って積み重ね，3次元再構成を行うことで作成される（図3-3-1 ①，②）．断層画像の画素間隔とスライス厚が同じならば，等方（立方体）のボクセルによるボリュームデータが作成される．画素間隔とスライス厚が異なる断層画像の場合は，非等方のボクセル（直方体）となるため，補間処理を行い等方性のボリュームデータを作成する（図3-3-1 ③）．

表3-3-1に，ボリュームデータを可視化するおもな方法を示す．可視化法には，ボリュームデータに対して任意面で切断し，その断層面を表示する可視化法（多断面再構成法），ボリュームデータに対して観察対象の表面抽出を実施後，その表面データに対して陰面・陰影処理などのレンダリングを実施する間接的な可視

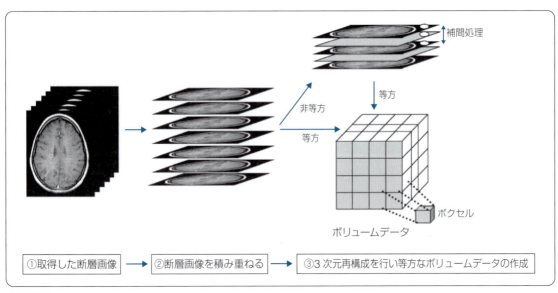

図3-3-1 ボリュームデータの生成

第3章 3次元画像の可視化

表3-3-1 可視化方法

①多断面再構成法 RRR	ボリュームデータより任意の断層面を生成する方法 任意の曲面で切断しその断層面を生成する方法もある
②サーフェスレンダリング法	ボリュームデータから等値面を生成し，観察対象の表面情報のみを生成する方法
③ボリュームレンダリング法	ボクセルに輝度と不透明度を設定して表示する方法
④最大値投影法	ボクセル値のなかから最大値を投影する方法
⑤加算投影法	ボクセル値のなかから加算値（または平均値）を投影する方法

化法（サーフェスレンダリング法），ボリュームデータに対して直接可視化する方法（ボリュームレンダリング法）がある．臨床現場では，可視化法の特長を考え，ボリュームデータによって使い分ける．

2 多断面再構成法

多断面再構成法（multi planar reconstruction または multi planar reformation：**MPR**）は，ボリュームデータに対して切断面を設定し，その切断面によりサンプリングされたボクセル値を画素値とした画像である．代表的な断面像には，横断像（axial image；アキシャル像），冠状断像（coronal image；コロナル像），矢状断像（sagittal image；サジタル像），斜入断像（oblique image；オブリーク像）がある．また，任意の「曲面」で切断し表示する curved-MPR または CPR（curved planar reformation）もある．

MPRはボリュームデータのボクセル値をそのまま利用するため，CT画像のMPRの場合，CT値の損失がない状態で観察対象の3次元構造が把握できるといわれている．そして，診断に必要な領域の詳細な画像情報を提示できるので理解が容易である．curved-MPRは，歯・血管など平面切断では診断が難しい対象に有用だと思われる．図3-3-2 a〜c に MPR の例，図3-3-2 d に curved-MPR の例を示す．一般に横断像は2次元画像をシネ表示して観察・読影されることが多い．

3 サーフェスレンダリング法

サーフェスレンダリング法（surface rendering：**SR**）は，ボリュームデータから観察対象の明確な境界面を作成し，観察対象をポリゴン表示する方法である（図3-3-3）．サーフェスレンダリング像の作成は，モデリング，レンダリングの順に行われる．

モデリングでは，ボリュームデータからしきい値処理などで可視化対象のボクセル値を抽出し，マーチングキューブ法などによりサーフェスデータを作成する．

レンダリングでは，まず投影変換を行う（図3-3-4 左・中央）．透視投影変換は，サーフェスデータをある視点に対して光が収束するように変換する方法で，仮想内視鏡のようなカメラ（視点）の位置が1点である場合に利用される．平行投影変換は，サーフェスデータから投影面に対して平行に変換する方法である．可視化対象に歪みが生じず3次元構造の理解が容易であるため，多くのケースで利用される．

次に，陰面（陰線）消去を行う．可視面の検出にはZバッファ法などがある．Zバッファ法は，ポリゴンのZ値（奥行き）を比較していちばん値が小さい（最前面にあるので可視化する）ポリゴンを判定し，その対応位置の色を投影面の画素値として与える方法である（図3-3-4 右）．

最後に，陰影処理（shading）である．陰影処理は光の照射状態によるサーフェスデータの陰影状態を計算し描画する処理で，滑らかな陰影をつけるためにスムーズシェーディング法が利用される．図3-3-3（右）に，サーフェスレンダリング像を示す．

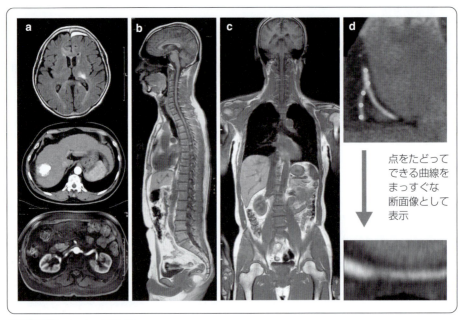

図 3-3-2　MPR の画像例
a：アキシャル画像，b：サジタル画像，c：コロナル画像，d：curved-MPR．

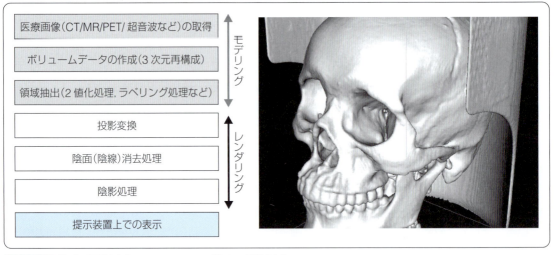

図 3-3-3　作成手順（左）とサーフェスレンダリング像（右）

　サーフェスレンダリング法は，表面情報のみしか持たないため内部情報を持てない点や，領域抽出処理結果に応じて表面情報が変化するので，複雑な形状物体では表示精度が落ちてしまう場合があるなどの問題点があるが，観察対象の形状把握は容易である．また，3D プリンタ用のデータ作成に利用される．

4　ボリュームレンダリング法

　ボリュームレンダリング法（volume rendering：VR）は，ボクセルに色と不透明度を設定して観察対象を表示する方法である．
　ボリュームレンダリング像を作成する場合，まずボ

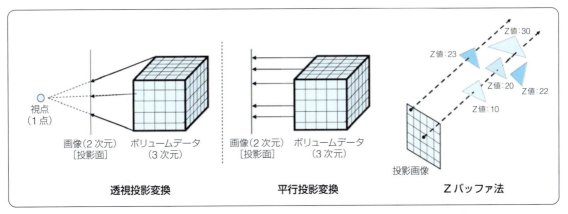

図 3-3-4　投影変換（左：透視投影変換，中央：平行投影変換）と隠面処理（右：Z バッファ法）

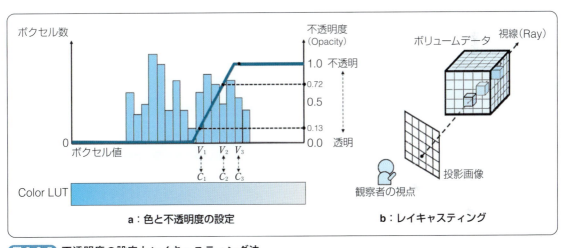

図 3-3-5　不透明度の設定とレイキャスティング法

クセル値に対して色と不透明度を設定する．ボクセル値に対する色（RGB）は，ボクセル値と色の対応表（look up table：LUT）を準備して決定する（図 3-3-5 a）．不透明度（opacity）は，不透明度曲線（opacity curve）を調整することで決定する（図 3-3-5 a）．基本的に不透明度は 0.0〜1.0 の間で設定され，不透明度 0.0 は透明であることを示し，不透明度 1.0 は不透明であることを示す．利用者は可視化したい領域を考えながら不透明度曲線を調整して，各ボクセルの不透明度を決定する．

次に，**レイキャスティング**（ray casting）**法**を用いて，ボリュームデータから投影画像の画素値を計算するためのボクセルをサンプリングする．レイキャスティング法とは，投影画像の各画素からボリュームデータに対して射出した視線（ray）に沿ってボリュームデータ内を一定間隔でサンプリングし，そのサンプリングされたボクセル値を加算することで投影画像の画素値を求める方法である（図 3-3-5 b）．

この加算手順には，①ボクセル値を投影面に近いほうから遠いほうに順に加算する手順と，②遠いほうから近いほうに順に加算する手順の 2 つがある．

ここで，視線によりサンプリングされた点を $i(i=0, 1, 2, 3, ……, n)$ とし，サンプリングされた各ボクセル値を V_i，各ボクセルにおける不透明度を a_i，透明度を $(1-a_i)$，サンプリング点 i までのボクセルを加算した輝度値（または色）を I_i とすると，各計算手順

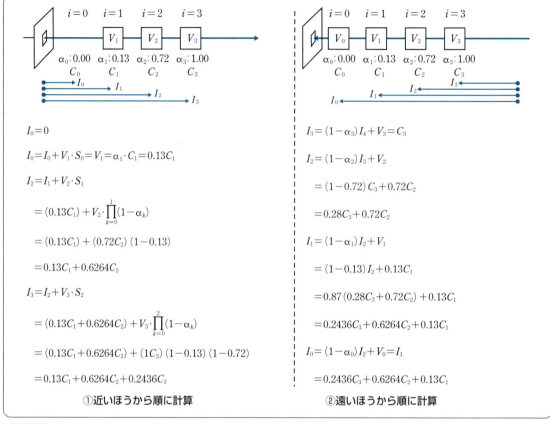

図 3-3-6 レイキャスティング法の計算例

は次のように表すことができる．

① 近いほう ($i=0$) から遠いほう ($i=n$) に加算 (I_n を求める)：

$$I_i = I_{i-1} + V_i \cdot S_{i-1}, \quad S_i = \prod_{k=0}^{i}(1-\alpha_k)$$

(ただし，$I_0=0$，$S_0=1$)

② 遠いほう ($i=n$) から近いほう ($i=0$) に加算 (I_0 を求める)：

$$I_i = (1-a_i) \cdot I_{i+1} + V_i \quad \text{(ただし，} I_n=0)$$

図 3-3-6 に，サンプル数 4 ($i=0, 1, 2, 3$) とした①②の計算例を示す．なお，ボクセル値 V_1，V_2，V_3 に対する色と不透明度は，図 3-3-5 a を利用して (C_1, 0.13)，(C_2, 0.72)，(C_3, 1.0) とし，色 C_i は $C_i=(R_i, G_i, B_i)$ と RGB の各要素を持つとした．

①②は加算順序が異なるものの，サンプリングされた前後の輝度値（または色）を不透明度（または透明度）の割合にて合成することで輝度値（または色）I を計算

している．この計算を**アルファブレンディング**という．

以上の手順により作成されるボリュームレンダリング像は陰影を考慮していないので，陰影なしのボリュームレンダリング像といわれる．より写実的なボリュームレンダリング像を考える場合は，ボクセルに対して色と不透明度以外にシェーディング値を設定する．

シェーディング値は，光の当たり方により変化する物体の明るさを表現するために利用され，サーフェスレンダリングやボリュームレンダリングのレンダリング時の陰影処理で利用する値である．陰影処理で利用されるシェーディング法のモデルにはいろいろあるが，一般的にフォンのモデルを用いることが多い．フォンのモデルでは，CG 環境内で設定された光源からの光に対する物体表面の反射光を 3 つの成分（環境光，拡散反射光，鏡面反射光）で構成する．したがって，フォンのモデルを利用した場合のシェーディング値は，こ

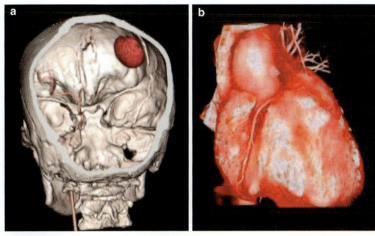

図3-3-7 ボリュームレンダリング像
a：表示対象：頭部，b：表示対象：心臓．

の3成分を調整するパラメータということになる．

　環境光は，観察対象に一定の明るさを与える光の要素で間接光ともよばれる．拡散反射光は，入射光に対してあらゆる方向に同じ強さで反射する光の要素である．鏡面反射光は，物体表面での直接反射により発生する光の要素である．これらの要素を合成して作成された陰影付きのボリュームレンダリング像を図3-3-7に示す．

　ボリュームレンダリング法は，サーフェスレンダリング法と異なり，表面抽出などの処理が不要であるため，直接ボリュームデータをレンダリングすることができる．そのためサーフェスレンダリング法と比較すると，データの精度が落ちにくいといえる．また内部構造も表示できるので，全体の把握が容易である．ボリュームレンダリング法による3次元画像は，画像を回転させて動画として観察・読影されることも多い．

5 最大値投影法（MIP）

　最大値投影法（maximum intensity projection：**MIP**）は，ボリュームデータに視線を射出し，その視線によってサンプリングされたボクセル値のなかから最大値を選択し表示する方法である（図3-3-8）．

　MIPは血管造影画像の3次元表示に有用である．血管のボクセル値が造影剤により大きくなるため最大値

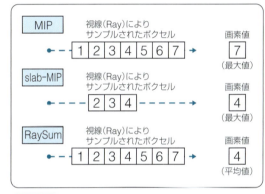

図3-3-8 MIP，slab-MIP，RaySumの仕組み

として描出されやすい点や，希釈されて造影効果が小さい血管像に対しても高コントラストで描出される点，血管を表すボクセルが視線上で前後に重なる可能性が低い点などから，血管造影画像には有効な3次元表示法である．図3-3-9にMIP画像例を示す．

　一方でMIPは，ボクセル値の大きさの違いにより表示するので，ボリュームデータが持つ奥行き情報を利用できない．また，X線吸収が高いステントなどのMIP画像ではステント部分が高コントラストに表示されるため，ステント内の血管状況を把握することが難しいこともある．しかし医療従事者らは，奥行き情報が得られないことによる問題点を解剖知識とさまざまな視点のMIP像を作成することで，撮影対象の3次元構造の把握を行っている．ステント部分のMIP表示については，断層像からステントと血管の濃度値の

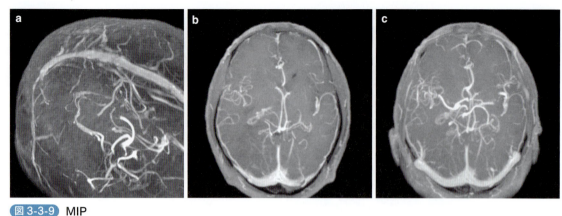

図 3-3-9　MIP
a：MIP 像（頭部），b：slab-MIP 像（スライス枚数少），c：slab-MIP 像（スライス枚数多）．

変化を考えながらステント周りの MIP 像を作成する gradient-MIP 法があり，問題点を克服できるケースもある．

また MIP 像を作成する際に，全撮影画像を利用するのではなく，ボリュームデータのなかからある厚み（slab）を選択し，その選択領域のボリュームデータを利用して MIP 画像を作成する slab-MIP もある（図3-3-8, 図 3-3-9）．関心領域の画像だけを利用することで，従来表示されなかった部分が可視化されるなどの利点がある．

6 加算平均投影法（RaySum）

加算平均投影法（RaySum）は，投影画像の画素から放出された視線によってサンプルされたボクセル値の平均値（または総和値）を表示する方法である（図3-3-8）．図 3-3-10 に画像例を示す．

7 仮想内視鏡

体内への陰性造影剤や陽性造影剤の投与，あるいはもともと体内に存在する気体や体液を用い，臓器と造影剤，気体，体液の間に生じる大きな CT 値の差を利用することにより，仮想的に内視鏡に近似した画像を得ることができる．これらは仮想内視鏡やバーチャル

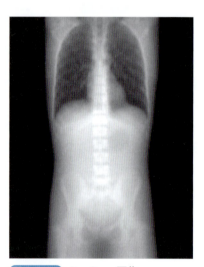

図 3-3-10　RaySum 画像

内視鏡などとよばれており，たとえば大腸なら気体の部分，血管なら造影剤による濃染部分を透明表示とすることによって，仮想大腸内視鏡，仮想血管内視鏡などの画像が構築できる．

1 仮想大腸内視鏡

光学大腸内視鏡検査の実施が不可能な場合や検査を拒否される場合，光学内視鏡検査に比べ解像力や色の描出において劣るものの，比較的侵襲性の低い **CT コロノグラフィ**（CT colonography：CTC）が有用である．また，光学内視鏡検査術者のマンパワーの不足により，大腸検査を必要とする被検者すべてのスクリーニングを施行できないため，新しい大腸検査法として CTC

が世界的に広がりを見せている．特にわが国では，2012年1月1日より，承認されたチューブ，二酸化炭素の使用が義務づけられたうえで，CTCの技術点数として診療報酬が加算されるようになり，さらに，医師のタスクシフトを推進するものとして下部消化管検査（CTCを含む）のため，注入した造影剤および空気を吸引する行為も認められ，全国各地で検査が受けられるようになった．

大腸CT3次元画像は，CTCから得られるボリュームデータを加工することによって，仮想大腸内視鏡（virtual colonoscopy：VC）画像をはじめ，さまざまな種類の画像が作成できる．

図3-3-11は，上行結腸肝彎曲に発生した直径3.8mmのポリープのVC画像である．肛門側から観察したもので，低侵襲的に光学内視鏡画像に近似した画像が観察できる．VC画像を作成するときは，近位の物体が大きく，遠位の物体が小さく表示される透視投影法表示を行う．視野角度は任意の角度が設定できるようになっており，この画像の場合，光学内視鏡よりも広い視野が設定されており，連続的に表示すればひだの裏も描出されるようになっている．また図3-3-12のように，ポリープの断面も同時に観察できる仮想内視鏡とmultiplanar reconstruction（MPR）画像の合成表示もできる．

1）光学内視鏡と仮想内視鏡

図3-3-13に，光学内視鏡と仮想内視鏡の視野および視角の違いを示す．大腸には多くのひだが存在し，1方向から観察した光学内視鏡ではひだによって死角を生じ，ポリープや病変を見落としてしまう可能性がある．仮想内視鏡では，肛門側，口側の両方向からの観察が容易で，ひだによる病変の見落としを減らすことができる．

2）大腸の抽出

大腸の抽出は，図3-3-14に示すように，CT横断画像における白く表示された大腸内部の気体部分の抽出を行えばよく，十分な気体量があれば容易に行うことができる．このとき，気体のCT値を有する全領域を抽出するのではなく，図3-3-15に示す肺野や体外

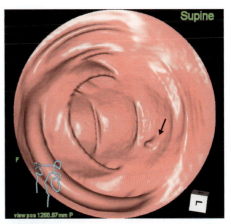

図3-3-11 仮想大腸内視鏡画像
直径3.8mmの小ポリープ．

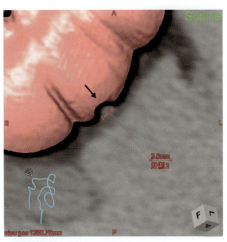

図3-3-12 仮想内視鏡とmultiplanar reconstruction（MPR）画像の合成表示
残渣と病変との鑑別，リンパ節の確認，周囲血管情報，病変の深達度を確認するうえで非常に重要な画像である．

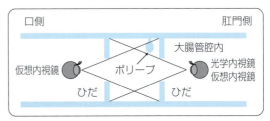

図3-3-13 光学内視鏡と仮想内視鏡の視野，視角の違い
1方向から観察した光学内視鏡では，大腸のひだによって死角を生じ，ポリープや病変を見落としてしまう可能性がある．仮想内視鏡では口側と肛門側双方からの観察が可能である．

第3編 画像処理論

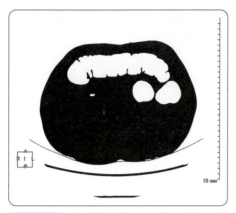

図3-3-14 CT横断画像における大腸内部の気体部分（白黒反転画像）

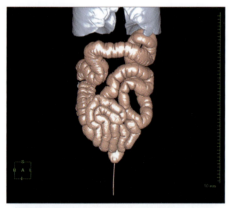

図3-3-15 肺野気体部分と大腸内気体部分の画像
ラベリングの技術を応用し，肺野や体外の気体部分は除外し，大腸のみの抽出を行う．

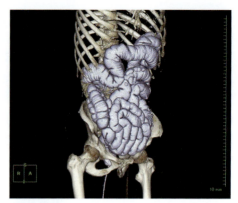

図3-3-16 大腸内の気体部分を抽出した大腸全体像
大腸への送気は，二酸化炭素を使用する．

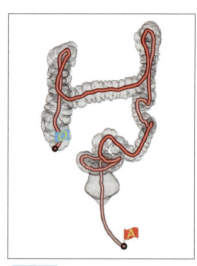

図3-3-17 大腸全体エア画像に記される管腔センターライン

の気体部分は除外し，大腸のみの抽出を行う．すなわち，ラベリングの技術を応用し，直腸と連結された領域を拡張して，大腸のみの抽出を行う．小腸は回盲部バルブにおいて気体のCT値を有するボクセルの連結が遮断される場合がほとんどで，容易に分離可能である．同様に，体外の気体や胃，肺などの気体も同じ理由により分離される．この作業により，図3-3-16に示すような大腸内の気体部分を抽出した大腸全体像が描出できる．

図3-3-17の大腸全体像上に記される管腔センターラインは，大腸管腔の中点を連続的に計算して求めたもので，VCを連続に表示する視点の軌道，および図3-3-18に示す仮想病理標本展開画像作成のための基準線となる．

3）仮想病理標本展開画像

仮想病理標本展開画像は，管腔センターラインを中心に展開される．補正円筒投影法の適用により，脾彎曲や肝彎曲など大きく屈曲する部分で同じ観察対象が重複して表示されるのを防ぐよう工夫されている．

図3-3-11のようなVC画像は，図3-3-17の大腸全体像上に記される管腔センターラインに沿って視点を進めて動画表示させることが可能である．

図3-3-18に，CTC検査の読影を行う場合の画面表示例を示す．読影の実際としてはまず，図3-3-17に

第3章 3次元画像の可視化

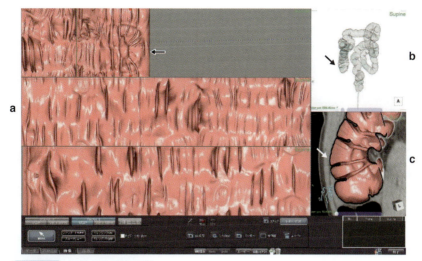

図3-3-18 仮想病理標本画像
a：仮想病理標本展開画像．b：管腔センターラインを示す大腸全体像．c：回盲部の断面画像．矢印はすべて回盲部を示す．

示す大腸全体像の図において，管腔センターラインが大腸管腔の中点を連続的に計算して求められているかどうかを確認する．これは，管腔センターラインの計算において，隣り合った大腸において，大腸壁を貫通して近道を探し出し，全大腸を網羅せずセンターラインを決定してしまうことがあるためである．この場合，近道によって省かれた大腸に通過点を設定し，全大腸を網羅したセンターラインを決定させるため，再計算させることが必要となる．

4）読影

読影法の一例として，はじめに仮想病理標本展開画像を含む図3-3-18を用い腸管粘膜面全体を観察し，異常所見の有無を確認する．本画像は腸管内部を一度に見ることができるので，スクリーニング検査に有用な画像となっている．異常所見が存在した場合は，VC画像や，図3-3-12に示すようなVCとMPRの合成表示で病変の解析を行う．

さらに，大腸のためのコンピュータ支援検出ソフトを適用させると，腸壁面の形状を認識させ，隆起があると識別した部位に，たとえば図3-3-19のように着色させることもできる．この方法によって，読影者に病変の位置を見落としにくくさせることができ，検出能の向上を図ることができる．

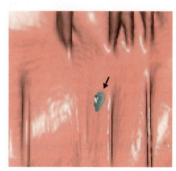

図3-3-19 コンピュータ支援検出ソフトを使用することによって検出した隆起部位の表示例
図3-3-11に示す小ポリープ表示部の仮想病理標本画像

2 仮想血管内視鏡ほか

光学的血管内視鏡での血管内観察は，血液を除去する必要があり，血流遮断などによって施行される．しかし，仮想血管内視鏡は血管内部に流れる高いCT値を有する造影剤濃染部分を透明表示とすることによって観察が可能となる．

図3-3-20は，血管内に陽性造影剤を急速注入し，動脈層でデータ収集し構築した上腹部3次元画像である．なお，胃との位置関係を知るため，発泡剤を投

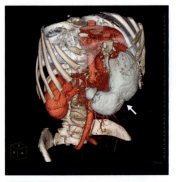

図 3-3-20 胃と動脈血管走行を構築した上腹部 3 次元画像
矢印の部位に内視鏡的切除後の早期胃癌痕跡がみられる．

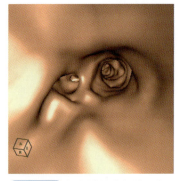

図 3-3-22 仮想膵管内視鏡画像

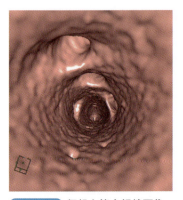

図 3-3-21 仮想血管内視鏡画像

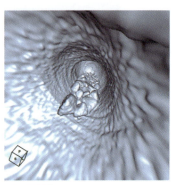

図 3-3-23 仮想胆嚢内視鏡画像

与し，胃を拡張させたうえで 3 次元画像を構築している．さらに，視点と視野を腹部大動脈内におき，腹腔動脈，上腸間膜動脈分岐部を観察した画像が図3-3-21 である．この方法を用いれば，血管造影検査の手技を用いることなく，血管内の壁状態，狭窄の状態を確認することができる．

この方法と同様に膵液自体を陰性の造影剤として使用し，高度に濃染させた膵実質との CT 値の差を用いて構築した仮想膵管内視鏡画像を図 3-3-22 に示す．このほか，胆嚢内に貯留させた造影部分を透明表示させることによって構築する胆嚢内視鏡画像(図 3-3-23)など，さまざまな部位の仮想内視鏡画像を構築することができ，管腔内の観察が可能となる．

8　3Ｄプリンティング技術の医療応用

1　3Ｄプリンティングとは

3Ｄプリンティング技術は，付加造形技術(additive manufacturing)，積層造形技術(layered manufacturing)，立体造形技術などともよばれ，物体の立体データをコンピュータから送信すれば，その物体形状の断面を積み上げることで物体を印刷する技術のことである(図 3-3-24)．

各種の 3Ｄプリンタにおいて共通してみられることは，材料を削って物体を造形するのではなく，物体形状を断面形状の集合としてとらえ，断面形状に従って材料となる物質(石こう，光硬化樹脂，ニッケルなど)を固め，それを順次積層することで物体を造形するこ

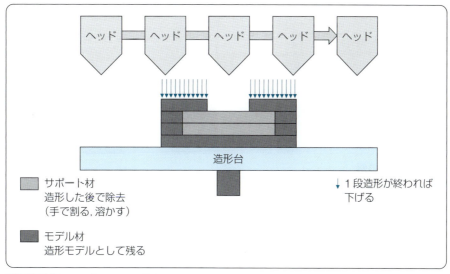

図 3-3-24 3Dプリンタの基本原理

とにある．

材料を付加する（積層する）ことで物体を造形する方法が一般的には3Dプリンティングとよばれ，材料を切削することで物体を造形する方法とは明確に区別されている．

2 3Dプリンタによる臓器モデル造形の流れ

3Dプリンタにより，医療画像を元にして臓器モデルを造る場合には，以下の過程を経ることになる．

1）臓器領域セグメンテーション

DICOM形式でCT，MRI画像などをコンピュータに読み込み，肝臓，腎臓，骨領域などのセグメンテーションを行う．内部構造再現法を用いて臓器モデル内に内部構造を再現する場合には，併せて内部の脈管構造などもセグメンテーションする．

2）三角形メッシュ生成

画像として臓器形状が表現されている臓器領域セグメンテーション結果から，Marching Cubes法により臓器形状表現した三角形パッチの集合を得る．得られた三角形パッチの集合は，STL形式，PLY形式などジオメトリデータで物体形状を表すファイルフォーマットへと変換される．

3）3Dプリンタによる造形

得られたSTLファイル，PLYファイルなどを3Dプリンタに送信し，造形を行う．

4）後処理

3Dプリンタから造形物を取り出し，サポート材除去，表面研磨などの後処理を行う．

3 3Dプリンティングの医療応用

3Dプリンタによる臓器モデルの医療分野における利用方法としては，①診断，②術前プランニング，③手術リハーサル，④手術ナビゲーション，⑤インフォームドコンセント，⑥教育などが挙げられる．

①の診断では，たとえば3次元的な構造を把握しづらい臓器形状などを3Dプリンタによりプリントして確認する利用方法である．

②では，同様にして切除範囲，切除方法などを3Dプリントされた臓器モデルを確認する．

③の手術リハーサルにおいては，3Dプリンタを用いて直接的，あるいは間接的に臓器モデルを造形し，造形された臓器モデルを用いて実際の手術と同様の手

   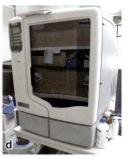

図 3-3-25 3D プリンタの例
a：光造形法，b：紫外線硬化樹脂噴射法，c：粉体造形法，d：熱溶融積層法．

技を試す．

④においては，手術対象となる臓器モデルをあらかじめプリントし，その臓器モデルを術場に持ち込んで，術中に適宜参照しながら手術を行う．

⑤のインフォームドコンセントでは，患者あるいはその家族に病状などの説明を行う際に，3Dプリントされた臓器モデルを用いる．

⑥は，医学看護学教育において3Dプリントした臓器モデルを用いるものである．臓器モデルを用いることで，より直感的に臓器形状を把握することができるようになる．また，小児の心臓疾患などの希少例の学習など，臨床の場で実際に観察することが少ない症例の学習などにおいても活用できる．

4 3Dプリンティングの形式

3Dプリンタの代表的な例としては，①光造形法，②紫外線硬化樹脂噴射法，③粉体造形法，④熱溶融積層法，などである（図3-3-25）．

1) 光造形法

光造形法は，レーザー光によって物体断面形状を描画し，タンク内に満たされた液体状の紫外線硬化樹脂を硬化させ，それを順次積層することによって物体形状を造形する方法である．積層後，①物体を上に吊り上げながら造形する方式と，②物体をタンク内に沈め物体を造形する方式の2つがある．

①の方式では，断面が造形される部分のみ液体の紫外線硬化樹脂で満たせばよいため，造形に利用される以外の紫外線硬化樹脂の使用量が少なくてすむメリットがある．吊り上げられる部分は空中に露出するため，造形される物体の自重による変形に十分に注意する必要がある．

②の方法では，造形された物体は，同じ比重の液体のなかにあるため自重による変形は心配しなくてもよいが，タンクが大きく（深く）なり，そのなかを紫外線硬化樹脂で満たす必要がある．また，プリンタ自体の大きさも必然的に大きくなる．

光造形においては，モデル材とは別にサポート材を用意する必要はない．

2) 紫外線硬化樹脂噴射法

インクジェットヘッドから造形に用いる紫外線硬化樹脂を噴射し，それを順次積層することで物体を造形する方法である．紫外線硬化樹脂は，断面形状に応じてインクジェットヘッドから噴射される．インクジェットヘッドを左右に走査するのみで断面形状に応じた樹脂が噴射されるタイプと，副走査（奥行方向の走査）が必要なタイプとの2つがある．

副走査が必要なタイプは，造形台に対してヘッドサイズが小さな場合である．造形台でインクジェットヘッドから噴射される樹脂によって断面形状が描画されると同時に，ヘッドに取り付けられた紫外線ランプによって固化される．1層分の造形が終了したのち，造形台が下げられ，同様の操作が繰り返される．

樹脂噴射法において，ハングオーバー形状を造形するには，その部分を支えるサポート材が利用される．そのため，インクジェット法では，2つ以上のインクジェットヘッドが用意され，1つはサポート材を噴射するために利用される．このサポート材は造形後に物

理的に除去したり（手などで取り除く），化学的に取り除いたりする（水溶性のサポート材の場合には，水を入れたタンクに造形物を沈める）．

また，軟らかい造形物（ゴム状造形物）や，多色造形にも対応していることが紫外線硬化樹脂噴射法の特徴である．造形時に複数の材料を混ぜ合わせながら造形することができるプリンタもある．

3）粉体造形法

石こう，デンプン，ニッケル，チタン，プラスチックなどの粉体を固めることで，所望とする物体を造形する方法である．同方式のプリンタでは，粉体を供給する槽（材料槽）と物体を造形する槽（造形槽）の2つが並べておかれている．

まず，粉体が蓄えられた層から1層分の厚みでスクレーパーなどにより材料が造形槽に供給される．その後，断面形状に応じて粉体が固められる．造形槽にある造形台が1段下げられ，材料槽から造形槽に材料が薄く供給されたのち，同様の操作が行われる．これを繰り返すことによって物体が造形される．物体は，造形槽で固められていない材料のなかにある．造形後には粉体材料のなかから物体を取り出す（発掘する）必要がある．

物体を固める方法としては，糊（バインダー）を使う方法，熱によって焼結・溶融させる方法などがある．バインダーを利用する方法では，インクジェットヘッドからバインダーを断面形状に基づいて噴射することで材料を固める．このような方法では，石こう，デンプンなどが造形材料として用いられる．熱溶融の場合には，強力なレーザー光によって材料を溶融させる．この方法では，ニッケル，チタンなどの金属材料，ナイロンなどのプラスチック材料などが利用される．

4）熱溶融積層法

細長い熱可塑性プラスチック（フィラメントともよばれる）を溶解させながら物体断面形状に合わせて噴出することで造形する方法である．熱可塑性プラスチックを噴出するヘッドは材料を細い線状に噴出するため，一筆書きで物体断面形状を描画する．これは，同時に多数のヘッドから樹脂，バインダーが噴出され

図 3-3-26 形状露出法による臓器モデル例

る紫外線硬化樹脂噴射法，粉体造形法とは異なる．一断面造形したのちは造形台を1段下げ，その上に次の断面形状に従って溶解した樹脂を送り出す．この工程を繰り返すことによって物体形状を造形する．

ひさしのようなオーバーハング部分を造形するには，その部分の下部を支えるサポート部が必要となる．そのため，①強アルカリ数溶液に溶融するサポート材を別のヘッドから送り出すことによってサポート部を造形する方法，②材料を薄く造形することでサポート部を造形する方法などがある．安価なプリンタでは②の方法が採用されることが多い．

5　3Dプリンティングによる臓器形状表現

3Dプリンタを用いて臓器モデルを造形するには，大きく分けて，直接造形法と間接造形法がある．

1）直接造形法

直接造形法は，3Dプリンタから直接的に臓器モデルを造形する方法である．

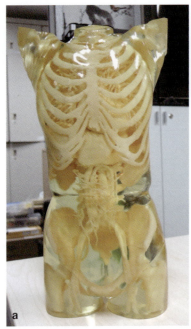

図 3-3-27 内部構造再現法による造形例
a：体幹部モデル，b：肝臓モデル．

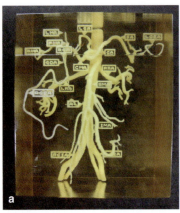
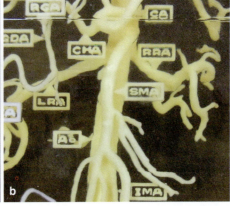

図 3-3-28 形状モールド法とメタアノテーションによる造形例
a：腹部血管モデルにメタアノテーションを行った例，b：拡大図．

（1）形状露出法

臓器外形をそのままの形で3Dプリンタにより造形する手法である（図 3-3-26）．

（2）内部構造再現法

形状露出法により透明樹脂を用いて造形された臓器モデル内部に，脈管構造などを不透明樹脂により再現した手法である（図 3-3-27）．

（3）形状モールド法

細い血管などを形状露出法により造形すると破損しやすい問題がある．そこで，透明樹脂でつくられた直

図 3-3-29 雌型法による膵臓モデル造形例

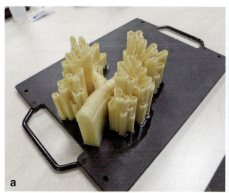 

図 3-3-30　サポート材に包まれた臓器モデルと後処理加工を行った結果

方体のなかで，不透明樹脂により臓器形状を再現する手法である（図 3-3-28）．

　（4）メタアノテーション法

　解剖学的名称，患者 ID などのメタ情報を臓器モデル内部に再現する方法である（図 3-3-28）．

2）間接造形法

　間接造形法とは，3D プリンタによっていったん雌型など型を造り，その型を基にして臓器モデルを造形するものである．

　（1）雌型法

　3D プリンタによって，造形したい臓器モデルがくりぬかれた型を直接造形で造形し，くりぬかれた部分に材料を流し込む．樹脂が硬化した後，型から臓器モデルを取り出す（図 3-3-29）．

　（2）ロストワックス法

　血管内腔を再現した軟らかいモデルを造形する場合に用いられる手法である．直接造形法の形状露出を用いて臓器モデルを作製し，硬化性樹脂を臓器モデルに塗布し，硬化するのを待つ．その後，3D プリンタで造形されたモデルを有機溶剤によって溶かし，硬化した樹脂（軟らかい樹脂を用いることが多い）を取り出す．血管内腔モデルなどを製作するのに適している．

6　3D プリンタによる造形物の後処理加工

　3D プリンタから出力された造形物は，たいていの場合，①サポート材除去，②研磨，③塗装，といった後処理加工工程が必要となる．

　サポート材除去処理では，水あるいは強アルカリ性の水溶液に造形物を浸すことで化学的にサポート材を取り除くことや，サポート材を折るなどして物理的に除去することなどが行われる（図 3-3-30）．粉体造形，光造形などはその構造原理上サポート材を必要としないが，物体内部にある液休樹脂の抜き取り，あるいは粉体の除去などの作業が必要となる．また，これを行うための装置も必要とされる（図 3-3-31）．

　3D プリンタから出力される臓器モデルの表面は荒く，ウレタン研磨剤などを用いて研磨することが必要となる場合がある．特に，内部構造再現法を用いる場合には，臓器モデル自体が透明な必要があり，そのためには表面研磨が必要とされる．さらに，臓器モデルの透明性を高めるために，透明ウレタン樹脂を塗布することも行われる．

図 3-3-31 サポート材除去に利用する装置の例

第4章 コンピュータ支援診断

1 コンピュータ支援診断(CAD)とは

　昨今,「診断画像の洪水」が起きている時代といっても過言ではない.また,本邦では,対人口比のCTやMRI装置の保有台数が世界第1位を誇っているが,読影(画像診断)をする放射線科医は大幅に不足しており,画像診断を支援するシステムへの期待は大きい.

　画像と一口にいっても,画像撮影,画像再構成,検査画像取得,検像,画像処理,読影・診断,手術,治療,画像による予後予測など,その支援が可能な領域は多岐にわたる(図3-4-1).本節では,画像の読影・診断支援を中心に説明するが,これには,①画像上の病変を読み取るときの見落とし防止,②熟練医だけが検出できるような初期段階の病変検出,③読影技術の読影者内/読影者間のばらつき減少などの効果が期待される.

1 歴史

1)従来型CAD

　コンピュータによる画像診断への取り組みには,医療画像解析研究の領域において,**支援診断**(computer-aided diagnosis:CAD),あるいは**自動診断**(auto-mated diagnosis, autonomous diagnosis)を目指すとして,すでに1960年頃からの長い研究開発の歴史がある.そして,その歴史には,本章第2節で詳しく説明する**人工知能**(artificial intelligence:AI)とも大きなかかわりがある(図3-4-2).

　図3-4-2に示すように,1980年代には第2次AIブームがあり,それは「知識による推論」の時代であった.あるタスクを実行するシステムの開発にあたり,人(専門家,エキスパート,たとえば医師)が経験や知見で持つ知識(対象の特徴や判別ルール)を「if-then-else」形式で構造化し,それをコンピュータに教え込み,認識,分類,識別などを行う**ルールベース**(rule base)に基づく手法である(ルールベース型AIともいう).このようなAIシステムは総じて**エキスパートシステム**(expert system)とよばれ,画像支援ではCADシステムとよばれた.

　CADの実用化に最初に成功したのは,乳癌検出を目的とした**コンピュータ支援検出**(computer-aided detection:**CADe**)システムである.これは,シカゴ大学で基礎研究されたシステムをベースに,米国のベンチャー企業R2 Technologies, Inc.(現Hologic)が,マンモグラフィを対象に開発した商品で,1998年に米国の食品医薬品局(Food and Drug Administration:FDA)の審査・承認を得て,商用化に至っている.当時はまだアナログ(連続情報)と称せられるフィルムが使われていた時代であり,レーザーデジタイザによってフィルムをスキャンし,コンピュータで取り扱えるデジタルデータ(離散情報)にまず変換する必要があった.この1998年はしばしば"CAD元年"とよばれる.

　この頃,マンモグラフィCADに続いて,肺癌X線検査で利用される胸部単純X線写真や胸部CT画像の肺癌(結節陰影)検出のCADや,大腸CT検査におけるポリープ検出のCADなどが米国で次々と商用化された.

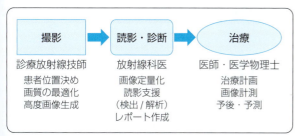

図3-4-1　画像を取り扱う広義のCADの適用範囲

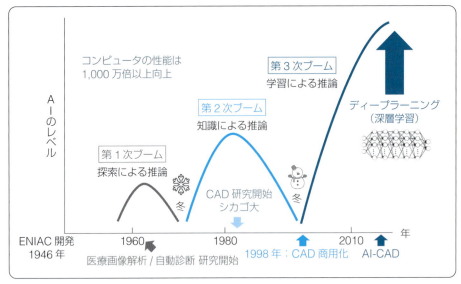

図 3-4-2 AI の進化レベルと CAD 開発の歴史的推移

商用化されかつ本格的に普及に成功した例は，マンモグラフィ CAD であった．その最大の成功要因は，マンモグラフィ CAD に対して，2001 年には保険償還の対象となったことである．実際，2016 年には，乳癌検診マンモグラフィの画像読影の約 92.3% で CAD が使われるようになった．

このような CAD の利用には，使用法に厳密な定義があった．それはコンピュータの結果を"第2の意見"として医師が利用するもので，**セカンドリーダー型 CAD** といわれ，

①医師はまず CAD の結果なしで画像を単独読影し，その後，

②CAD の結果（"第2の意見"）を参照して，医師が最終診断を下す，

という手順で CAD を利用する（図 3-4-3 および図 3-4-6 a）．これには，最初から CAD の指摘箇所のみを参照して他の箇所を観（診）なくなってしまうことを防ぎ（CAD も見落としがあるため），あるいは拾いすぎ（偽陽性）候補を医師が精査する機会を与えるという効果がある．しかし，一方で，読影時間が増えてしまう傾向があった．

CAD の商用化が始まって約 20 年の間に，いろいろな問題点が浮き彫りになった．特に，表 3-4-1 に示す事項が指摘された．

図 3-4-3 コンピュータ支援診断（CAD）の概念図

表 3-4-1 従来型 CAD の問題点

① 開発コストが大きい
② 検出性能（偽陽性候補の数も問題）がまだ不十分 （マンモグラフィ検診では要精検率が増加）
③ 商用化に至ったのはすべて検出支援型の CADe である （鑑別診断支援型の CADx は FDA の承認例が皆無）
④ 実臨床での大規模実証実験で有効性が確認できなかった
⑤ 特定の病変検出にのみ対応
⑥ 臨床現場での使い方が面倒（ワークフローが悪い）

2）AI-CAD

トロント大学の Hinton が，2016 年秋にトロントで開催された機械学習に関する国際会議で，「5年（もしくは 10 年）以内に**ディープラーニング**は専門医（放射

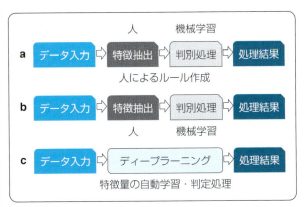

図 3-4-4　AI の進化に伴う CAD の技術的な高度化
a：エキスパートシステム型，b：機械学習型，c：ディープラーニング型

線科医）のレベルに達するだろう」という主旨の衝撃的なスピーチをし，大きな話題となった．このディープラーニングについては，本章第3節を参照されたい．

この予測を実証するかのように，2017 年 1 月に，スタンフォード大学の Esteva らが，皮膚癌の診断にディープラーニングを活用した結果を『Nature』誌に報告している．約 13 万枚の皮膚疾患の画像を収集し，「メラノーマ（悪性黒色腫）」や「良性腫瘍」を AI で学習させた結果，皮膚科医と同等の精度で皮膚癌の診断ができたという．さらに，その翌年，ハイデルベルグ大学の Haenssle らの「人間対機械」と題された論文では，10 万枚以上の画像で開発されたディープラーニングと皮膚科医がメラノーマを鑑別したところ，その精度は皮膚科医 vs AI が 87% vs 95% となり，AI に軍配があがっている．

ルールベース法に基づく CAD や（図 3-4-4 a），ディープラーニング以前の機械学習法を用いるもの（分類・識別処理にニューラルネットワークやサポートベクターマシンという分類器を使う部類）（図 3-4-4 b）までを**従来型 CAD** とよぶ．これに対して，特徴抽出と判別処理がディープラーニングに置き換えられた．ディープラーニング型の CAD（図 3-4-4 c）を，ここでは **AI-CAD** とよんで区別する．すなわち，従来型 CAD では，画像のなかの認識対象の特徴量を，設計者（人間）が苦労して考案・作成したのに対して，ディープラーニングの利点は自ら特徴量を作り出しかつ自動判別する（学習による）ことができる点にある．

ディープラーニングのモデルは必ずしも自作する必要はなく，公開されたものが利用できる．なお，このような AI-CAD は単に AI と呼称されることもある．

したがって，AI-CAD の開発方法は，従来とは大きな様変わりが起きた．特に機械学習やディープラーニングでは，データドリブン（データ駆動型）といわれるように，学習に使用するデータの質と量に依存する点である．また，学習に使用する教師データには，アノテーションとかラベル付けという作業を伴う．詳細は後節を参照されたい．

2　目的と利用方法

ディープラーニングの出現により，AI-CAD として，従来型 CAD は最近になり大きく進化しかつ多様化している（図 3-4-5）．

1）利用形態の多様化

1998 年に FDA 承認のマンモグラフィ CAD が出現して以降，従来型 CAD はすべて「セカンドリーダー型」であったが，ディープラーニング時代になり，2016 年以降，医師が CAD をどの順番でどのように読影に利用するかによって，表 3-4-2 と図 3-4-6 に示すように，複数の種類の AI-CAD の利用法が提案・開発され，順次商用化されている．

これらの先には，自律型 AI（もはや CAD ではない）が見えてくる（図 3-4-5，表 3-4-2，図 3-4-6 e）．眼底写真の画像診断に対して，2018 年 4 月，糖尿病網膜症（糖尿病網膜症，DR：diabetic retinopathy）を自動検出する AI 検査機器が，FDA の最終販売承認を取得した．この装置により，「DR を検出：専門医の受診を勧める」あるいは「DR は未検出：12 カ月以内の再検査を勧める」という出力結果が得られる．本機器は，眼科医でなくてもプライマリケアドクターが利用できるもので，新しいジャンルの AI 医用機器である．AI ドクターとか，自動診断あるいは自律診断（automated or autonomous diagnosis）ともよばれるようになっている．同ソフトウェアの利用に対して米国では保険償還が可能になっている．注意が必要なのは，米国の 2 つの医学放射線学会から，このような自律型シ

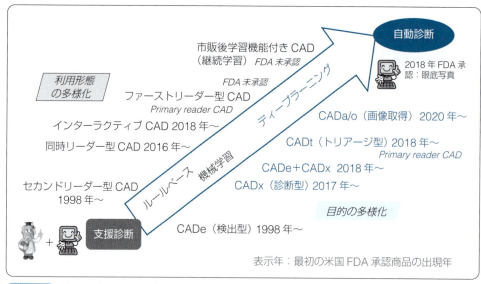

図 3-4-5 ディープラーニングによる AI-CAD の高度化・進化による目的と利用形態の多様化

表 3-4-2 CAD の利用形態

a．セカンドリーダー型 CAD（second reader CAD）：図 3-4-6 a
①医師はまず CAD の結果なしで画像を単独読影し，その後，
② CAD の結果（"第2の意見"）を参照して，医師が最終診断を下す．
商用化例：マンモグラフィ，胸部 X 線写真，胸部 CT など多数

b．インターラクティブ CAD（interactive CAD）：図 3-4-6 b
セカンドリーダー型 CAD で，医師が画像上の気になる箇所をクリックしたときにのみ CAD の結果が表示される．読影時間の増加が防げる．
商用化例：マンモグラフィ

c．同時リーダー型 CAD（concurrent reader CAD）：図 3-4-6 c
CAD の結果（たとえば，検出マーカー）を読影の最初から参考にする．セカンドリーダー型よりも読影時間の短縮が可能．1 症例当たり大量の画像データの読影が必要な画像診断領域で，かつ検診での利用に期待される．
商用化例：胸部 3D CT，3D 乳房超音波画像，乳房トモシンセシス，乳房 MRI

d．ファーストリーダー型 CAD（first reader CAD）：図 3-4-6 d
CAD が最初に単独で解析処理を行い，医師が読影すべき異常が疑われる画像と，明らかに正常でその必要がないものを自動選定する．半自動診断に相当．正常症例が大半を占める検診での利用が考えられるが，これには前向きの臨床的な検証実験が必要である．
商用化例：欧州の薬事承認である CE 規格認証を得たマンモグラフィ CAD

e．自律型 AI 型（autonomous AI，autonomous diagnosis）：図 3-4-6 e
医師を介せず，完全に自動で AI が診断を行う．
商用化例：眼底写真における糖尿病網膜症の診断

ステムや市販後学習機能付き CAD の承認は，安全性の面から時期尚早との警告が発されている（2020 年 6 月）．

2）利用目的の多様化

図 3-4-5 と表 3-4-3 に示すように，CAD の目的も従来の検出型の **CADe** から多様化が起きており，米の FDA や各国で承認を取得し商用化に成功を収めている AI-CAD が多く出現している．1998 年にマンモグラフィ CAD が FDA 初承認されて以来，最近までのすべての FDA 承認の CAD は，異常部位の検出を目的とした CADe に限定されていた．

がんの良悪性鑑別により悪性度を提示する診断型の **CADx** の商用化は遅れていたが，2017 年 7 月になり，

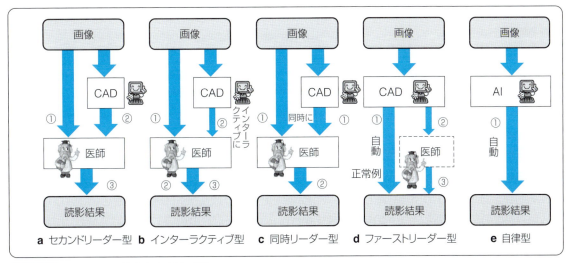

図 3-4-6　AI-CAD の代表的な利用形態

表 3-4-3　CAD の代表的な目的別分類

目的	表記	詳細
検出	CADe	病変候補位置をマーカーで指摘．読影負担軽減．
診断	CADx	悪性度，グレード，ステージ等の数値提示．質の向上．
検出＋診断	CADe + CADx	検出と診断（鑑別）の両機能．
トリアージ	CADt	緊急性の提示，あるいは読影の優先順位づけ．
取得 / 最適化	CADa/o	検査画像や診断信号の取得支援と最適化．
予後予測	CAP	将来の予後予測をスコアや確率で表示．

ついにこの壁が破られた．これは米国ベンチャー企業が開発した商品で，乳房の MRI を対象とする診断支援型の CADx である．この乳房 MRI 用の CADx は，候補病変部位に対して悪性度を表すインデックスを提示する．また，類似症例を検索して医師に提示することにより，CAD の解析結果への確信度を高める CAD も CADx の範疇に入れることができる．

CAD 技術を応用・拡張し，撮影直後の画像を分析して，心臓疾患など対処の緊急性の有無を専門医に提示・警告するシステムがあり，これはトリアージ（triage）を目的としたトリアージ型の **CADt** である．FDA 初承認を得た商用化第 1 号は，救急患者の CT 画像における主幹動脈閉塞（large vessel occlusion：LVO）を特定する LVO 脳卒中プラットフォームである（2018 年 2 月）．脳卒中の疑いが確認されたことを脳卒中専門医（脳神経科医）に警告するもので，画像を医師のスマートフォンに直接送信する機能がある．95％を超えるケースで，専門医への自動通知で通知時間が平均 52 分短縮され，これにより治療時間までの短縮が可能になったという．このトリアージ CAD に対しては，AI ソフトウェアの新技術追加支払いとして，最初の保険（Medicare）適用が 2020 年 9 月に認められた．CADt には，疾患のあると予想される画像の優先順位を高め，ワークリストの読影の順番に反映させるものもある．2019 年以降，頭蓋内出血，肺塞栓症，緊急性気胸，頚椎・肋骨骨折などに関する CADt が各社から商用化されている．

CADa/o（computer-aided acquisition/optimization）は，2020 年 2 月に新しい種類の CAD 機器として FDA 承認されたもので，コンピュータ支援取得 / 最適化とよばれる．心臓超音波検査に対する AI ガイドシステムの商品があり，これにより非専門家でも経験豊

富な心臓超音波検査技師によるスキャンに匹敵する検査ができるという．

以上の5つはFDAの承認分類に基づくが，これとは別に，治療の予後予測を画像解析により支援するレディオミクスAIや，さらに遺伝子情報をも取り入れたレディオジェノミクスAIがある（本章第4節参照）．これらはCAP（computer-aided prediction）として分類することもでき，画像から将来の予測をスコアや確率で予測するものである．

さらに新しい区分のCADの出現もあり得る．たとえば，放射線科医の画像診断レポートの自動作成支援システムなどもすでに実用化されており，たとえばChatGPT[*1]のような高度な自然言語解析AIの進歩により，対話型AIも使われるようになるであろう．

3）商用化の現状

上記でもすでに述べているが，AI-CADは次第に商用化が進んでいる．対象疾病と対象撮影機器は多岐に及んでいる．

本邦では欧米に比べて，商用化の現状は遅れている．国内で初めて承認を得て商用化されたAI-CADは，大腸内視鏡であり（2019年3月より販売），内視鏡領域は諸外国に比べて進んでいる得意分野である．大腸内視鏡では，リアルタイムでCADeあるいはCADxとして利用される．

商用化された対象とする画像部位は，脳，眼，咽頭，骨，肺，食道・胃，乳房，大腸が挙げられ，これら以外にも心臓，肝臓，腎臓，皮膚などが開発中である．これらは，大手医療企業からスタートアップまでさまざまな企業によるものである．大腸内視鏡に次いで商用化が進んでいる領域は，胸部画像領域であり，新型コロナウイルス感染症（COVID-19）の肺炎の診断を支援するものや肺結節を検出するものである．

また，放射線診断領域では，2022年度の診療報酬改定で，画像管理加算という形態ではあるが，AI-CADソフトウェアの適切な安全管理に対して認証を受けた保険医療機関に対する保険対象にもなった．

米国では，2023年1月現在で520を超える医療AIアルゴリズムが，FDAの審査をクリアしており[*2]，その大部分は医療画像に関連している．また，放射線医学領域が約8割を占め，循環器学領域がこれに続く．機器別では，CTが最も多く，MRがこれに続く．しかし，医療機関での導入割合はまだ低いのが現状である．これは，病院にとって，AIが意図した通りに機能し，ワークフローを改善し，コストを削減し，患者のケアを改善するかどうか明確な証拠が不足しているためであるといわれる．また，AIを採用するための経費をカバーするための保険償還が，現時点ではほとんどないことも理由となっている．

3　課題

医療画像支援AIでは，一般的に学習に用いる教師データが豊富にあることが必要であるが，稀少な病変ではデータは少ない．このようなときには，従来型のCADのほうが有効であろう．

図3-4-5のなかの市販後学習機能付きCADとは，臨床現場に導入後（すなわち市販後）にも，臨床現場の

[*1]: ChatGPT（チャットジーピーティー，Chat generative pre-trained transformer：生成可能な事前学習済み変換器）とは，OpenAIが開発し2022年11月に公開した自然な文章を生成するチャットサービス．まるで人間が答えているかのような自然な会話が可能で，注目を集めた．しかし，人間が自然と感じる回答の生成を特徴としていることから，一見自然に見えるが事実とは異なる回答を生成することもあり，利用には注意が必要である．このChatGPTに使われるGPTとは，いわゆる自然言語処理を用いたテキスト生成が可能なAIモデルで，「**生成AI**（ジェネレーティブAI）」generative AIの範疇に入る．従来のディープラーニングによるAIは，生成AIに対して「**識別AI**」（または認識AI）と区分される．生成AIで使われる技術は，データ/コンテンツから学習するディープラーニング（特にtransformerというモデルが特異的な役割を果たしている）より構築された大規模言語モデル（large language model）である．最新のGPT-4には画像認識機能もある．昨今のAI領域は開発スピードが非常に早いので，今後の展開に注視が必要である．

[*2]: FDAが公表しているリスト，Artificial Intelligence and Machine Learning (AI/ML)-Enabled Medical Devices. (https://www.fda.gov/medical-devices/software-medical-device-samd/artificial-intelligence-and-machine-learning-aiml-enabled-medical-devices)

```
研究上の障壁
 ・学習データ不足
   ⇒ 公共の画像データベースの充実
   ⇒ 少数の教師データや教師なしでの学習法の開発
 ・ディープラーニングのブラックボックス性の解決
   ⇒ 説明可能なAI（explainable AI）の開発
 ・実験室研究から実臨床研究・検証へ

AIの実装上の課題
 ・AIの効果的な利用法（支援診断，半自動診断，自律診断）
 ・既存の医療システムへの組み込みとシームレス化
 ・薬事承認までの時間短縮と保険償還の増加

倫理的課題
 ・AI診断に対する責任の所在（現在は医師に）
   ⇒ 医師，病院，ベンダー？
 ・医療関係者から患者まで，AI理解の教育推進
```

図 3-4-7 医療画像支援 AI における諸課題

新しいデータの追加・再学習が継続的に行われることにより，プログラムがアップデートされ，どんどん賢くなると期待される継続学習型の CAD である．誰がどうやってどんな基準で AI モデルを効率的・効果的に再学習させるかなど，まだ検討課題が多く，実用化には至っていない．

正確性が重要視される医療の診断では，AI の判断根拠が示されないこと（ブラックボックス問題）は AI への信頼度が悪く，これは大きな課題である．AI が誤動作を起こしたときにどこにミスがあるのかわからないために，ミスへの対処法ができず，その誤動作への責任の所在もできずリスク管理が困難となる．したがって，説明可能な AI（explainable AI）の開発に期待がかかる．膨大な数の論文が出されているにもかかわらず実用化された AI システムは限定的であり，また実用化されても実臨床への導入の壁はまだ厚く，学会等で議論されている現状である．

総合的にまとめると，おもに図 3-4-7 に示すような諸課題がある．

4 最終診断は医師

AI-CAD の高度化・多様化の時代には，「AI を理解して正しく使わないドクターは，AI を賢く利用するドクターに駆逐される」といわれる昨今であり，画像診断領域での AI の正しい理解と積極的な活用が望ま

れる．スタンフォード大学の著名な AI 専門家は，「AI は 2030 年代まで医療を変革しない」，「テクノロジーの世界では，進歩はゆっくりと，そして次に非常に速く起こる傾向があります．ヘルスケアの分野では，まだ"ゆっくりとした進歩"の過程にあると思います」と述べている．

最後に，現状は「**最終判断は医師によるものでなければならない**」．2018 年 12 月，厚生労働省からの通達『人工知能(AI)を用いた診断，治療等の支援を行うプログラムの利用と医師法第 17 条の規程との関係について』では，「… 診断，治療等を行う主体は医師であり，**医師はその最終的な判断の責任を負うこと…**」と注意を喚起している．10 年後にはもしかすると状況は変わっているかも知れないが，現在はこれが鉄則である．

2 人工知能とニューラルネットワーク

1 人工知能・AI の概念

人工知能・AI はすでにわれわれの日常生活で欠かすことができないものになっている．1956 年にアメリカ・ダートマスで開催された「ダートマス会議」にてジョン・マッカーシーが会議の提案書にて AI という言葉を初めて利用した．前節で述べられているように，AI が登場してから過去に 2 回のブームがあり，エキスパートシステム，ニューラルネットワーク，遺伝的アルゴリズム，ファジー理論などさまざまな技術が開発された．しかし，これらの技術は従来の簡単なプログラムよりも高度な処理ができたものの，自動的に対象となるものの特徴を把握し処理することができなかったため，人が処理内容をわかりやすい形で表現し直すことや，具体的に指示を与えることなどが必要とされていた．そのため得られる性能には限界があり，2 回のブームは不発に終わり冬の時代を迎えた．

2010 年代になりインターネットが普及しさまざまな情報サービスが提供されるようになると，大量の情報と高性能なコンピュータを用いた演算を行うことが

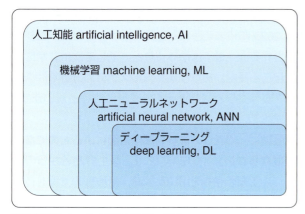

図 3-4-8　人工知能関連技術の概念

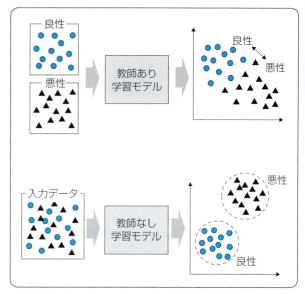

図 3-4-9　教師あり学習と教師なし学習

できるようになり，AI に関する技術的な革新も相まって AI 技術は人間が細かく指示を与えなくても特徴を捉え，適切な解が得られるようになった．それによって第 3 次 AI ブームが起き，AI はわれわれの日常生活でも欠かすことのできない基幹技術になった．本節では，AI やその医療応用に関する技術的内容について述べる．

　まず，これまでに生み出された主たる AI 関連技術を概念図にまとめたものを図 3-4-8 に示す．AI は最も広い意味を持つ用語であり，人間が行う知的な活動をコンピュータで再現する技術を指している．そのなかでも，人と同様の学習を行うことで，1 つ 1 つ人が方法を指定するのではなく自動的に解を導き出す技術を**機械学習**（machine learning：ML）とよんでいる．さらに，脳の神経細胞やそのつながりを模擬した技術として**人工ニューラルネットワーク**（artificial neural network：**ANN**）がある．今日の AI ブームはこの ANN がベースになっているが，それをさらに複雑化したものを利用する技術を**深層学習・ディープラーニング**（deep learning：DL）とよんでいる．ディープラーニングは画像処理，音声処理，自然言語処理などへの応用が進められており，本書ではそのなかでも画像への応用を中心に関連技術を述べる．

2　機械学習の概念と代表的な機械学習モデル

　機械学習は，前述のように人間と同様の「学習」というプロセスを経て処理能力を獲得するデータ処理技術である．学習方法もさまざまであり，大きくは**教師あり学習**（supervised learning），**教師なし学習**（unsupervised learning），**強化学習**（reinforcement learning），に分けられる．通常，データ処理を行う際には必要なデータを入力し，それを処理した結果が出力される．「教師あり学習」は，入力として与えたデータに対応する理想的な出力結果を用意しておき（これを教師データという），処理によって得られた出力結果が教師データに近づくように内部のパラメータを調整する．個々のデータに正解を結びつけることが可能なデータに対しては教師あり学習が適している（図 3-4-9 a）．次に，「教師なし学習」は入力データに対応する教師データを処理パラメータの調整の際に直接的に利用しない学習方法である．代表的な手法はクラスター分析であり，その概念を図 3-4-9 b に示す．クラスター分析では，データの特徴を解析して特徴が類似したデータを集めて集団（クラスター）に分け，多次元

空間にプロットする．そして未知のデータが空間内のどのクラスターに所属するか判断し，分類結果を導く方法である．最後に「強化学習」では，教師なし学習と同様に各データに対する正解は与えず，行いたい処理の目的にどれだけ近づいたかを評価して報酬が与えられる仕組みになっている．処理結果を評価して正しい結果が得られていれば報酬がプラスされ，そうでない場合は報酬が与えられないかペナルティーとしてマイナスの報酬が与えられる．このように結果に対する報酬のみを定義してトータルの報酬が最大になるように何度も繰り返して学習を行うことで，具体的な指示を出さずとも正しい処理ができるようになる．自動車の自動運転などに応用されており，たとえば他の車や人とぶつからず目的地までたどり着くことができれば報酬が得られるように設定して学習を繰り返すことで，安全に目的地まで自動運転できるようになる．

なお，これら以外にも一部の入力データのみに教師データを設定する**半教師あり学習**や，個々のデータではなく大雑把に理想的な教師データを割り当てる**弱教師あり学習**などさまざまな学習方法が提案されている．

従来から用いられている教師あり学習法を用いた機械学習モデルとして，**線形判別分析**(linear discriminant analysis：LDA)，**サポートベクターマシン**(support vector machine：SVM)，**決定木**などがある．線形判別分析は，古くから統計学の多変量解析技術として用いられてきたものであり，2つのカテゴリーのデータが統計的に最もよく分離するように境界線を引き，両者を分類する手法である．また，SVMは図3-4-10 a に示すような2つのカテゴリーのデータにおいて，それぞれのカテゴリーで境界付近に存在するデータを求め，これらをサポートベクターとよぶ．2つのカテゴリーのデータが隣接している場合，2つのサポートベクターがデータの境界線(図中の破線)として設定されるが，その2つのサポートベクターの中間点を結んだ実線が2つのカテゴリーを分類する境界線となる．LDAなどのデータ全体を用いて解析を行う統計的手法ではデータの数や分布に大きく影響を受けるが，SVMは境界付近のデータのみに注目するため，データの分布や数に偏りがあっても良好な分類性能が

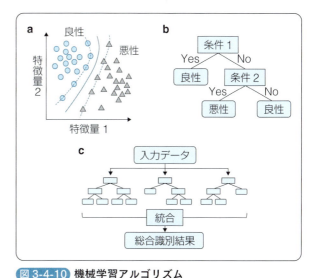

図 3-4-10 機械学習アルゴリズム
a：サポートベクターマシン，b：決定木，c：ランダムフォレスト

得られる．決定木は図3-4-10 b のように木をひっくり返したような構造をとり，多くの項目の数値データを用いて上のほうからデータを条件づけ(枝分かれ)しながら分割していき，データの分類を行う方法である．入力データとして連続値やカテゴリーなどさまざまな種類のデータを利用することができ，分類の根拠も可視化しやすい方法であるため，機械学習以外でも日常的に利用されている技術である．この決定木を図3-4-10 c のように複数個作成し，それぞれの木で決定された結果を総合的に判定する仕組みを導入したものが**ランダムフォレスト**(random forest)とよばれ，SVMと並んで高性能な機械学習アルゴリズムとして利用されている．また，次で述べるANNも機械学習アリゴリズムのひとつとして利用されている．

3 ANN

ANNは動物の脳にある神経回路網を模擬した情報処理モデルであり，第2次AIブームで登場し，現在利用されているディープラーニングの基礎となる技術である．われわれの大脳には数百億の**生体ニューロン**(biological neuron)とよばれる神経細胞があり，それらが相互接続されている．ニューロンは図3-4-11に示すように**細胞体**と**軸索**とよばれる神経繊維からな

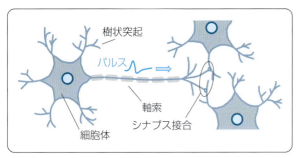

図 3-4-11　生体ニューロン

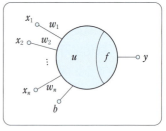

図 3-4-12　人工ニューロン

る．細胞体の周辺には**樹状突起**とよばれる突起があり，他の細胞からの信号を受け取る働きがある．信号の授受を行う結合部分を**シナプス**とよばれており，細胞体がどの程度の信号を受け取るかコントロールされる．

1つの生体ニューロンの働きに注目すると，他の生体ニューロンで生じた電気信号がシナプスを通じて樹状突起に入力される．細胞体には多数の生体ニューロンの出力が入力され，その総和が決められたしきい値を超えるとその生体ニューロンは興奮状態となり，パルス状の電圧信号（活動電位）が発生する．信号は軸索を通じて別の生体ニューロンに伝達する．このような動作が多数同時に行われることで次々と生体ニューロンに信号が伝達されていく．

数百億の生体ニューロン同士がつながっており情報伝達がなされるが，初期状態（出生時）では生体ニューロンによる神経回路網は未成熟である．われわれはさまざまな経験を通じて生体ニューロンをつなぐシナプスの結合数を増やし，その結合度合いを変化させていくことでさまざまな事柄を記憶し，高度な判断が行えるようなっていく．

上述の生体ニューロンの構造と挙動を模擬したものが**人工ニューロン**（artificial neuron）である．人工ニューロンの構造は図 3-4-12 のように表され，n 個の入力を $x_1 \sim x_n$，それぞれの入力に与えられる重み係数（シナプス結合に相当する）を w_i，**活性化関数**（activation function）を f とした場合，人工ニューロンの出力 y は（2-1）（2-2）式により得られる．なお，b はオフセット項であり人工ニューロンの興奮のしやすさ（しきい値）を表している．重み w に正の値を与えれば，入力された信号が人工ニューロンを興奮しやすいよう

に作用し，負の値になれば人工ニューロンの興奮を抑制する働きを与えられる．また重みを0にすればその入力信号は未接続の状態にできる．

$$y = f(u) \tag{2-1}$$

$$u = \sum_{i=1}^{n} x_i w_i + b \tag{2-2}$$

活性化関数 f は，人工ニューロンに入力された信号と重み係数を積和した結果 u に基づきどのような値 y を出力するかを表す関数である．基本的には（2-2）式の u が一定以上の値となった際に高い値が出力されるようになっており，さまざまな形状の関数が提案されている．代表的なものとして，図 3-4-13 に示したシグモイド（sigmoid）関数や正規化線形関数（rectified linear unit：ReLU）などが挙げられる．

ANN は，人工ニューロンを多数結合して人工的に神経回路網を模した情報処理モデルである．人工ニューロンの結合方法としては図 3-4-14 に示すような**相互結合型 ANN** や**階層型 ANN** などがある．

相互結合型 ANN については 1983 年にアメリカの物理学者ホップフィールド（J.J.Hopfield）がホップフィールドネットワークを提案した．図 3-4-14 a に示すように人工ニューロン同士が相互に結合することで集団状態として情報を記憶することができ，生物の脳にあり短期記憶に優れる海馬に似た働きを再現できるとされた．後者の階層型 ANN は階層的な構造を有する人工ニューロンのネットワークであり，現在最もよく用いられるネットワーク構造である．図 3-4-14 b のように情報をネットワークに与える入力層，情報処理した結果を出力する出力層を備え，その間に隠れ層とよばれる層がある（中間層とよぶこともある）．それぞれの層には複数の人工ニューロンが配置され，入力層と隠れ層，隠れ層と出力層の間でニュー

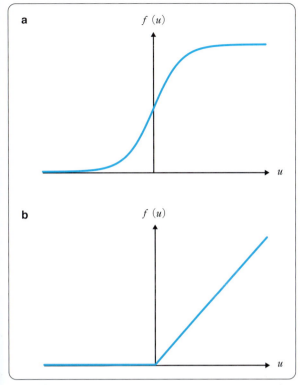

図 3-4-13 活性化関数
a：シグモイド関数，b：ReLU 関数

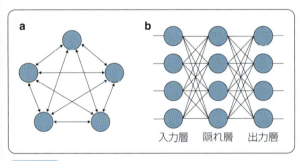

図 3-4-14 人工ニューラルネットワークの構造（丸い記号が人工ニューロン）
a：相互結合型，b：階層型

ロン間の接続がなされ，基本的には層内のニューロン同士の接続は行われない．なお，人工ニューロンのことをユニットやノード，人工ニューロン同士を結合する部分をエッジとよぶこともある．

4 階層型ＡＮＮによる予測と学習

階層型 ANN にて処理結果を得る方法（推論，予測

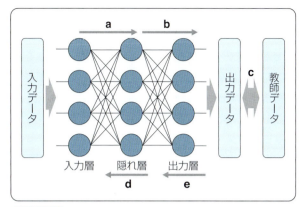

図 3-4-15 階層型ニューラルネットワークの予測と学習

とよばれることも多い）と，ネットワークの学習について図3-4-15を用いて説明する．まず，予測処理では，複数種類の数値からなる入力データが入力層の人工ニューロンに1つずつ与えられる．入力層の値と入力層－隠れ層の重み係数を(4-1)(4-2)式に当てはめ，隠れ層にあるすべての人工ニューロンの出力が決まる（図 3-4-15 a）．同様に隠れ層の出力を用いて出力層の出力値が決まり（図 3-4-15 b），これがネットワークの最終的な出力データとなる．

　上述の処理はネットワークの重み係数が適切な値に設定された状態であれば正しい結果を導くことができるが，初期状態では重み係数がランダムな値にセットされているため，何の処理能力も持たない．そこで，重み係数などのパラメータを処理目的に応じてチューニングする必要がある．この処理は訓練（training）とよばれる．学習には，入力データとそれに対応した教師データを多数用意する．まず，上述のように入力データをネットワークの入力層に与えて出力を得る．出力された値と教師データを差分することで，誤差〔誤差のことを損失（loss）とよぶことが多い〕を定量化することができる（図 3-4-15 c）．そして，誤差の大小に基づいて重み係数を調整する．調整方法にはおもに勾配法を用いる．勾配法とは，重み係数などのパラメータを変化させたときの誤差の変化量（勾配）を偏微分によって算出し，誤差がより少なくなるようにパラメータを微調整する方法であり，さまざまな科学計算に利用されている．ネットワーク内には多数の重み係数があるため，個々の重みについて勾配を求めて重みを調

整するが，階層型 ANN では，出力層－隠れ層，隠れ層－入力層の重みを順番に調整していく（図3-4-15 d,e）．このように出力側から入力側に向かって誤差を逆方向に伝播させ修正するアルゴリズムを**誤差逆伝播法**（back propagation algorithm）とよんでいる．

なお，この学習の際に重み係数を大きく修正すると，過度にパラメータが変更されてしまい誤差が大きく正負に振動し学習が正しく行われない．そこで，誤差から算出した重みの修正量に1未満の任意の係数を乗じ，重みを少しずつ修正する．この係数のことを学習係数（learning rate）とよぶ．

3 ディープラーニング

1 ディープラーニング

前節の ANN は，理論上は中間層を増やし多くの人工ニューロンを用いて大規模なネットワークを用いるほど高い情報処理能力の獲得が見込める．しかし，誤差逆伝播法で学習を行う場合，出力層に近い重みは正しく修正できるが，入力層に近い層では誤差の修正量が正しく得られないことがある．この現象は勾配消失とよばれており処理能力の低下を招く．第2次 AI ブームまではコンピュータの性能やデータ収集能力の限界に加え，多くのデータを用いてネットワークを学習させる技術も確立されていなかったため，ANN の多層化は困難であった．

そして 2010 年代にこれまで多層化を困難にしていた技術的な課題を克服した結果，図3-4-16 右のように多数の隠れ層を有するネットワークが利用できるようになった．このように多くの隠れ層を有する多層ニューラルネットワークを利用する技術を**ディープラーニング**とよぶ．その能力は文字，音声，画像等を用いた認識処理において従来の手法を圧倒する性能を有していることが確認されている．本節では，ディープラーニングの基礎的事項と画像処理への応用について説明する．

ディープラーニング技術として，多層構造を有する**深層ニューラルネットワーク**（deep neural network:

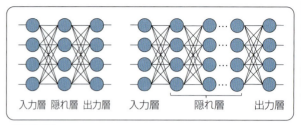

図3-4-16 従来の人工ニューラルネットワーク（左）と深層ニューラルネットワーク（右）

図3-4-17 畳み込みニューラルネットワークの構造

DNN）の他，生物の視覚の働きを模した**畳み込みニューラルネットワーク**（convolutional neural network: **CNN**），時系列データを処理可能にした**リカレントニューラルネットワーク**（recurrent neural network: RNN）やその改良版である長短期記憶（long short-term memory: LSTM），画像生成が可能なディープラーニング技術である**敵対的生成ネットワーク**（generative adversarial network: GAN）の他，自然言語処理に対してきわめて高い処理性能を有する**注意機構**（attention mechanism）を備えたネットワークなど，さまざまな技術が提案されている．

ここでは，医療画像処理に最もよく利用されている CNN をおもに取り上げ，その基本的な原理や応用方法について述べる．

2 CNN

CNN はおもに画像認識に用いられるディープラーニングモデルである．従来の階層型 ANN では，隣接する層のユニットのすべてが結合した構造を有していた．これに対して CNN は，図3-4-17 のように畳み込み層，プーリング層，全結合層により構成され，限

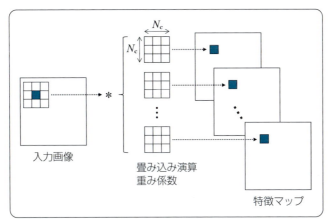

図 3-4-18 畳み込み演算による特徴マップの算出

られた数の重み係数にて処理を行う．CNN の典型的な利用方法である画像分類処理を行う場合には，入力情報は多次元画像であり，出力層には分類カテゴリー数だけ出力ユニットが用意される．

1）畳み込み層

畳み込み層（convolution layer）では，入力された画像に対してあるサイズ $N_c \times N_c$ の重み係数を用いた畳み込み演算が行われる（図 3-4-18）．これは画像処理で一般に行う畳み込み積分によるフィルタ処理とほぼ同様の原理であり，平均化によりノイズの影響を軽減した画素値を算出したり，画像の輪郭を検出したりすることができる．その種類は 1 つではなく多数設けられ，畳み込みに使用する重み係数は学習によって自動的に決定される．すなわち，この層にて多くのフィルタ処理画像が得られる．これは特徴マップとよばれる．

2）プーリング層

CNN において，多くの場合は畳み込み層の後に接続された**プーリング層**（pooling layer）にて，特徴マップのデータを間引く処理を行う．具体的には図 3-4-19 に示すように，特徴マップ内の注目画素近傍 $N_p \times N_p$ 画素内の最大値や平均値などを定められた画素ピッチで算出し，元の特徴マップよりも小さい画像を出力する．図 3-4-19 の特徴マップには L 字型のパターンが少し上下にずれているが，プーリング後（最大値プーリング）はともに同じパターンになる．このようにプーリング層では特徴を圧縮することにより画像内

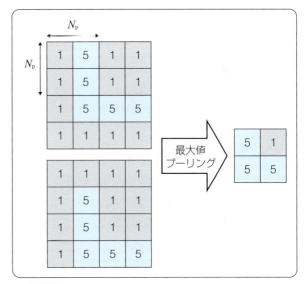

図 3-4-19 プーリング（サブサンプリング）

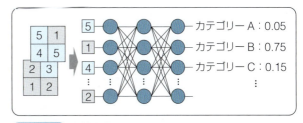

図 3-4-20 全結合層

の物体位置が処理結果に与える影響を緩和することができる．

3）全結合層

全結合層では図 3-4-20 に示すように，畳み込みと

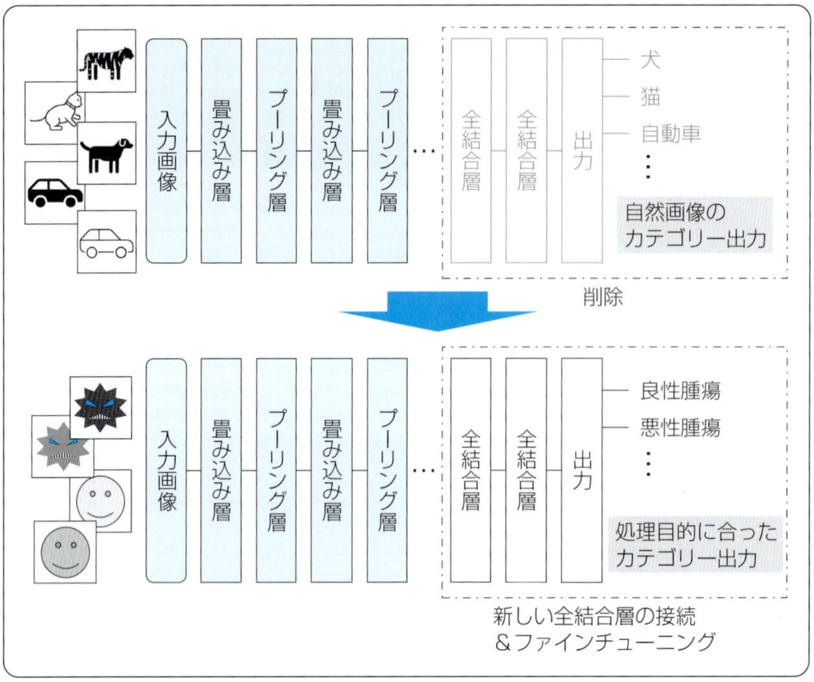

図3-4-21 転移学習

プーリングによって圧縮された特徴量を用いて最終的な出力を得る．多くは前節にて述べた階層型のANNが利用されるが，全結合層を設けない場合やサポートベクターマシン等の機械学習モデルを利用するものなどもあり，さまざまな形態をとる．

入力層に与えられた画像を複数のカテゴリーに分類する処理を行う場合は，分類カテゴリーの数だけ出力層のユニットを設け，すべてのユニットのなかから最も高い値を出力したユニットに割り当てられたカテゴリーを分類結果とする．このとき，個々のユニットの出力をユニット出力の総和で除算することで，出力ユニットの総和が1になるように正規化して利用されることが多い．正規化を行うための関数をソフトマックス(softmax)関数とよぶ．分類ではなく連続値を出力する用途でCNNを利用する場合には，出力層から得られる数値をそのまま最終結果として利用する．

3 転移学習・ファインチューニング

ディープラーニングで用いるネットワークの処理能力を高めるためには，大量の学習データを用いた学習が必要である．少数のデータで複雑なネットワークの学習を行った場合，学習したデータに対してのみ正しい結果を返し，未知のデータに対しては正しい結果を出力しないことがある．このことを**過学習**(over fitting)という．特に医療画像を対象とした研究の場合，ディープラーニングモデルで必要とされる数量の画像が入手できないことが多い．このような少数データに対して過学習を生じにくくして処理性能を高める方法として，**転移学習**(transfer learning)がある．

転移学習は，他の処理目的で作られたネットワークを他の処理に転用することを指す．高い処理能力を有するディープラーニングモデルは数百万枚から数十億枚といった膨大な枚数の画像で学習されており，学習済みのネットワークモデルは自由にダウンロードして利用可能になっている．それらは動物や自動車，建物など医療画像ではないものを処理対象としているが，ネットワークの前半部では与えられた画像から普遍的な特徴を取り出せる能力を獲得している．そこで，図3-4-21に示すように学習済みネットワークの前半部（CNNでは全結合層を除いた畳み込み層・プーリング層全体を利用することが多い）をそのまま残して全結

合層を本来の処理目的に沿うように作り直し，対象となる学習データを用いて再学習を行う．再学習の際には，新たに追加した全結合層のみを学習対象にする場合と，すでに他のデータで学習された層のパラメータも学習により更新する場合がある．なお，転移学習と近い意味で用いられる用語として**ファインチューニング**(fine tuning)がある．ファインチューニングは既存のネットワークを新しいデータにて追加学習する処理であり，文字通りファインチューニング（微調整）することを指す．転移学習においては，対象画像を用いてネットワークの追加学習を行う過程がファインチューニングとなる．転移学習とファインチューニングによって，入力データから普遍的な特徴を取り出す部分は新しい分類課題にも転用でき，少数のデータしか収集できない場合であっても過学習を抑制し，高い処理能力を得ることができる．

4　データ拡張

医療データを対象とした処理においては，上述のデータ数が少ない場合だけでなく，データの分布の偏り・バイアス(bias)が処理結果に影響を与えることがある．少数データや偏ったデータが処理結果に与える影響を緩和する方法として，**データ拡張**(data augmentation)とよばれる技術がある．これは，データに対してさまざまな操作を加えてデータ数を水増しする技術である．たとえば，画像の反転や回転，拡大縮小，画質変更などを行って1枚の画像からさまざまなバリエーションの画像を生成する．単純に画像を一定倍の枚数に増加させる方法のほか，画像分類の際にカテゴリーによって画像枚数の偏りがある場合には増加させる量を変更して（たとえば，画像回転の角度ピッチを変更するなど）水増し後のデータ数が偏らないように制御する方法もとられる．

また，単純な画像操作による方法だけでなく，後述のディープラーニングによる画像生成処理を用いて大量の画像を生成し，ネットワークの学習処理に利用する方法も検討されている．

5　ディープラーニングによる画像処理

ディープラーニングによって実施できる画像処理は多岐にわたるが，ここではその代表的な処理として，画像分類，領域分割，物体検出，回帰・予測，画像生成・変換について説明する．また，これらの処理結果を定量評価する方法についても述べる．

1）画像分類

画像分類は与えられた画像を複数のカテゴリーに振り分ける処理を行うものである．画像分類を行うためのディープラーニングモデルはこれまでに数多く提案されている．Alex Krizhevsky 氏らは2012年に5層の畳み込み層と3層の全結合層を有する AlexNet を開発し，画像認識コンテスト ILSVRC で優勝した．このことは第3次 AI ブームが起きるきっかけになった．その後，2014年に Google の研究チームが GoogLeNet，オックスフォード大学のチームが VGG-Net を提案し，ILSVRC にてそれぞれ優勝，準優勝している．その後ネットワークの多層化が進み，2015年には最大152層を有する ResNet，2016年には ResNet をさらに改良した264層の DenseNet が提案された．この段階で画像の分類正解率は97%を超えており，従来の画像認識アルゴリズムだけでなく人間でも達成することができなかった高い画像認識能力が得られている．医療画像への応用例としては，異常の検出，良性と悪性などの鑑別，撮影の良否の判定などが挙げられる．図 3-4-22 は PET/CT 画像を用いて肺結節を自動検出する手法において，偽陽性削除処理に CNN を応用したものである．結節パターンを強調して取得した初期候補領域を CNN に入力し，結節と非結節（正常組織）に分類させている．FROC 曲線より，CNN を導入することで従来の手法に比べて検出性能が向上していることが示されている．

画像分類処理の性能評価は主に**混同行列**(confusion matrix)を用いて行う．混同行列は表 3-2-4 に示すように，行が実際（正解）のカテゴリー，列が分類モデルによって予測されたカテゴリーを表している．両者のカテゴリーが一致している対角線上の数値は分類に正

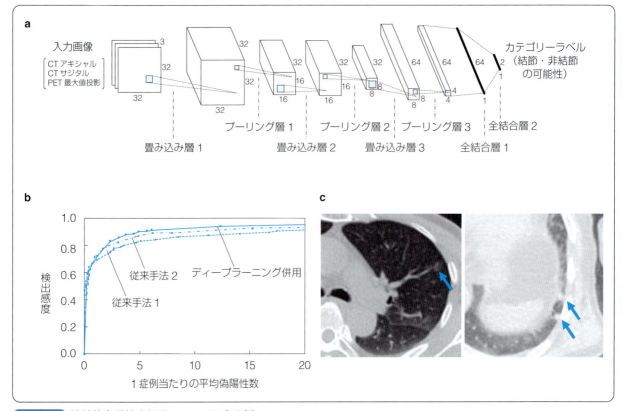

図 3-4-22 肺結節自動検出処理への CNN 応用例
a：偽陽性削除用の畳み込みニューラルネットワーク，b：FROC カーブ，c：新たに検出された結節（矢印）

表 3-4-4 混同行列

		分類モデルが予測したカテゴリー		
		A	B	C
実際のカテゴリー	A	20	2	3
	B	1	9	2
	C	1	2	7

解したデータ数を表しており，それらの総和をデータ総数で割ることで総合正解率が得られる．なお，カテゴリーによってデータ数が異なる場合は総合正解率がデータ数の多いカテゴリーの結果に大きな影響を受けるため，カテゴリー毎に分類正解率を導出し，それらの平均を求めて balanced accuracy を評価することもある．ここで，カテゴリー数が2の場合は刺激－反応マトリックスと等しくなり，2つのカテゴリーを陽性・陰性に割り当てて，感度や特異度などを算出して評価に使用することができる．

2）領域分割

領域分割は**セグメンテーション**（segmentation）ともよばれ，画像をいくつかの領域（たとえば対象物と背景など）に分割する処理のことを指す．前項の画像分類では画像全体に対してカテゴリー分けが行われるが，セグメンテーション処理では，画像の1画素ごとにカテゴリー分類が行われることになり，得られる結果は入力画像と同一サイズの画像となる．代表的なセグメンテーション手法として，CNN をベースとした FCN や U-Net があり，特に医療画像処理のために開発された U-Net は医療画像の処理に広く利用されている．これらのネットワークでは，与えられた画像を畳み込み層とプーリング層で画像縮小を行いながら特徴を抽出する．その後アンプーリング層や逆畳み込み層などを用いて画像を拡大する．そして出力層から画像の対象領域が特定の画素値で塗りつぶされた画像が出力される．医療画像への応用例としては医療画像か

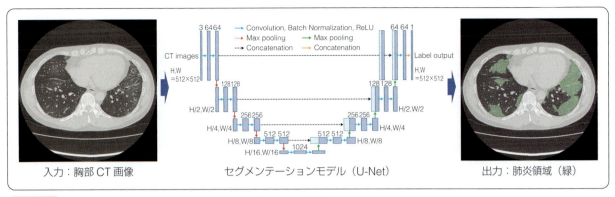

図 3-4-23 U-Net による間質性肺炎領域の自動抽出結果

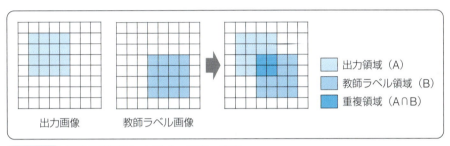

図 3-4-24 領域分割処理における一致度の算出

ら臓器領域を抽出する処理や，病変の領域を抽出する処理などが挙げられる．図 3-4-23 に胸部 CT 画像を 3 次元 U-Net に入力し，間質性肺炎の領域を自動抽出した結果を示す．

領域分割処理の性能評価は，理想的な画像（教師ラベル画像）との一致度を評価する．評価には (2-3) 式で示した**ダイス (Dice) 係数** DI や，(2-4) 式で示された**ジャッカール (Jaccard) 係数** JI がおもに利用される．ここで，$|A|$ と $|B|$ は図 3-4-24 における出力画像と教師ラベル画像における対象領域 A,B の画素数，$|A \cap B|$ は A と B が重複した領域の画素数，$|A \cup B|$ は A と B の和集合の画素数である．DI，JI ともに 0 ～1 の値をとり，1 に近いほど一致度が高いことを表す．A と B の画素数（＝対象物の面積）によって DI と JI の結果は変化するため両方の指標で評価することが望ましい．

3）物体検出

物体検出（object detection）は，画像から対象物の位置や大きさ，種類を特定（検出）する処理を指す．物体の外接矩形（バウンディングボックスとよぶ）を取得し，物体の種類やその物体である確率を出力する．さまざまなアルゴリズムが考案されているが，多くのアルゴリズムでは最初に画像全体から物体が存在していると思われる場所を候補領域として複数取り出し，それらを精査して絞り込んだ上で，大きさや種類を特定する．これまでに自動運転等への利用を視野に入れた高速かつ高精度な物体認識モデルが多数開発されており，有名な方法として R-CNN，SSD，YOLO などがある．また，検出した外接矩形内を領域分割することで物体の形状も把握できるモデルとして，Mask R-CNN などの複合モデルも提案されている．図 3-4-25 は Mask R-CNN を用いて，内視鏡画像から早期胃癌領域を自動検出した例である．検出された領域にバウンディングボックスが描かれ，その内部の胃癌浸潤領域が抽出されている．もし複数の胃癌領域が存在する場合はバウンディングボックスが複数描画され，個々に区別して胃癌の浸潤範囲を解析することができる．

物体検出処理の評価には，検出した物体領域と実際

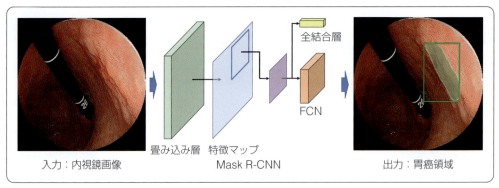

図 3-4-25 Mask R-CNN による内視鏡画像内の胃癌自動検出

の物体領域のバウンディングボックスの重なりを前項のジャッカール係数と同じ計算式にて導出した指標（intersection over union：IoU）が利用されている．そして，IoU が一定値を超えた場合には物体検出が正しく行われたと判断し，検出した物体数をバウンディングボックスの総数で除した適合率・Precision や，検出した物体数を実際の物体数で除した検出感度・Recall などが評価に利用される．

4）回帰・予測

画像分類のように入力情報をいくつかのカテゴリーに分類する用途だけでなく，画像全体あるいは画像内の局所領域の画像情報を入力し，それに対応した連続値を出力することもできる．たとえば，医療画像を入力して，疾患の罹患リスクを推定したり，生存率を推定したりする場合は回帰処理を行う手法が検討されている．また，画質フィルタのように，ノイズの含まれる画像の画素値をディープラーニングモデルに入力してノイズのない状態の画像の画素値を予測して画像出力することもできる．ディープラーニングによるノイズ低減技術はすでに X 線 CT 装置や MRI 装置に導入されている．

回帰・予測処理の性能評価については，理想的な出力（教師データ）と予測値の平均絶対値誤差や平均二乗誤差，相関係数がおもに利用される．上述のノイズ低減の評価についてはこれらに加えて，理想画像と処理画像を用いて**ピーク信号対雑音比**（peak signal-to-noise ratio：**PSNR**），**構造的類似性**（structural similarity：**SSIM**）を算出し評価することが多い．

5）画像生成・変換

ディープラーニングによって著しく能力が向上した技術のひとつに画像生成・変換処理がある．これらは実在しない架空の画像を生成したり，画像を別種の画像に変換したりする技術を指す．代表的な処理アルゴリズムとして，敵対的生成ネットワーク（generative adversarial network：GAN）や変分オートエンコーダ（variational auto encoder：VAE）などがある．敵対的生成ネットワークは図 3-4-26 a に示すように，生成器と識別器の 2 つのネットワークによって構成されており，生成器はランダムな数値列から擬似的に画像パターンを生成する．識別器には実画像と生成画像が与えられ，両者を分類する．学習時には多数の実画像を用意しておき，生成器は生成した画像が識別器に生成画像と見破られないように精巧な生成画像を出力できるようにネットワークの学習を行う．一方で識別器は生成器が出力した画像と実画像が正しく分類できるように学習を行う．このような敵対的な学習を繰り返し行うことで最終的には生成器から実画像に近い特徴を持つ画像が出力されるようになる．図 3-4-26 b に肺結節の CT 画像を敵対的生成ネットワークで出力した結果を示すが，辺縁が平滑な良性結節や辺縁が不明瞭でスピキュラの多い悪性結節が生成されており，実画像に含まれる特徴が反映されたパターンが出力されるようになっていることがわかる．

画像生成処理の評価方法はまだ確立しているとはいいがたい状況ではあるが，実画像と生成画像が有する特徴の分布がどれだけ近いかを評価する inception

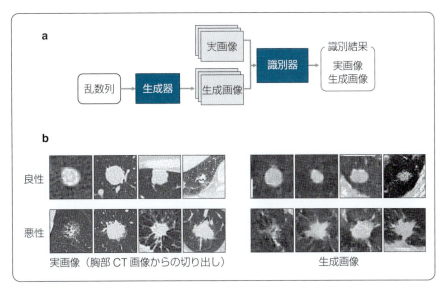

図 3-4-26 敵対的生成ネットワークの原理（a）と結節像の出力例（b）

score（IS）や Fréchet inception distance（FID）が評価指標として利用されている．

4 医療情報の統合による診断支援

これまで imaging phenotype（病変の大きさや形状などの画像表現型）を中心に進められてきた放射線医学の研究に，genotype の視点を加える新しい研究領域が広がりをみせつつあり，CAD の研究開発にも影響を及ぼしつつある．ここでは，これらの最新の話題について述べる．

1 radiomics とは

ゲノムは，ある生物が持っている遺伝子情報のすべてを表す言葉である．ヒトのゲノムを解読するヒトゲノム計画は 1990 年に始まり，2003 年 4 月に完成版が公開された．ヒトゲノム計画の成果によって，ヒトゲノムは約 31 億の塩基対配列であり，タンパク質をコードする遺伝子が約 2 万 5 千個存在すること，ゲノムは個人で異なることなどが明らかになった．

ヒトゲノム解読修了後，ヒトゲノム計画で明らかになった遺伝子に，コードされている機能を解析するポストゲノム研究が進められている．ポストゲノム時代に入り，ヒトゲノムの解析技術が飛躍的に進歩し，その解析コストが驚くべき速さで低下している．2002 年には，約 95 億円かかっていたヒトゲノム解析のコストは，2013 年には，約 10 万円程度にまで急激に低下してきた．そのため，近い将来，遺伝子検査が臨床現場で日常的に行われている可能性が高いと予測できる．

ポストゲノム研究では，生命現象を包括的に解析し理解しようとするオミクス研究が盛んに行われている．これらのオミクス研究と radiomics の関係を図 3-4-27 に示す．1 個体分の遺伝子の総体をゲノム（gen*ome*），タンパク質の総体をプロテオーム（prote*ome*）とそれぞれよぶ．これらの試料には，語尾にオーム（-ome）が付いている．そして，これらの生体成分の網羅的な解析，および解析によって生成されるデータは，それぞれ gen*omics*, prote*omics* とよばれ，語尾にオミクス（-omics）が付いている．したがって，radi*omics* とは，医療画像を網羅的に解析する技術とそれによって生成される画像特徴量ということになる．このように表現すると，従来研究と何が異なるのかと疑問に思う読者もいるであろう．

radiomics 研究では，CT，MR，PET などの医療画像から，病変の大きさ，形状，濃度，テクスチャ，ウェーブレット変換に基づく解像度の特徴など，数百もの高次元画像特徴量（radiomic features）を抽出して研究が

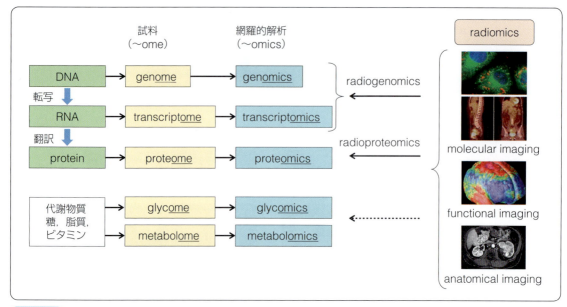

図 3-4-27 オミクス研究と radiomics の関係
(Lambin P, et al : Radiomics: extracting more information from medical images using advanced feature analysis. Eur J Cancer 48(4) : 441-446, 2012)

展開されている点が従来研究と異なる．これは，ヒトの遺伝子は約 2 万 5 千個存在するといわれているから，遺伝子によって生成される病変の形（表現型）との関連性を分析するためには，高次元の画像特徴が必要であると想像すれば理解しやすい．実際に，radiomic features と遺伝子の発現量に相関があることが報告されている．

次世代シークエンサや質量分析機などの進歩によって，多階層のオミクス情報の取得が容易になり，細胞を制御するこれらの多階層の情報を縦方向に統合して理解するトランスオミクスの研究も進んでいる．一方，医療画像は，細胞の分子レベルの活動から最終的な形態になる過程を画像として表現したものであるため，細胞の多階層の活動情報が記録されたものであるといえよう．つまり，医療画像は，各階層のオミクス情報と包含関係にある．したがって，医療画像を網羅的に解析する技術である radiomics の研究を進めて，遺伝子，タンパクなどに関するオミクス研究の成果と融合すれば，これまでにない診断や治療の新しい形が見えてくる可能性が高い．

このような観点から，医療画像と遺伝子の関係を調べる研究を radiogenomics とよび，タンパクとの関係を調べる研究を radioproteomics とそれぞれよぶ．ただし，放射線生物学における放射線感受性にかかわる遺伝的要因を調べる研究も radiogenomics という言葉が用いられているので注意を要する．また，この分野はまだ若く，文献を整理しても上記で区別したような radiomics, radiogenomics, radioproteomics の言葉の使い分けが厳密になされているわけでもない．そこでここでは，これらを特に区別せずに radiomics 研究とよぶことにする．

では，次にオミクス研究と radiomics 研究を統合した場合に，どのような診断支援が展開できるかについて考えてみよう．

2 オミクス研究と radiomics 研究の統合による新しい診断支援の形

遺伝子検査には，①遺伝学的検査と②体細胞遺伝子検査がある．①遺伝学的検査は，被検者に固有のゲノムが対象であり，血液などから遺伝子情報を収集する．一方，②体細胞遺伝子検査は，がん細胞のゲノムが対象であり，がん細胞から遺伝子情報を収集する．がん

は，ゲノムに生じた遺伝子変異が原因であり，変異した遺伝子が生成する細胞増殖因子の特定が分子標的薬などの治療法の選択の鍵になる．

これらの遺伝子検査と画像検査を組み合わせれば，①被検者に固有のゲノムは，病気になる可能性と関係するため，遺伝学的検査結果と画像スクリーニング検査を融合すれば病気の早期発見につながる可能性がある．一方，②体細胞遺伝子検査は，がん細胞のゲノムが対象であるから精密検査が対象となる．しかし，体細胞遺伝子検査によって得られる情報では，がんの大きさ，形状，存在部位などに関する空間的な情報は得られない．よって，遺伝子検査の結果と画像検査の結果を統合解析することにより，精密検査の精度を高めることができる可能性がある．

また，がんが深部に存在する場合や，手術を何度も実施することが困難な場合には，がん細胞を取り出すことができないから体細胞遺伝子検査自体が行えない．しかし，画像検査は何度も実施することが可能であって，がんの時間的変化の情報も容易に取得できる．したがって，もし，がんの空間的・時間的情報に加えて，体細胞遺伝子検査によって得られる遺伝子発現などの情報も，画像検査による病変の表現型から推定できるならば，画像検査の持つ意味合いがこれまでのものと大きく変わる可能性が高い．

3 radiomics に基づく CAD 研究の動向

従来の CAD 研究は，①病変の早期検出，②良・悪性鑑別の支援を目的に研究開発が行われてきた．これに対して radiomics に基づく CAD 研究では，③予後予測による支援が加わることが新しい．

従来型の CAD との比較では，①検出支援：遺伝学的検査結果と画像スクリーニング検査を組み合わせた病気の早期検出の支援，②良・悪性鑑別：体細胞遺伝子検査を必要としない病変のサブタイプ分類，③予後予測：再発・転移の可能性の推定や至適治療法の提案を行う CAD に関する研究開発が行われている点が従来と異なる．

具体例を挙げると，乳癌の原因遺伝子変異である BRCA1/2 と radiomic features の関係を調べる研究や，乳癌のサブタイプ分類に，radiomic features のみを用いた場合，遺伝子情報のみを用いた場合，radiomic features と遺伝子情報を統合した場合の分類性能を比較した研究，肺癌の遠隔転移や局所再発に radiomic features が関係していることを示した研究，radiomic features を用いて脳腫瘍患者の予後が予測できることを示した研究などが行われている．

このように，radiomics に基づく CAD 研究は，より正確な個別化医療である precision medicine を支援する基盤技術となる可能性が高く，今後の研究動向を注視する必要がある．

5 CAD の性能評価

CAD では，病変候補を提示したり，良・悪性などのクラス分類や病変に関する各種数値データなど質的診断に関する情報を提示したりする．コンピュータが出力する情報に応じて性能評価法は異なるが，ここでは，おもに病変候補を提示する CAD システムの性能評価について解説し，また，良・悪性などのクラス分類の結果を提示する CAD システムの性能評価についてもふれる．

1 病変候補を提示する CAD システムの性能評価

CAD が実際に臨床現場で使用されるようになるまでには，開発段階に応じたシステム性能の評価が行われる．

本項では，①手法開発段階におけるコンピュータ出力の性能評価，②開発された CAD の臨床における有用性の検討，③臨床試験における CAD の有用性の評価に区分し，説明する．

1）手法開発段階におけるコンピュータ出力の性能評価

（1）真陽性率，偽陽性数

CAD システム開発の初期段階では，まずコンピュー

表 3-4-5 TP，FP，TN，FN の関係

刺激(入力) \ 反応(出力)	陽性(異常)	陰性(正常)	
陽性(異常)	真陽性 TP	偽陰性 FN	感度 TP/(TP+FN)
陰性(正常)	偽陽性 FP	真陰性 TN	特異度 TN/(FP+TN)
	陽性的中率 TP/(TP+FP)	陰性的中率 TN/(FN+TN)	

タの性能のみが評価される．処理手法の多くは，①原画像から病変候補を抽出する処理，続いて②抽出された病変候補を**真陽性**(true positive：**TP**)か，**偽陽性**(false positive：**FP**)かに識別する処理から構成される．TP，FP，**真陰性**(true negative：**TN**)，**偽陰性**(false negative：**FN**)の関係を表 3-4-5 に示す．

開発の初期段階では，典型的な異常例を含む数十症例程度の画像データを利用し，次第に症例を増やしながらどのような異常症例にも対処できるようにシステムを改善していく．まずは**真陽性率**(TP fraction：**TPF**)〔**感度**ともいう〕が高いシステムづくりが要求される．

さまざまな病変パターンを抽出できるようになり TPF が高くなれば，一般に正常組織が病変と誤認される頻度が増え FP 数は増加する．TPF が高くても，FP 数が増えすぎればシステムの信頼性は低下することから，正常画像をいかに正しく陰性(正常)と認識できるか，**真陰性率**(TN fraction：**TNF**)〔**特異度**ともいう〕が高いシステムづくりが要求される．TPF と TNF がともに高いシステムを開発するため，FP 候補を削除するための処理が進められる．

システム開発の初期段階では，TPF と FP 数〔通常，1 症例当たりの FP 数(number of FP per image：FPI)で表す〕でコンピュータ出力の性能を評価する．

(2) ROC 曲線，FROC 曲線

ROC(receiver operating characteristic)**曲線**は，縦軸に TPF，横軸に偽陽性率(FP fraction：FPF)をプロットしたものである．FPF＝1.0－TNF であるから，TPF が高く FPF が低いほど(グラフの左上隅に ROC 曲線が位置するほど)，TPF と TNF がともに高いシステムということになる．コンピュータで抽出したパターンが真の病変にどれだけ近いパターンであるかを判定するしきい値を変化させ，それぞれの場合における TPF と FPF の組み合わせをプロットすることで ROC 曲線を描出する．診断の正確さの指標として，一般に ROC 曲線下の面積(area under the curve：AUC)が用いられ，正確であるほど最大値 1.0 に近づき，不正確であるほど最小値 0.5 に近づく．

FROC(free-response ROC)**曲線**は，縦軸に TPF，横軸に FPI をプロットしたものである．TPF や FP 数に関係するパラメータ(判定のしきい値など)を変化させて FROC 曲線を描出する．システム開発の初期段階では，多数検出される FP 候補を削除する改良が進められるが，FROC 曲線は，FPI を横軸にとることで FP 削除の効果が明確に確認できるため CAD 開発と親和性が高く，コンピュータ出力の性能評価に多用される．

(3) 画像データベースの有効活用

コンピュータ出力の性能評価指標として，TPF，FP 数，ROC 曲線，FROC 曲線などが用いられるが，これらの指標は開発に使用した画像データベースの特性に大きく依存する．したがって，手法開発段階における CAD の性能を，臨床で CAD を利用した場合の性能に近づけるには，画像データベースを構築する際，母集団の特性を考慮した標本の抽出が重要である．

開発の初期段階では，限られた画像データセットで CAD の各種パラメータの調整を行い，性能評価も同じ画像データセットで行う．これにより手法の正当性を検証したうえで，さらに症例数を増やし，未知の多数の症例に手法を適用することで有効性を検証する．有効性の検証には，しきい値の設定や手法のトレーニングのために用いられる画像データベース(学習用

データベース）と，その処理方法をテストするための画像データベース（テスト用データベース）の両方を用意することが理想であるが，手法開発段階では，一般に症例数を確保することは困難である．

　限られた画像データベースを有効に活用して処理手法の性能を評価する方法を次に示す．

　a．繰り返し代入法（resubstitution method：RB 法）

　学習用データベースを，テスト用データベースとして繰り返し用いる方法である．未知の症例での検証ではないため，多くの場合，手法の性能は過大評価される．信頼性は低いが，開発の初期段階での学習精度の確認や，手法の将来的な可能性の判断に用いられる．

　b．交差検証法（cross-validation method）

　交差検証法は，統計学において標本データを分割し，その一部を解析し，残る部分で最初の解析のテストを行うことで解析の妥当性を検証する手法である．

　画像データベースを K 個に分割し，$K-1$ 個のグループを学習用データセット，1 個のグループをテスト用データセットとし，それを順次入れ替えて K 回評価を繰り返し，その結果を平均して 1 つの推定を得る．これを **K 分割交差検証法**（K-fold cross-validation method：**KCV 法**）という．特に K を画像データベースに含まれる画像数として 1 症例ずつ取り出してテストデータとし，残りを学習用データセットとして全症例を 1 回ずつテストする方法を **Leave-One-Out 交差検証法**（leave-one-out cross-validation method：**LOO 法**）〔1 個抜き交差検証法，ラウンド・ロビン（round-robin）法ともいう〕という．LOO 法は繰り返し回数が多いため非常に時間がかかる場合がある．またパラメータの最適値が，トレーニングが繰り返されるごとに変化するため，臨床応用時のパラメータ設定は別の方法で固定する必要はあるが，手法の性能の評価という点では信頼性が高い．

　KCV 法は分割数が少ないほど学習用データセットとテスト用データセットとの症例数の差が小さくなり，独立したテストに近い結果が得られるため，臨床的な正当性は高くなる．画像データベースに含まれる症例数が比較的多く，LOO 法では時間がかかる場合に KCV 法は有用な評価法となる．

　c．ホールドアウト検証法（hold out method：HO 法）

画像データベースを，学習用データセットとテスト用データセットに分割して使用する．データセットは入れ替えないため完全に独立しており，RB 法，LOO 法，KCV 法に比べてコンピュータの性能は低く評価される場合が多い．しかし臨床試験などで得られる結果とほぼ同等な評価を得ることが期待できる．

2）開発された CAD の臨床における有用性の検討

　コンピュータの出力が臨床における画像診断に役立つかは，コンピュータの出力を医師がうまく利用できるかどうかにかかっている．コンピュータ単独の性能が医師より優れていても，コンピュータの出力を医師が信頼していなければ，CAD の有用性の効果は望めない場合もある．一方で，コンピュータ単独の性能が医師と同程度であっても，コンピュータの出力を医師が信頼してうまく利用できれば，コンピュータの出力との補完効果によって CAD の有用性は高まる場合もある．したがって，開発された CAD の臨床における有用性は，画像診断を行う観察者（医師）の特性を評価することでのみ検証可能である．

　CAD システムの出力を利用した場合と利用しない場合の観察者の診断能の変化の測定は，ROC 解析をはじめ LROC（localization response ROC）解析，FROC 解析，AFROC（alternative FROC）解析，JAFROC（Jackknife FROC）解析などを用いて観察者実験によって評価できる．

　ROC 解析や，病変の有無に加えて信号の位置検出の正確性も考慮する LROC 解析は，1 枚の画像試料に 1 個のみの信号（病変）しか仮定できないという制限があるのに対して，FROC 解析，AFROC 解析，JAFROC 解析では，1 枚の画像試料内に複数の信号（病変）を許容でき，より現実の臨床に近い読影環境が実現される．

　FROC 曲線は，横軸の FPI の最大値が変動するため，ROC 曲線から算出される AUC のようなシステムの診断能を明確に表す単一指標は存在しない．AFROC 曲線はこの問題を改良したものであり，ROC 曲線と同様に，曲線のプロットの縦軸と横軸が 1.0 に収束するように標準化したものである．さらに，JAFROC 解析は，FROC 解析に，ROC 曲線間の統計的有意差検

表 3-4-6 クラス分類の集計表

正解[*1] (gold standard) \ CADの出力	クラス1	クラス2	……	クラスn	合計[*2]	正分類率
クラス1	a_{11}	a_{21}	……	a_{n1}	$S_1=a_{11}+\cdots+a_{n1}$	a_{11}/S_1
クラス2	a_{12}	a_{22}	……	a_{n2}	$S_2=a_{12}+\cdots+a_{n2}$	a_{22}/S_2
……	……	……	……	……	……	……
クラスn	a_{1n}	a_{2n}	……	a_{nn}	$S_n=a_{1n}+\cdots+a_{nn}$	a_{nn}/S_n
合計[*3]	$a_{11}+\cdots+a_{1n}$	$a_{21}+\cdots+a_{2n}$	……	$a_{n1}+\cdots+a_{nn}$	$S=S_1+\cdots+S_n$	

[*1] 病理診断や画像検査等決定した診断から導かれたもの
[*2] 正しく分類された数についての正解クラス別の合計
[*3] 正しく分類された数についての出力別の合計

定に利用されるJackknife法を応用してシステム間の統計的有意差検定を可能にした方法である．

ROC解析などの方法をコンピュータ出力の性能評価に用いる場合には，観察試料間変動のみを考慮すればよいが，観察者実験で用いる場合には観察試料間変動に加え，観察者間変動および観察者内変動を考慮する必要がある．これをふまえた統計的有意差検定を実施することで，より信頼性の高いCADの臨床における有用性の検証結果が得られる．

3）臨床試験におけるCADの有用性の評価

手法開発段階では，病変の確定診断がすでについている画像データを利用して手法開発，およびその性能評価を行うことが一般的である．すなわち，後ろ向き研究（retrospective study；過去の事象についての調査研究）である．一方，臨床試験においては，まだ病変の確定診断が行われていない症例が蓄積される前向き研究（prospective study；新たな事象についての調査研究）が一般的であり，評価結果が出るまでにはある程度の時間がかかる．

臨床試験におけるCADの有用性の評価は，ROC解析などによって観察者（医師）の診断の特性を評価することが必須である．従来の読影方法による（CADを利用しない）診断の成績と，コンピュータの出力を利用するCADの診断の成績を厳密に比較する．TPF，TNF，AUCなどの画像診断の正確性に関する評価項目だけでなく，読影時間の増減や医師の疲労など，画像診断の生産性に関する評価項目も重要になる．陽性的中率（positive predictive value：PPV），陰性的中率（negative predictive value：NPV），また，FP候補の影響で生検率や要精検数が増加したかなども評価項目となる．

2 良・悪性などのクラス分類の結果を提示するCADシステムの性能評価

CADには，病変の良・悪性や疾患名などを複数のクラスに分類した結果を提示するシステムもある．クラス分類の集計表を表3-4-6に示す．CADの性能評価では，各クラスで正しく分類された比率（正分類率）やROC解析などが用いられる．

ROC解析では，2クラス分類の場合（たとえば，良性か悪性かなど）は通常のROC解析（正常か異常か）と同じように分析できる．3クラス以上の分類の場合は，ある1つの注目するクラスと，残りの（$n-1$）のクラスを1つにまとめた2クラスに置き換えてROC解析を行う．これを，注目するクラスを替えながらn通り実施すればよい．正常症例のみで1つのクラスが構成されている場合は，正常症例のクラスと注目するクラスとの間で個々にROC解析を行う手法を用いることもできる．これらはその目的に応じて選択されることになる．

6 CADの応用事例

1 胸部X線画像を対象としたAI-CAD

　胸部単純X線画像は，プライマリケアを行う領域や患者のフォローアップの目的など世界中で広く撮影されている．医療画像のなかで10～40%を占めるといわれており，胸部単純X線画像で検出される臨床所見の重要さに加え，検査自体の簡便さもあり，古くから医療画像を用いた診断の中心的な位置づけを担っている．また，胸部単純X線画像は，低被ばくで簡便な検査であり，早期検出からフォローアップまで幅広い用途で使用されること，呼吸器，循環器および骨折など多彩な異常所見の検出が可能であることが特長である．このように，臨床上，重要な撮影部位である胸部単純X線画像に関しては，**コンピュータ支援診断**(computer-aided diagnosis：**CAD**)の研究も早くから始まっており，1960年代にはすでに，フィルムを使用したアナログ撮影である間接撮影胸部X線写真をデジタイズ（デジタル化）した画像を解析する研究が始まっている．また，近年では，ディープラーニングを中心とした大量の画像を利用して学習するAI研究において再度注目が集まっており，AI-CADとして注目を集めている．

　本項では，胸部単純X線画像のCADに関する研究の概要を応用事例別に解説する．

1）医師の読影をサポートする参照画像の生成

　胸部単純X線画像は，簡便に撮影可能であること，低被ばくであることから，特に検診や病状のフォローアップを行う目的で，同一の被検者の画像が繰り返し撮影される．このような環境下においては，過去に撮影した画像に対して変化している箇所を強調して表示することができれば，見落としを減らすことが期待できる．特に，検診施設など大量の正常症例のなかから異常所見を検出するような環境では，大きな効果を発揮すると考えらえる．この目的のために開発されたものが，**経時差分処理**である．経時差分処理とは，同一患者の診断対象となる画像（現在画像）と過去に撮影された画像（過去画像）に対し，過去画像を変形することで現在画像と位置合わせを行った後，差分処理を行うことで経時的に変化している箇所を強調した経時差分画像を参照画像として生成する処理のことである（図3-4-28）．

　一方，過去画像が存在していない場合などは，1枚の画像で診断することになるが，このような場合に効果を発揮する参照画像が，**bone suppression画像**である（図3-4-29）．肺野内の異常陰影を読影する際に，肋骨や鎖骨が異常陰影と重なることが，見落としのおもな要因であるといわれている．そこで，bone suppression画像では，肋骨や鎖骨から得られる信号

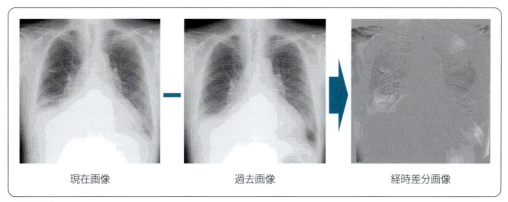

図3-4-28 経時差分処理の例
左右下葉に胸水が原因とみられる濃度上昇（白）が強調されていることが容易に確認できる．また，左肺尖部にも濃度上昇が確認される．撮影時の筋肉の映り込みの可能性があるが，胸水と合わせて要精査となった症例．（コニカミノルタ（株）提供）

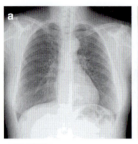 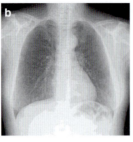

図 3-4-29 bone suppression 画像の例
a：原画像，b：bone suppression 画像の例
（コニカミノルタ（株）提供）

成分を減弱することにより肺野内の血管などの組織の視認性を向上することを目的としている．bone suppression 画像は，胸部単純 X 線画像上の結節状陰影や結核の検出において有効であることが観察者実験を通して報告されている．

経時差分画像や bone suppression 画像はいずれも診断対象となっている画像と並べて，もしくは，診断対象画像と切り替え表示することにより，診断対象画像の読影をサポートする目的で使用される．これらの医師の読影をサポートする参照画像を生成する技術では，さまざまな特徴を有する画像所見に対し，不要な信号を減弱することで，診断で注目したい領域や構造物に視線が集中できるように処理するという共通点がある．また，経時差分処理や bone suppression 処理はすでに多くの臨床施設で診断に利用されていることも，特筆すべきことである．

2）異常陰影を検出する技術

胸部単純 X 線画像は，肺や心臓，骨に関する多種多様な異常所見の検出が可能であることが特長の1つである．1900 年代後半から始まった CAD 研究では，臨床上重要な所見から，検出対象として研究が進められた．そのなかでも，肺結節陰影や間質性肺疾患の検出は，複数のグループで研究が進められてきた．また，近年では，2019 年より猛威を振るった COVID-19 を対象とした研究も精力的に進められている．

2010 年代の第 3 次 AI ブームで注目を集めたディープラーニング技術は，胸部単純 X 線画像を対象とした AI の可能性を大きく広げ，近年，再度注目を集めている．胸部単純 X 線画像を用いたディープラーニングの研究が再加速した理由はいくつか挙げられる．

最初に，ディープラーニングを用いた検出技術では，大量の画像を用いる必要があるが，世界で最も撮影されている胸部単純 X 線画像は，医療画像 AI のなかで最も研究対象として適していることが挙げられる．

次に，近年では，多くの研究者が利用可能なデータベースが公開されていることも胸部単純 X 線画像の研究が再加速した要因の1つとして考えられる．

さらに，多種多様な異常所見を検出可能な胸部単純 X 線画像に対し，異常所見の特徴を表す特徴量を1つ1つ設計するのではなく，画像から得られる画素値そのものを入力情報として使用できるようになったことも研究が再加速した大きな要因と考えられる．

これらの研究の進展に伴い，開発された CAD の有効性評価に対しても，2000 年代頃までは，特定の画像所見に対して開発された CAD に対する評価が中心であったことに対し，胸部単純 X 線画像に描出される異常所見すべてを対象として開発された CAD に対する評価を行い，医師の読影結果との比較を行う研究が成果を上げている．

これにより，CAD の利用方法について新たな応用事例が生まれている．異常所見を検出する技術では，医師に第 2 の意見を与えることを目的としたセカンドリーダー型の CAD（computer-aided detection：CADe）として異常所見が存在する位置にマークをつけるコンセプトに加え，緊急を要する所見に対し，画像撮影後から異常がある症例に医師がアクセスし診断を終えるまでの時間を短縮することを目的としたトリアージ型の CAD（computer-aided triage：CADt）として社会実装されたことも近年の大きな動きの1つである．CADt では，画像が撮影されるとすぐ CAD の処理が行われ，異常所見が検出された場合は，すぐに読影医に連絡が届くことで読影が促される（図 3-4-30）．

CADt の概念は，2011 年頃から提唱されている概念であり，すでに 10 年以上前から研究されている内容であるが，これも第 3 次 AI ブームを迎えるなかでディープラーニング技術が進展し，真陽性率の向上や偽陽性率の減少などの精度向上が進んだことで，臨床応用に現実味が増し，一気に社会実装が進んでいる．特に，胸部単純 X 線画像を用いた CADt では，気胸を

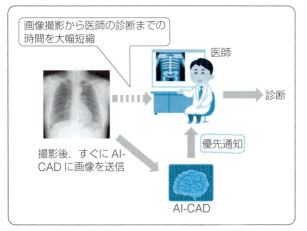

図 3-4-30 トリアージ型の CAD(computer-aided triage：CADt)の概念図

3）その他の胸部単純 X 線画像を用いた AI-CAD

　AI-CAD を臨床利用する目的となる価値は，診断性能の向上，もしくは，臨床業務の効率化であるが，効率化のコンセプトで価値を発揮するのが，CAD 技術を用いた計測の支援である．胸部単純 X 線画像を用いた CAD では，心肥大を検出する目的で計測される心胸郭比(cardiothoracic ratio：CTR)や脊椎側弯症を検出する目的で計測されるコブ角の計測が挙げられる．いずれも古くから研究されている分野であるが，計測は時間がかかるため，一部，もしくは，全自動で CAD により計測が可能であれば，多忙な医療従事者の時間を節約できるため効果が大きい．

　また，胸部単純 X 線画像のさらなる有効活用を探索しようとする動きもみられる（図 3-4-31）．これまでは透過した X 線画像から得られる解剖学的構造に基づいた診断に利用されてきたが，胸部単純 X 線画

対象としてすでに米国において製品が発売されている．

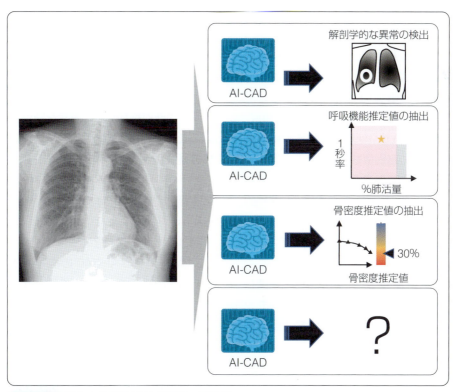

図 3-4-31 新たな胸部単純 X 線画像の可能性
従来から利用されている解剖学的構造から異常所見を見つける目的に加え，呼吸機能の推定や骨密度の推定など，新たな可能性に対する研究が進められている．

像が潜在的に有している可能性がある呼吸機能に関する情報の解析に利用する研究や骨粗しょう症の検出に利用する研究など新たな動きもみられ，いち早く研究が始まった胸部単純X線画像に対し，AI-CAD時代にさらに可能性が広がっている．

2 乳房X線画像を対象としたCAD

乳房X線画像（デジタルマンモグラフィ：**DM**）は乳癌やその他の乳房病変の検出，診断に用いられる検査で，乳癌検診において最も広く採用されその有効性が証明されている．日本では40歳以上の女性に対し，2年に一度のDMによる検診が推奨されている．検診におけるDMでは癌を見落とさないこと（高い検出率）と，不用意に患者に不安を与え不必要な検査を増やさない（リコール率を抑える）ことのバランスが重要である．一方で精密検査におけるDMでは，検診等で疑われた箇所に本当に病変が存在するのか，病変が見つかった場合それが癌なのか良性なのかを他のモダリティ検査結果とも照らし合わせて正確に診断することが求められる．

DMを対象とした病変検出のCADシステムはすでにいくつかのベンダーより提供されており，これらには鑑別診断を含むものも多い．乳房を対象としたFDA認証済みの商用システムは脳領域に次ぐ肺領域，心臓領域と同程度に多いが，他が定量型またはトリアージ型が多いのに対し鑑別型も多い．また，乳癌のリスクファクターである乳腺濃度を判定するシステムも商用化されている．そのため，病変の検出や鑑別診断に関する技術的な研究は少なくなってきており，AI-CADシステムの臨床評価に関する研究が増えている．また，他のモダリティや臨床情報と組み合わせたマルチモーダルCAD，予後予測や治療方針に関連した乳癌のサブタイプ分類，乳房デジタルトモシンセシス（digital breast tomosynthesis：**DBT**）におけるCADシステムに関する研究等が行われている．

1）DBTにおける病変検出

DMは投影像であるため，特に乳腺濃度が高い（デンスブレスト）の患者や腫瘍病変が乳腺と重なっている場合は診断が難しくなる．そこでDBTの有用性が評価されている．各社装置により振り角や撮影枚数は異なるが，乳房当たり数十枚のスライスが再構成される．また，現在では通常はDBT単独ではなくマンモグラフィ（MG）に追加して撮影されるため，読影時間と負担は増加する．そこで，病変の検出・鑑別診断モデルが検討されている．

2021年にDBTにおける病変検出のgrand challengeが行われ，8チームが参加した．データは米国のデューク大学で撮影されCIAより提供されている5,060名の約22,000のボリュームデータである．FROC分析でボリューム当たりのFP数が1，2，3，4箇所のときの平均感度を評価指標としたとき，1位と2位のグループの平均感度はそれぞれ0.957と0.926であった．Challengeのホストらによると，これら上位チームによるアルゴリズムは①近年の優秀な物体検出モデル（EfficientDet，RetinaNet）をベースとしている，②ベースモデルに対して改良を加えている，特にアンサンブルモデルを採用している，③配布されたデータセットのみでなく，独自のデータベースも学習に追加していることなどにより高い精度を得たと分析している．

乳房の左右差を利用した検出モデルも検討されている．乳腺はおおむね左右対称であり，医師は左右乳房の乳腺が非対称な部分に病変を疑う．DMでも左右の画像を用いたモデルが提案されており，DBTでも同様の研究が発表されている（図3-4-32）．また前述の通り，DBTはDMに追加で撮影されるのが一般的であるが，その場合被ばく量が増えてしまうため，DBTを用いて生成したDM-likeな画像（synthetic mammogram：SM）をDMに置き換えることも検討されており，SMに対するAI-CADの精度はDMの時と同程度であるという結果が発表されている．

2）マルチモーダルシステム

乳癌の診断はDM，超音波，MRI等の画像検査と既往歴などの臨床情報，画像以外の検査情報等より総合的に行われる．そこで，AI-CADシステムにも複数の画像モダリティ，または画像と臨床情報の両方を用いることが検討されている．

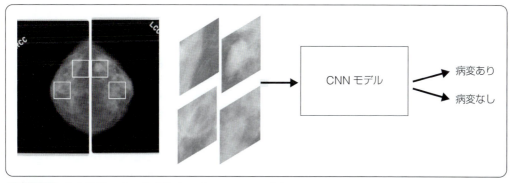

図 3-4-32 左右比較による病変検出モデルのイメージ図

表 3-4-7 乳癌のサブタイプと治療方針

サブタイプ	ER	PgR	HER2	Ki67	おもな治療方針
ルミナル A	陽性	陽性	陰性	低	ホルモン療法
ルミナル B（HER2 陰性）	陽性	陽/陰	陰性	高	ホルモン療法＋化学療法
ルミナル B（HER2 陽性）	陽性	陽/陰	陽性	低～高	ホルモン療法＋化学療法＋分子標的薬
HER2	陰性	陰性	陽性		化学療法＋分子標的薬
トリプルネガティブ	陰性	陰性	陰性		化学療法

　たとえば病変の良悪性鑑別に対して DM を入力とした CNN モデルと，年齢，乳頭陥凹，リンパ節などの臨床情報を入力とした機械学習モデルにより予測した悪性度の平均を用いることで，単独モデルの結果より精度が向上したとの報告がある．

　一方で，浸潤癌，非浸潤性乳管癌，良性，ハイリスク病変（異型乳管過形成，非浸潤性小葉癌等），その他（乳頭腫，葉状腫瘍等）の 5 分類において，DM を入力とした CNN モデルと臨床情報を用いた機械学習（XGBoost）モデル，両者の出力をさらに学習させた XGBoost モデルを比較したところ，臨床情報を加えることによる精度の改善はみられなかったという報告もある．著者らはデータ不足が原因の 1 つと述べているが，どのように情報を統合するかが重要であると考える．

　また，デンスブレストの患者に対して，DM と自動乳房超音波（ABUS）検査それぞれに対応する商用 CAD システムの結果の重みづけ平均を AI マルチモーダルと仮定したとき，4 名の放射線科医が 2 名ずつ DM と ABUS を読影したときの多数決結果と同等の精度が得られたというシミュレーション結果も報告されている．さらに後述のサブタイプ分類でもマルチモーダルシステムの有用性が示唆されている．

3）乳癌のサブタイプ分類

　乳癌は一般的にホルモン受容体の発現や HER2 の過剰発現の有無，細胞増殖能を示す Ki67 値等により分類されたサブタイプをもとに治療方針が決定される（表 3-4-7）．通常サブタイプは生検により判別されるが，これを診断画像から予測することにより，診断の早い段階でのリスク評価に貢献し，治療計画支援，生検サンプルによる不確実性軽減に役立てようという試みがある．DM の病変領域を切り出した ROI 画像を入力として，代表的な CNN モデル（VGG16，InceptionV3，ResNet52，DenseNet121）を用いた研究では，これらのアンサンブルモデルにより，エストロゲン受容体（ER），プロゲステロン受容体（PgR），HER2 の陽性判別に対してそれぞれ AUC（ROC 曲線下面積）0.67，0.61，0.75 が得られたと報告された．

　一方，DM と乳腺超音波画像（US）を用いたマルチモーダルモデルによるサブタイプ分類の研究報告もあ

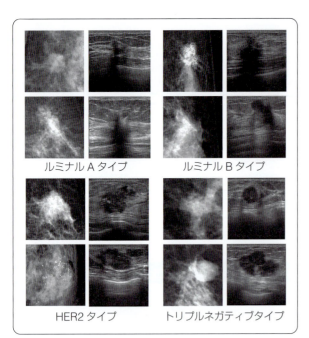

図 3-4-33 乳癌の 4 つのサブタイプの DM と US 画像の例

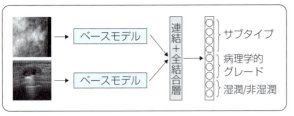

図 3-4-34 DM と US 画像を用いたマルチモーダルモデルの例

る．4 つのサブタイプの DM と US 画像の例を図 3-4-33 に示す．Muramatsu らはサブタイプと同時に病理学的グレードと浸潤癌・非浸潤癌の分類も行った．モデルの概念図を図 3-4-34 に示す．診断画像によるサブタイプ分類は難しく，またデータ数が不均衡であるため 4 分類の正解率は低かったが，DM，US を単独で用いたモデルよりマルチモーダルモデルのほうがわずかに精度は向上したと報告された．ルミナル A タイプとその他，B タイプとその他，HER2 タイプとその他，トリプルネガティブタイプとその他のように 2 分類評価をしたところ，正解率はそれぞれ 65％，54％，82％，80％であった．今後モデルや学習方法の改善，データ数の増強等による精度の改善が期待される．

なお，US 画像や MRI 画像を用いたサブタイプ分類の研究も発表されているが，本項では紹介は省略する．

4）AI の使用法

乳癌検出のための CAD システムが最初に FDA の認証を受け商用化された際は，CAD システムは第 2 の意見（second reader）として使われることが前提であった．それから多くの AI-CAD システムが商用化され，同時読影型（concurrent reader）やトリアージ型も認められ，臨床でどのように使うのが効果的か議論されている．

Larsen らは，約 12 万件のスクリーニングケースを用いて AI の使用法について 11 通りのシナリオを想定し，検出率，リコール率等の評価を行った．多くの欧州諸国ではダブルリーディングがスタンダードであり，1 名を AI で置き換えること，AI をトリアージとして用いること，または AI で完全に置き換えることを想定したものである．図 3-4-35 に各シナリオのイメージ図を示す．シミュレーションの結果，シナリオ 1～4，7～9 で通常のダブルリーディングとほぼ同等の検出率を維持し，医師の読影負担を減らせることが可能であると報告した．特に，AI のスコアが高いケースはハイリスクケースやインターバル癌（中間期癌）の割合が多いため，医師によるダブルリーディングが推奨され，シナリオ 1，2 よりもシナリオ 7 の方が有効な可能性があると考察された．

同様に，Dahlblom らは AI を用いた DBT の読影について，AI をトリアージとして用いる方法（AI ゲートキーパー），2 名のうちの 1 名と置き換える方法（シングルリーディング + AI），AI のみで合議にかけるケースを選択する方法（AI 単独型）について検討した．図 3-4-36 に各シナリオのイメージ図を示す．なお読影負担（workload）については DBT のダブルリーディングを 100％としたときをベースとしており，DBT の読影時間は DM の約 2 倍と想定している．シミュレーション結果によると，トリアージ型では感度は DBT のダブルリーディングと比較して約 5％減少するが，DM のダブルリーディングと比較するとリコール率を同等に保ったまま約 27％多くの癌を検出可能であった．また AI 単独型では感度は DM のダブルリーディ

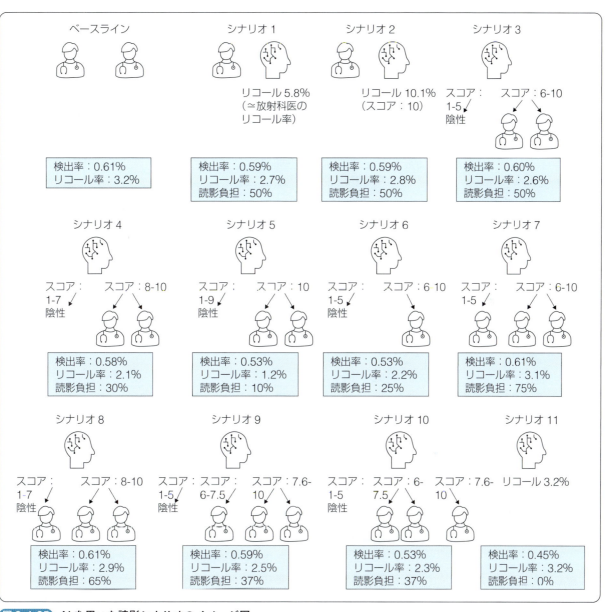

図 3-4-35 AI を用いた読影シナリオのイメージ図
（Larsen M, et al: Eur Radiol 32:8238-46, 2022 を元に著者が作成）

ングと同等であった．著者らは AI を用いることで読影負担を増やさずに DBT を検診に取り入れ，より多くの癌を検出することが可能であると考察している．

上記 2 つの研究の詳細についてはオリジナルの論文を参照いただきたい．なお，イギリスで乳癌検診の読影医を対象に行われたアンケートでは，AI が 2 名のうちの 1 名の読影医を置き換えることに賛成するが，2 名を置き換えることは反対する意見が多かった．また，トリアージとして用いる方法や AI を第 2 の意見として用いる（読影中に AI の結果にアクセスする）ことは意見が割れたと報告された．AI を用いた読影のパターンは多く，AI が指摘したものでも実際に医師によってリコールされるかは不明であるため，それぞれの読影環境に合わせ，さらなる検討が必要である．

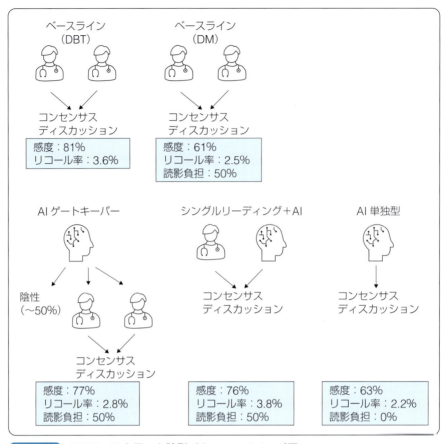

図3-4-36 DBTにAIを用いた読影パターンのイメージ図
(Dahlblom V, et al. : Eur Radiol 33: 3754-65, 2023 を元に著者が作成)

3　X線CT画像を対象としたCAD

　X線CT検査では，断層像による細部の観察やボリュームデータ再構成による3次元画像での観察が有用である．そのため適用部位は多岐にわたり通常診療での検査数は非常に多い．また，検査の即時性も高いため，救急において第一選択として用いられることが多い．一方，1回の検査で発生する画像数は数十枚から数百枚と多く，読影には相当の労力と時間を要する．そのためX線CT画像を対象としたCADには，診断精度向上とともに読影労力・時間の削減も大きな目的に含まれる．このことについてmulti detector-row CT(MDCT)での肺腫瘤陰影検出に関してCADの効果を検証する実験が行われた．その実験結果によると，コンピュータの解析結果(病変候補を示すマーカーなど)を最初から参考にして読影を行うconcurrent reader型でCADを使用した場合，感度を維持したまま読影時間を削減できることが示された．また，最初に医師が単独で読影し，その後，コンピュータの解析結果を「第2の意見」として再度読影するsecond reader型でCADを使用した場合，読影時間の延長を代償に感度が向上することが示された．

　X線CT検査の適用部位は，胸部，腹部，頭部など多岐にわたる．そのためCADの研究開発はそれぞれの適用部位や対象疾病に焦点を当てて行われてきた．以下，適用部位ごとのCADの事例を紹介する．

1) 胸部

　X線CT画像における肺腫瘤陰影の検出はCAD研究の黎明期からの研究課題である．この課題に対する研究論文や総説論文は非常に多く，高精度化に向けて

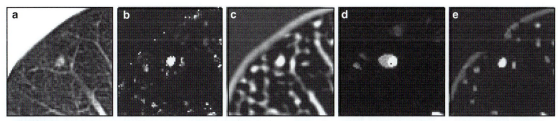

図 3-4-37 肺腫瘤陰影検出フィルタの出力画像例
a：原画像，b：dot enhancement filter による出力画像，c：template matching による出力画像，d：quoit filter による出力画像，e：b〜d を統合した画像

今もなお研究が進められている．CT 画像における肺腫瘤陰影の検出手法の事例として，図 3-4-37 に dot enhancement filter, quoit filter, template matching の出力画像およびそれらの統合画像を示す．統合画像は (4-1) 式で得たものである．

$$I(x,y,z) = \begin{cases} w_1 T(x,y,z) + w_2 Q(x,y,z) & \text{if } D(x,y,z) > 0 \\ 0 & \text{else} \end{cases}$$

(4-1)

$T(x,y,z)$，$Q(x,y,z)$，$D(x,y,z)$は座標(x,y,z)における template matching，quoit filter，dot enhancement filter のそれぞれの出力値である．w_1, w_2 は重み係数であり，図 3-4-37 の統合画像 $I(x,y,z)$ は w_1 = 0.4, w_2 = 0.6 で作成したものである．その後，統合画像からしきい値処理によって 1 次候補領域を決定し，それらの候補領域から体積，球形度，平均 CT 値などの特徴量を求め，特徴空間において Mahalanobis 距離に基づいて偽陽性候補を削減した．

このように画像から求めた特徴量に基づく分類器 (feature-based machine learning) は X 線 CT 画像における肺腫瘤陰影の検出（特に偽陽性候補の削減）に多用されてきたが，近年は画素値情報をダイレクトに機械学習への入力とする pixel-based machine learning に注目が集まっている．同課題に対する pixel-based machine learning としては MTANN (massive-training artificial neural networks) が有名でありその有用性が実証されている．また，pixel-based machine learning として現在はディープラーニングがおおいに注目・活用されている．X 線 CT 画像の肺腫瘤陰影検出用 CAD においても，画像認識分野で有効なディープラーニング技術である CNN (convolutional neural network) を適用した研究論文が多数報告されている．また，CNN を主要技術とした X 線 CT 画像における肺腫瘤陰影検出用の商用 CAD もすでに登場している．こうした商用 CAD の臨床評価の事例としては，たとえば，ヨーロッパで認可・販売されている Veye Lung Nodule®(Aidence B.V., Amsterdam, Netherlands) を用いた実験が行われた．470 症例の X 線 CT 画像における肺腫瘤陰影に対して，医師の単独読影の感度は 0.719 (FP rate：0.11 per CT scan)，医師＋ CAD の二重読影の感度は 0.803 (FP rate：0.16 per CT scan) であったと報告している．

ディープラーニングは X 線 CT 画像における肺腫瘤陰影の悪性度評価でも有用性が示されている．この事例では，肺腫瘤陰影の X 線 CT 画像を入力するとその悪性度を出力するように複数のディープラーニングモデル (ResNet50, Inception-v1-3 D) を統合的に用いて学習を行っている〔学習データ：肺腫瘤陰影 16,077 例（うち悪性 1,249）〕．そして，その学習済みモデルに評価用データとして肺腫瘤陰影の X 線 CT 画像 175 例（うち悪性 59 例）を入力したとき，悪性度評価の精度を示す AUC は 0.96 となり，臨床医の AUC 0.90 を上回ったと報告している．

肺癌の術前 X 線 CT 画像から術後の癌の再発・非再発を予測できる可能性も示されている．この事例では，150 人分（再発 60 人，非再発 90 人）の術前 CT 画像から肺癌領域を切り取り，その画像群をディープラーニングモデル (VGG19) に学習させ交差検証で精度を評価している．そして，再発・非再発の予測精度を示す AUC は 0.86 であったと報告している．この事例で使われた肺癌 CT 画像例とそれに対応するヒートマップ

第3編 画像処理論

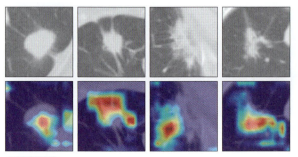

図 3-4-38 肺癌術前の CT 画像例（上段）と対応するヒートマップ画像（下段）

画像（ディープラーニングモデルが分類結果を出力するためにどこにどの程度着目したかを示す画像）を図 3-4-38 に示す．

ディープラーニングは X 線 CT 画像における間質性肺疾患の CAD 開発にも応用されている．また，間質性肺疾患用 CAD の検出・鑑別手法には texture feature を主として fractal feature や shape feature など特徴量ベースの方法も多く見受けられる．この他に，胸部 X 線 CT 画像では肺領域をセグメンテーションし肺容積を求めることで肺気腫等に関連する呼吸機能を予測する CAD の研究開発も行われている．

2）腹部

腹部では CT colonography（CTC）におけるポリープ検出のための CAD 開発が精力的に行われてきた．一般的に大腸ポリープは大腸内壁から突出した半球状の形をしている．そのためポリープの検出手法には，突出した半球形を認識できるように shape index に基づく方法や Hessian 行列の固有値を利用した方法などが提案されている．偽陽性の削減には gradient concentration などのテクスチャパターンに着目した手法や MTANN を利用した方法などが報告されている．CTC でのポリープ検出のための商用 CAD もすでに登場しており，臨床での有用性について報告されている．たとえば，アメリカで認可・販売されている VeraLook®（iCAD Inc, Nashua, USA）を使った実験では，347 症例（うち 69 症例に合計 129 のポリープを含む）に CAD を適用したところ，症例単位の CAD の感度は 91.3%（63/69），ポリープ単位の CAD の感度は 88.4%（114/129）であり，放射線科医による画像診断では 45%（58/129）のポリープが second reader として CAD を使用した 2 回観察時に発見されたと報告している．

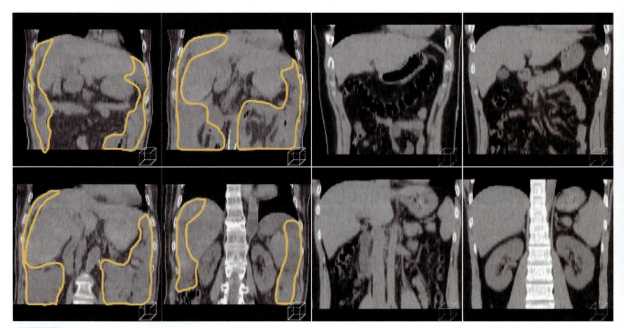

図 3-4-39 腹部 CT 画像例（冠状断面）
左 4 例：出血あり（枠線内が出血部位）．右 4 例：出血なし．

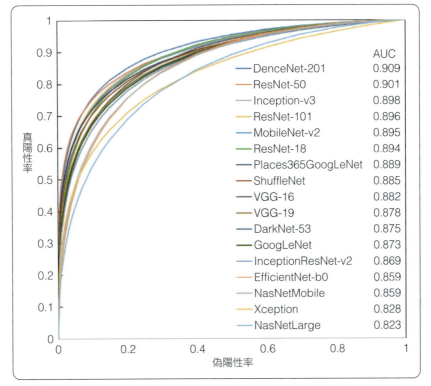

図 3-4-40 腹部 CT 画像における出血有無の識別問題に対するディープラーニングモデルごとの ROC 曲線と AUC

救急腹部 CT に特化した CAD 研究も行われており，腹腔内血腫の自動検出などが試みられている．ディープラーニングを用いた方法では，17 種類のディープラーニングモデルを用いて救急腹部 CT 画像 232 症例（出血有り 107，出血なし 125）を用いて交差検証で精度を評価している．図 3-4-39 にこの事例で対象とした腹部 CT 画像（冠状断面像）例を示す．また，図 3-4-40 には出血有無の識別精度を表す ROC 曲線と AUC を示す．ディープラーニングモデルとして DenceNet-201 を用いたとき AUC は 0.909 となり，良好に出血有無を識別できることが示されている．

3）頭部

頭部 X 線 CT 画像では頭蓋内出血や急性期脳梗塞を対象とした CAD が研究開発されている．急性期脳梗塞に対しては APMF（adaptive partial median filter）や z-score mapping などの方法が提案されている．どちらの手法も直接的に梗塞部位を検出するのではなく，梗塞部位をより明確に描出することを目的としている．そして，それらの処理画像の参照によって診断能に寄与することを目指すものである．図 3-4-41 に両手法の適用画像例をそれぞれ示す．APMF はエッジ保存型平滑化フィルタの一種であり，頭部 X 線 CT 画像上で白質と灰白質の境界を明瞭化できる．一方，急性期脳梗塞の発症部位では白質と灰白質の境界が不明瞭になるため，このフィルタ処理後の画像において健側と比較することで急性期脳梗塞を発見しやすくなる．専門医による観察者実験の結果からもその有用性が示されている（表 3-4-8）．z-score mapping は正常脳との違いを(4-2)式で数値化し，値（違い）が大きい部位を梗塞の可能性が高いとして描出する方法である．

$$z\text{-}score(x,y,z) = \left[N_{ave}(x,y,z) - I_{in}(x,y,z)\right] \div N_{sd}(x,y,z) \quad (4\text{-}2)$$

$N_{ave}(x,y,z)$，$N_{sd}(x,y,z)$ は正常脳の X 線 CT 画像群から求めた平均画像および標準偏差画像である．$I_{in}(x,y,z)$ は入力とする未知の頭部 X 線 CT 画像である．z-score 画像の参照によって専門医の診断精度が向上することが実証されている（表 3-4-9）．

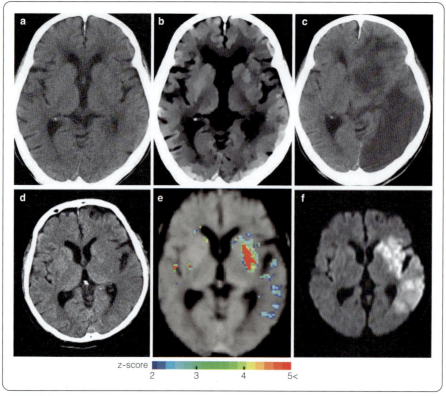

図 3-4-41 APMF と z-score mapping の画像例
a：発症後 1.5 時間の頭部単純 X 線 CT 画像．b：a に対する APMF 処理画像．c：a に対する 4 日後のフォローアップ CT 画像．d：発症後 3 時間の頭部単純 X 線 CT 画像．e：d に対する z-score 画像．f：d に対する diffusion-weighted MR 画像

表 3-4-8 APMF 画像の参照ありなしでの 4 人の放射線科医による観察者実験の結果（AUC 値）

observer	CT images	CT+APMF images
A	0.912	0.952
B	0.881	0.922
C	0.842	0.914
D	0.866	0.916
mean	0.876	0.926 ($p<0.05$)

表 3-4-9 z-score 画像の参照ありなしでの 5 人の放射線科医による観察者実験の結果（AUC 値）

observer	CT images	CT+z-score images
A	0.843	0.898
B	0.925	0.955
C	0.925	0.938
D	0.903	0.938
E	0.822	0.894
mean	0.883	0.924 ($p<0.05$)

4　歯科X線画像を対象としたCAD

歯科領域で診断に使用される画像には口内撮影法（periapical、bitewing等），パノラマX線画像，歯科用コーンビームCT画像，口腔内写真などがある（図3-4-42）。Periapical画像には一部の歯の歯冠から歯根までの全体が含まれ，歯と周辺の歯槽骨の異常の診断に用いられる．一方でbitewing画像は一部の上下の歯の歯冠部のみを描出し，おもに齲歯や歯周病の診断に用いられる．歯科パノラマX線画像は歯列全体を写し，上顎洞から下顎骨まで広い範囲が描出されるため，それぞれの歯の状態や歯槽骨レベル，根尖病変や上顎洞，下顎骨の異常まで1枚の画像で把握でき，診断記録にも適している．しかし断層像であるためボケが生じ，口内撮影法と比較して画質は劣る．また，前歯部と臼歯部で拡大率が異なるという特性もある．歯科用CT画像は歯，骨，神経等の3次元情報を把握でき，口腔外科手術やインプラント治療計画等に用いられる．口腔内写真は，口腔内をデジタルカメラで撮影したものである．歯肉やプラーク，歯並びの状態等を確認でき記録にも適している．また，患者に説明する際にも用いられる．歯科領域ではここ数年AI，特にディープラーニングを用いた画像解析の研究が非常に増えている．本項ではその一部の研究について紹介する．

1）歯の検出と歯種の特定

歯科の診断記録にはデンタルチャートが用いられる（図3-4-43下）．これには各歯牙の状態を把握し記録する必要があるが手間のかかる作業である．そこで，事前に自動的にファイリングできれば診断効率の改善につながる．歯科パノラマX線画像は頻繁に撮影され，歯列全体が描出されるためファイリングに適した画像である．

基本的に成人は8種32本の歯を持つが，はじめにこれらを特定する必要がある．これまでに提案された手法は大きく分けて2つあり，1つは領域分割（セグメンテーション）をベースとした方法で，もう1つは物体検出をベースとした方法である．

セグメンテーション法は歯の領域をピクセル単位で認識するため，歯の細かな形状を把握することが可能である（図3-4-44）．前歯，犬歯，小臼歯，大臼歯はそれぞれ形状に特徴があるため，歯種の判別に有効となる．歯科領域で用いられているセグメンテーションの代表的なモデルにはU-NetやMask RCNNがあり，84～99%の高い検出率で歯を認識できたとの報告がある．しかしセグメンテーションモデルの教師あり学習には，ピクセルごとにラベル付けした教師データが必要となり大変な作業である．

歯の位置をバウンディングボックスで検出するのが物体検出法である（図3-4-43上）．セグメンテーショ

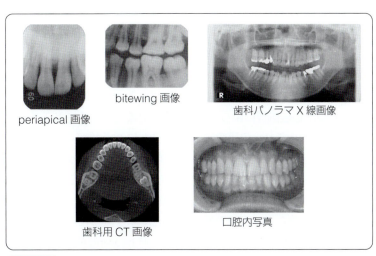

図3-4-42　歯科で診断に用いられる画像

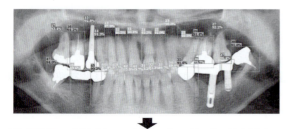

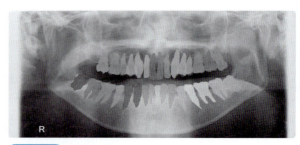

図 3-4-44 歯のセグメンテーション

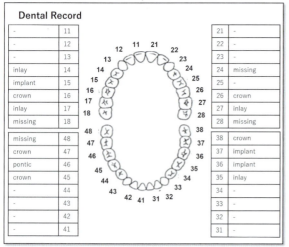

図 3-4-43 パノラマ X 線画像よりデンタルチャートを作成する例
上：パノラマ X 線画像における物体検出モデルを用いた歯種，治療状態の認識，下：デンタルチャート

ン法と異なり，教師ラベルには歯を囲むボックスの位置と大きさの情報のみあればよいという利点がある．しかし，現在一般的に用いられている物体検出モデルは，画像の縦横方向に対して傾きを持たない長方形で検出するため，傾いている歯に対して box の重なりが大きくなり認識しにくくなることがある．

　物体検出をベースとした方法には，はじめに歯という 1 つのクラスで検出したのち切り出した領域画像を別のモデルで分類する方法，はじめに 4 ないし 6 領域に画像を分割し各領域で種類別に検出する方法，8 歯種を上下に分けた 16 種で検出し後処理により 32 種に分ける方法等が提案されている．これらの研究で用いられている代表的な物体検出モデルには Faster RCNN や YOLO があるが，これらの事前学習済みモデルは精度が非常に高く，また歯は比較的コントラストが高く大きさや位置も限定的であること，歯種の並びに規則性があることなどから 98% 程度の高い検出率および歯種認識率が得られている．

2）治療状態の認識

　デンタルチャートの作成には歯種の特定のほかに治療状態の認識が必要となる．研究グループにより対象とする治療状態の種類が異なるが，代表的なものとしてはインプラント，ポンティック（ブリッジ），クラウン（全修復），インレー（部分修復），根管治療，残根等がある．物体検出モデルを用いる方法が主で，画像を 4 領域に分割して 5 つの状態を同時に検出する方法，10 の状態に対して 10 の Faster RCNN モデルを学習させる方法，歯種と同時に治療状態の認識も行う方法等が提案されている．

　一般的に歯の検出（歯種の認識）と比較して，治療状態の認識のほうが精度は劣る傾向にあり，インプラントやクラウンの検出率が高い一方，残根や根管治療，インレーは検出率が低い．それでも平均で 80 〜 90% の検出率が報告されている．

3）齲歯の検出

　齲歯の検出，診断に関する CAD の研究は口内法画像，パノラマ画像，口腔内写真を対象としたものがそれぞれ発表されている．Periapical 画像を対象としたものでは，各歯牙を切り出したパッチ画像に対し，齲歯であるかないかを判定するモデルが提案されている．対象歯牙は小臼歯と大臼歯で，学習に 2,400 枚，テストに 600 枚が用いられた．ImageNet を用いて事前学習された Inception v3 モデルをファインチューニングした結果，小臼歯のみ，大臼歯のみ，小臼歯と大臼歯を対象としたとき，それぞれ 89%，88%，82% の正解率が得られている．

　一方 bitewing 画像を対象とし，セグメンテーションモデルを利用した齲歯の検出システムも提案されて

いる．齲歯の検出用とエナメル質，象牙質，歯髄等の歯の構造解析用の2つのU-Netモデルを同時に学習し，齲歯領域の検出と偽陽性の削減を行っている．モデルの適合率と再現率はそれぞれ63%と65%であったが，3名の歯科医がこのCADシステムを使ったとき感度が向上し，特に初期の齲歯の検出に役立つ可能性があると報告された．一方で陽性的中率が低下したため，最終判断には注意が必要である．

口腔内写真を対象としては，セグメンテーションとbox検出モデルを組み合わせた方法が提案されている．はじめにU-Netを用いて歯の表面のセグメンテーションを行い，結果をマスクとして表面のみを対象にFaster RCNNで齲歯の領域をbounding boxで検出したところ再現率が0.72から0.74に，適合率が0.78から0.87に改善したと報告されている．このように一般的に対象領域を絞ることにより偽陽性数が削減され，精度が改善する傾向にある．

5　MRIのCAD

MRIはCTのCT値のように画素値が正規化されない．施設が異なる場合や，同一施設であってもシーケンスが異なる場合は同じ強調画像を収集しても画素値（信号強度）や画像のヒストグラム形状が異なることが多い．また，他の画像診断装置と異なり画像歪の影響も大きい．したがって，定量解析や容積計測および病変検出のアルゴリズムを構築するには以前はハードルが高かった．その一方，MRI検査は他の放射線を利用する画像診断検査と異なり放射線被ばくがない．また，超音波と異なり術者の依存度も小さく，軟部組織において非常にコントラストの高い画像を取得できる．そのため，術前の画像診断や中枢神経や軟部組織の画像診断にMRIは非常に有益である．また，造影剤を使用せずに血管を描出できることから，脳動脈瘤のスクリーニング検査などにおいても非常に有用である．一方，MRIでは数多くの強調画像を収集して画像診断を行うため，画像診断を行う医師にとって十分なトレーニングが必要であり，読影における時間的および技術的負荷の大きいモダリティである．

1) 脳動脈瘤の検出

2000年代には脳動脈瘤の検出や乳癌の検出などを対象としたMRI-CADの研究が広く行われた．未破裂脳動脈瘤の検出では，ディープラーニングによる研究が始まる前は曲率を利用した方法や多層のしきい値処理をドット強調画像に適応した方法，ベクトル集中度フィルタを用いた方法などが報告されている．2018年以降になるとディープラーニングを用いた未破裂脳動脈瘤の検出に関する研究にシフトした．UedaらはResNetを用いた脳動脈瘤検出のネットワークを構築して評価した結果91%の感度で脳動脈瘤を検出できたと報告している．DinらはMRI，CTおよびDSAにおいて完全自動化された脳動脈瘤の検出評価を行ったところROCのAUCが0.910の結果を得たが，バイアスのリスクが高く結果の解釈が限定的であるため，臨床におけるAIの評価には他施設共同前向き研究が必要であると結論づけている．Chenらは多施設共同研究により，3D-UNetをベースとした脳動脈瘤検出システムを用いて低い偽陽性を維持しながら許容できる感度を達成できたとしている．

2) 乳房MRI-CAD

乳房MRIはスクリーニングよりも精密検査として実施される検査である．術前の拡がり診断目的やマンモグラフィなど他の検査で鑑別困難であった症例の精査として実施されることが多い．なかでも造影剤を使用したダイナミック検査が重要であり，乳房MRIにおけるCADもダイナミック画像を対象とした研究が多い．機械学習を利用して乳腺組織のセグメンテーションや乳癌の癌のサブタイプ検出などが行われてきた．さらにバイオマーカーとしてのradiomics特徴の特定やradiogenomics解析などが行われるようになった．ディープラーニングを用いた方法ではU-Netを用いた乳腺腫瘍領域のセグメンテーションやVGGを用いた良悪性の鑑別などが研究されている．

3) VBMによる認知症診断支援

認知症の原因として最も頻度の高いアルツハイマー病の認知症薬としてコリンエステラーゼ阻害薬が出現

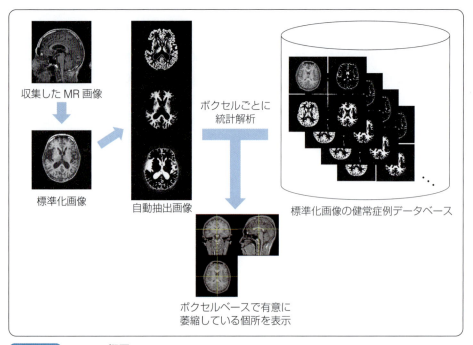

図 3-4-45 VBM の概要
VSRAD では収集された MR 画像は標準化からセグメンテーションおよび統計解析までフルオートで解析されて結果がレポートとして出力される.

したことで，日本国内では多くの施設で海馬の萎縮の程度を定量的に評価する Voxel-based Specific Regional Analysis System for Alzheimer's Disease (VSRAD) の解析ソフトウェアが普及した．このアプリケーションは，各医療施設で収集された MR 画像を入力すると，解剖学的標準化が行われてボクセルごとに疾患に起因する脳萎縮のない症例データベースと比較参照して萎縮の結果を z-score で表示するものであり，voxel-based morphometry (VBM) アプリケーションである．医療施設では無料で使用できることから多くの施設で用いられている MRI の自動解析手法である．VBM の概要を図 3-4-45 に示す．

4) ディープラーニングを用いた MRI-CAD

2010 年後半になるとディープラーニングが急速に普及して，MRI を対象とした研究も非常に多くなった．特に従来の機械学習では難しかった領域抽出の精度が飛躍的に向上した．そのため悪性腫瘍の検出や鑑別に関する研究だけでなく，画像再構成や放射線治療の治療計画におけるコンツーリングなどの補助としても

ディープラーニングが広く応用されるようになった．MRI では高速化技術としてシーケンスを工夫した高速スピンエコー法やエコープラナー法がある．1999 年には SENSE という RF パルスの送信と受信を工夫した高速化が考案された．2007 年にはスパースコーディングを応用した圧縮センシングにより少ない受信データから画像を再構成 (復元) する方法が登場した．これらの高速化技術により 10 分から 15 分収集に時間がかかっていた T_2 強調像などは 1 分未満で画像収集できるようになった．この圧縮センシングによる画像再構成の部分をディープラーニングに置き換えて，より少ないデータから高画質な画像を復元する方法も報告されている．画像再構成には U-Net をベースにするものや敵対的生成ネットワークをベースにするものがある．別の技術として Synthetic MRI が近年普及した．これは，MR 画像を直接取得するのではなく，T_1 マップや T_2 マップ，プロトン密度画像といったパラメータマップを取得して，任意の強調画像をパラメータマップから計算してレトロスペクティブに生成する手法である．この手法においてもディープラーニングを

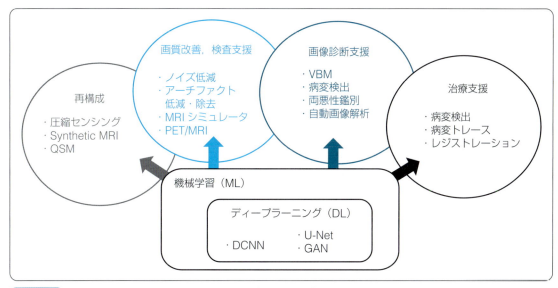

図 3-4-46　MRI における機械学習およびディープラーニングの応用

利用してパラメータマップを生成せずに，得られた信号データからディープラーニングにより任意の T_1 強調像や T_2 強調像などを生成する方法も報告されている．ディープラーニングを用いた画像診断支援としては，超解像ネットワークとセグメンテーションネットワークを組み合わせた膝関節の軟骨領域の抽出および損傷の診断支援やパーキンソン病に対する MR 画像からの診断支援，急性期脳梗塞に診断支援，心臓シネ MR 画像からの壁機能や EF の自動解析，前立腺癌における PI-RADS 予測など多岐にわたっている．さらに画像診断支援だけでなく，外科的治療や放射線治療の術前計画にも MR 画像におけるディープラーニングによる解析が行われている．生検や術前計画における他のモダリティ画像（CT 画像や US 画像）と MR 画像をディープラーニングにより非常に高い精度でレジストレーションできるようになった．また放射線治療の治療計画における腫瘍のコンツーリングや治療計画 CT 画像と MR 画像のレジストレーションにおいてもディープラーニングを用いた方法が用いられている．MRI における機械学習およびディープラーニングの応用例を図 3-4-46 に示す．

ディープラーニングを用いた手法は，従来の機械学習よりも非常に高い精度で解析やトレース，画質を改善できているが，ベンダーや施設によって画質が大きく異なる MR 画像では質の高いトレーニングデータや教師データをどのように収集するかが課題になっている．近年，さまざまなオープンデータベースが公開されているが，画質が安定していないことが課題の 1 つである．MRI 装置の高磁場化やハードウェアの飛躍的な技術革新に加えて，新しい撮像技術やシーケンスに加えて解析技術にディープラーニングが加わることで，これまで以上に重要な診療情報を提供できるようになった．膨大な画像とさまざまなコントラストを有する MRI においてディープラーニングを中心とする診断支援の期待は大きく，その応用はさらに多様化されていくと予想される．

6　超音波画像を対象とした CAD

超音波検査は X 線を使わない点，リアルタイム検査である点が特徴である．骨や空気を含まない軟部組織，乳腺や心臓，肝臓などの検査におもに用いられる．X 線の検査とは異なる情報が得られるため，他のモダリティと組み合わせたシステムも提案されている．一般的にハンドプローブによりオペレータが撮影と診断を行うため，オペレータ依存性が高く，これを改善するのも CAD の 1 つの目的といえる．また，リアルタイム検査であるため，CAD もリアルタイムであることが望ましい．これまではキャプチャされて保存された画像を対象としたものが多かったが，リアルタイム

支援も増えつつある．

1）ハンドプローブ型乳房超音波画像

乳腺超音波のCADは著者の知るかぎりでは現在2社よりFDAの認証を得た商用システムが販売されている．自動的に検出した腫瘤，もしくは検査者が指摘した腫瘤に対して領域抽出を行い，BI-RADSレキシコンと良悪性鑑別結果を表示する．このような2値の結果を与えるシステムに対して，形状，辺縁，方向性，後方エコー，エコパターンのそれぞれの特徴に対する定量値を提供することにより，感度を落とさずに偽陽性率の低減が可能という研究発表もある．

検診で撮影された検査ビデオに対して，AIシステムに用いるベストフレームを選択する手法も提案されている．ディープラーニングモデルから得られた特徴量ベクトルに対して，エントロピーをもとに選択したフレーム群を用いることにより，医師が選択したフレーム群，すべてのフレーム，一定間隔で取り出したフレーム群と比較し，腫瘍の良悪性鑑別においてより高い精度が得られたと報告されている．

2）乳房ボリュームスキャン

乳癌検診には定期的なマンモグラフィの撮影が推奨されているが，特にデンスブレストの女性には超音波検査併用の有効性が示唆されている．しかし，前述のように超音波検査はオペレータ依存性が高く，また検診のためには全体をくまなくスキャンする必要があり手間がかかる．そこで，面スキャナによる自動撮影装置がGE/U-SystemとSiemensより導入されている．図3-4-47にボリュームスキャナで撮影された画像例を示す．これらの装置で撮影される画像は，乳房当たり数百～千枚程度のスライス枚数となるためCADが望まれる．

商用システムとしてはQView Medical社が同時読影（concurrent reading）CADシステムを販売しており，その有用性が示唆されている．また，読影医が指摘した病変に対して3D U-NetとRes-CapsNetを用いた良悪性鑑別モデルが提案されている．このシステムにより，腫瘍性病変に対しては経験年数2，3年の読影医と同等，非腫瘍性病変に対してはより高い分類

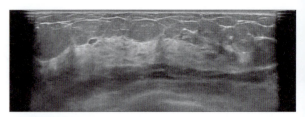

図3-4-47 乳房ボリュームスキャナで撮影されたスライス像の例

精度が得られたと報告されている．

国内ではLily Medoc社のリングエコー装置が薬事認証を得ている．リング状のプローブを配置した穴のなかに腹臥位で乳房を配置し，全乳房をスキャンする装置であり，得られた画像から腫瘤を自動検出するモデルが検討されている．またiSono Health社からはウェアラブル3D超音波スキャナがFDAの認証を得ており，病変の自動検出/鑑別システムの導入が期待されている．

3）心エコー

心臓超音波領域ではいくつかのAIシステムがFDAの認証を得ている．これらのアプリケーションの1つは，キャプションガイダンスともよばれる検査のナビゲーションシステムである．超音波検査は検査者の技量が大きく反映される．特に近年 point-of-care ultrasound（POCUS）検査が増えてきており，専門でない操作者が検査を行う機会も多くなってきている．そこでAIがプローブをどのように動かしてどの位置で画像をキャプチャすれば診断に最適な画像が得られるかオペレータをナビゲートする．

その他には左室駆出率（LVEF）等の定量化システムがある．LVEFは心臓の機能評価指標の1つで収縮期および拡張期の左室容積から算出される．左室容積を求めるのにはSimpson法（またはディスク法）が用いられ，心尖部2腔（A2C）および心尖部4腔（A4C）断面像において，左室長軸に垂直なディスクの総和を左室容積とみなして計算される（図3-4-48）．各ベンダーが用いている手法の詳細はあきらかではないが，一般的な処理の流れは左室のセグメンテーション，拡張末期と収縮末期のフレームの特定，左室駆出率の算出となる．左室のセグメンテーションには従来の動的輪郭

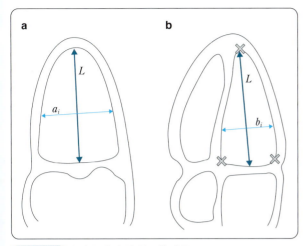

図 3-4-48 左室駆出率計測の模式図
L：左室長軸，直径 a_i：心尖部 2 腔断面，直径 b_i：心尖部 4 腔断面，×：ランドマーク

法や U-Net 等のセグメンテーションモデルなどが用いられる．各フレームで左室面積を一旦計算することにより，拡張末期と収縮末期のフレームが特定できる．心尖と僧帽弁輪の左右のランドマークを検出し，左室長軸 L とそれに垂直なディスク直径 a_i と b_i を A2C と A4C 像それぞれ等間隔に 20 箇所計測することにより，左室容積，さらに左室駆出率が計測される．

その他，幾何学的特徴量，機能特徴量と機械学習を用いた冠動脈疾患の CADx も販売されている．

4）腹部超音波検査

肝臓の超音波検査は CT や MRI と比較してリアルタイム性，短時間で場所を問わない利便性等の点で優れている．現在 FDA の認証を得ている AI システムは CT と MRI を対象としたものがほとんどであるが，超音波画像を対象とした CAD の研究も多く行われている．おもなアプリケーションとしては腫瘍の良悪性鑑別，さらに細かく嚢胞，血管腫，肝細胞癌，転移癌への分類や，正常肝，脂肪肝，肝硬変の分類，線維化のステージングなどに関する研究が行われている．また，肝臓のセグメンテーションから，腫瘍の検出，腫瘍のセグメンテーション，良悪性鑑別まで行う，より臨床に即したモデルも検討されている．

近年ではこれまであまり超音波が用いられなかった肺領域でも，COVID-19 による肺炎の AI 診断支援ソフト搭載の POCUS 等が販売されており，場所を問わない迅速な診断への貢献が期待される．

7 核医学画像を対象とした CAD

核医学画像は，検査に用いる放射性薬剤（RI 製剤）が特定の腫瘍や組織に集積する特性を利用し，RI 製剤から放出されるガンマ線を外部で検出しその分布を再構成して生成される．RI 製剤は，テクネシウム（^{99m}Tc），ヨード（^{123}I），タリウム（^{201}Tl），アクチニウム（^{225}Ac）といった原子番号の大きい元素から，フッ素（^{18}F），炭素（^{11}C），窒素（^{13}N），酸素（^{15}O）も利用される．これら放射性同位元素を分子構造に含む RI 製剤は，生体内において本来の構造の機能分子のようにふるまう．したがって，そこから放出されるガンマ線の量は，その領域に存在する分子数と相関すると考えられるため，核医学画像は同じ装置であっても RI 製剤を切り替えると，その分子が持つ機能情報を可視化できる．

可視化の方法は，2 次元シンチグラフィ，SPECT（single photon emission computed tomography），PET（positron emission tomography），の 3 つに分けられる．表 2-4-10 は，これらモダリティと検査の対象となる部位や疾患を表す．この表のように，核医学における検査は全身にわたっており，それぞれの CAD が開発されてきた．このような状況をふまえ，本項では収集モダリティごとに代表的な CAD をまとめる．

1）シンチグラフィ

シンチグラフィは核医学画像の一般的な名称であるが，ガンマカメラを用いて 2 次元画像として収集する撮像法でもある．体の前面と後面に 2 台のガンマカメラを対向で配置し，正面像と背面像の 2 面を同時収集する場合がほとんどである．RI 製剤を静脈に注入して，しばらく時間が経過してから撮像を開始して，平面像を得るシンチグラムが代表的である．骨シンチグラムや心筋シンチグラムはこの撮像法で画像が収集される．また，静脈に RI 製剤を注入し，その動きを，時間を追って動的に撮像するダイナミックシンチグラ

表 3-4-10 核医学検査の代表的な3つのモダリティと検査対象部位

	2次元シンチグラフィ	SPECT	PET
腫瘍	骨転移, 腫瘍	位置・アクティビティ	位置・アクティビティ
認知	平均脳血流, 心臓神経	局所脳血流, 線条体集積	代謝・蓄積
心臓	心筋血流	心筋血流	心筋血流
内用療法	−	−	治療のための集積

ムも用いられる．脳血流シンチグラムは，ダイナミックシンチグラムの代表的な例である．

（1）骨シンチグラム

骨シンチグラムは，がん転移を全身で探索し，骨転移を見つける方法として頻繁に用いられる．全身をくまなく検査し，わずかな集積も見つける必要がある．また，骨シンチグラムは，がん治療の過程でも何度か撮影されるため，経時的な変化を把握する必要がある重要な検査といえる．そのような状況のなかで，骨シンチグラムにおける異常集積の自動検出に関する研究や差分像技術による過去画像との比較に関する研究が行われている．

Sadikらは，CADシステムの開発と35名の観察者による観察者実験を行い手法の有用性を示しており，CADシステムを用いると平均感度が78%から88%に有意に上昇したとした．Shiraishiらは，経時変化を可視化するCADシステムの開発を行い，感度83%（1画像当たりの偽陽性数：6.02個）の結果を示している．最近では，ディープラーニングを用いた手法も数多く提案されている．Shimizuらは，システムを市販した後の学習方法やその性能変化に関する研究も行っており，ディープラーニング固有の問題である破滅的忘却の影響の評価を開始している．

（2）心筋シンチグラム

心臓は，血液を全身に送るための重要な臓器であることはいうまでもない．心臓は心臓をかたち作る心筋，心筋に栄養と酸素を送る血管である冠動脈，そして，延髄から伸びる心臓神経が重要な組織である．心筋シンチグラムは，心筋と心臓神経の状態を評価する検査に用いられる．したがって，そのCADシステムは，心筋の状態を評価する方法と心臓神経に影響が表れる疾患の鑑別に適用する方法がある．心筋に状態変化に関連する最も代表的な疾患は，虚血性心疾患である．

これは2次元画像の心筋シンチグラムから3次元画像再構成を行うSPECT検査として実施される．したがって，2次元画像である平面像（プラナー像）におけるCAD開発の例はない．一方で，心臓神経の状態を評価する検査は，プラナー像で行われ，そのCADシステムの報告がある．そのなかでも，MIBG（メタヨードベンジルグアニジン）シンチグラムは，心移植の予後評価や認知症の鑑別診断，小児の神経芽腫の評価に有用であるとされている．

認知症の鑑別診断は，心筋領域に取り込まれるRI製剤の量と縦隔部分の量から算出される心筋縦隔比を用いる．疾患がある場合には，心筋領域のRI製剤の量が低下するため，その領域の設定が困難になる場合があり，安定した計測が実現できない．そのため，再現性よく計測するシステムの開発が望まれている．

Okudaらは，それら2つの計測領域を自動設定する手法を開発し，手動での計測の変動範囲にあることを示した．この計測手法は，心筋MIBGの計測法として臨床的な利用も進められている．また，小保田らは，胸部単純X線画像との画像融合によって，プラナー像上では確認しづらい心筋の位置を推定し，心臓縦隔比を算出する手法を提案している．

神経芽腫は，MIBGシンチグラムによって腫瘍の集積が確認できるため，治療効果の評価に用いられる．小児における神経芽腫は全身を頭部から足部まで15の領域に区分してそれぞれの領域における腫瘍の集積を評価する臨床的な評価法が存在する（図3-4-49）．この図の例のように集積を自動的に検出し，臨床的な評価法に基づいて検出した集積がどの部位に存在するかを自動的に判定する．これは，小児は身体の成長も早く，長期の追跡が必要になることから，全身の形態を把握しつつ異常集積を評価する手法として提案されている．

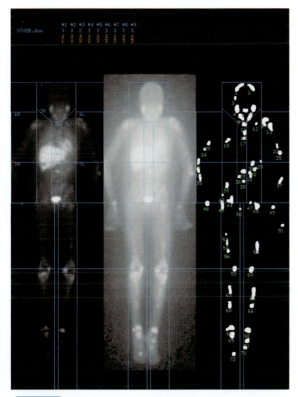

図3-4-49 全身MIBG上の異常集積の検出と領域ごとのスコア作成

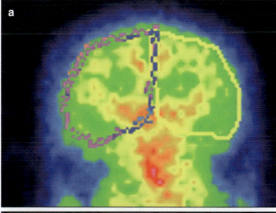

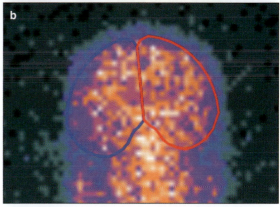

図3-4-50 脳シンチグラム上に設定するROIの例
a：手動で設定する領域，b：幾何学的な図形を用いて設定する領域

このように，形態情報が得られない場合には，図形やX線画像，また，全身を区分化した領域との情報融合によって，計測領域を設定し，計測結果の適切さを担保する手法が提案されている．

(3) 脳血流シンチグラム

脳血流量は，その値を直接計測できないため，核医学検査やMR検査で推定される．その値は，認知症の鑑別診断にも用いられるため，定量化は重要な課題である．脳シンチグラムは，ダイナミックシンチグラフィから得られる平均脳血流量の値と，脳の局所的な血流量を表す3次元脳シンチグラムがある．平均脳血流量は，局所脳血流量の初期値を定める重要な値である．真値は動脈採血で得られるものの，侵襲を避けるため画像検査で得られる値を利用する方法が進められており，そのソフトウェアの開発が行われている．

Patlak plot法やGraph plot法は，平均脳血流量の推定における代表的な手法である．どちらも脳ダイナミックシンチグラム上に計測領域を設定して，RI製剤の動態変化に基づいて値を推定する．したがって，計測領域の設定方法やその再現性は，計測結果の値の変動要因となるため，その定量的な設定方法が求められている．

小保田らは，図3-4-50のように計測領域の形状には変形が可能な半円などの幾何学的な図形を用い，その位置を自動決定したのちに手動で調整を行う半自動計測法を提案した．44例を用いて実験した結果，27例の値は，5人の計測者の計測範囲に存在した．

2) SPECT

SPECTは，RI製剤から放出されるガンマ線の収集を，収集器を回転しながらプラナー像で行い，その後処理で3次元再構成を行って断層像を生成する．3次元的な位置が重要となる虚血性心疾患の血流評価，脳の局所血流や線条体の評価に基づく認知症診断に関

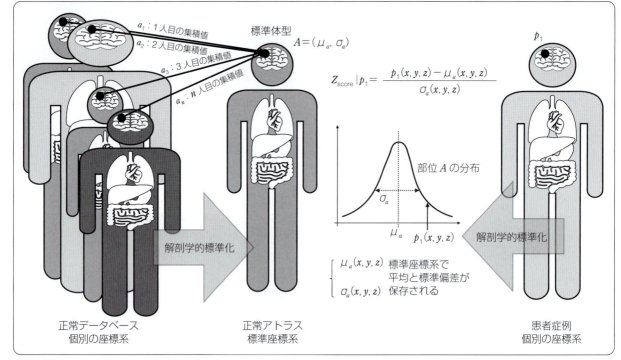

図 3-4-51 統計学的画像解析の考え方

して，CAD システムの報告がある．

　心筋血流に関する CAD は，最も早くから取り組まれており，Fujita らは，人工ニューラルネットワークを利用した手法を開発している．この手法は，16×16 画素に変換した心筋ブルズアイ画像を入力として，LCX，RCA，LAD の 3 つの冠動脈狭窄の結果を推定する．画像を人工ニューラルネットワークに直接入力する手法は，現在のディープラーニングと同じであり，また，核医学画像の画素が持つ定量性をよく反映していると考えられる．

　局所脳血流の評価は，解剖学的標準化技術を用いて標準脳と統計的に比較する手法がよく知られている．標準脳は，複数の健常者の脳が同一の形状となるよう変形され，画素ごとに平均的な脳血流量とその標準偏差の情報を持つ．個々の画素が持つ脳血流量は，ほぼ同一の領域に位置合わせが行われるため，同じ解剖学的標準化の操作によって患者の脳 SPECT 画像を変形すれば，患者の局所脳血流量は標準脳と統計的な比較が可能となる．脳血流量の低下部位は，認知症の鑑別診断の有用な情報であるため，このような解剖学的標準化と統計的な比較方法に基づく解析法は，解剖学的画像解析とよばれる．その概念図を図 3-4-51 に示す．この考え方は，画素に保存された値が定量的な意味を持つ核医学画像ならではの着想であり，統計処理に基づく CAD システムといえる．この手法は，Matsuda らがアルツハイマー病の鑑別システムとして提案しており，現在は臨床で利用できるソフトウェアとして販売が行われている．

　ドパミントランスポーターイメージング（DaTSCAN）は，認知症におけるパーキンソン病やパーキンソン症候群，レビー小体型認知症の鑑別診断において有用な診断技術である．線条体におけるドパミン神経の脱落は RI 製剤の取り込みと比例するため，診断は，画像上で線条体の集積度合いの計測を必要とする．しかし，進行したパーキンソン病では脱落が進むため，計測領域が不明瞭であったり，そもそもその領域が指定できない場合がある．したがって，安定した計測のためには，脳 MR や CT との位置合わせが必要である．Yamaguchi らは，SPECT 装置で吸収補正用に収集される低線量 CT 画像を利用して，別の時期に収集された同一患者の MR 画像との位置合わせを実現し，再現性の高い計測法を提案した．

3）PET/CT

PETは，崩壊する核種が放出するガンマ線を直接画像にするシンチグラフィと異なり，陽電子を放出しながら崩壊する核種をRI製剤に用いる特徴がある．そのような核種は，酸素，窒素，炭素のような生体必須の元素や，フッ素を用いたRI製剤が開発されている．PET用RI製剤に用いるためには，放射性同位元素の半減期の長さが重要である．半減期が長すぎる場合は被ばくの原因になり，短すぎる場合には検査に利用するためには大量の投与が必要となる．したがって，RI製剤の研究開発では炭素や酸素を用いられるが，臨床応用されるRI製剤は，半減期が110分程度の^{18}Fを利用する場合がほとんどである．なかでも，ブドウ糖類似のRI薬剤である^{18}F－フルオロデオキシグルコースを利用したFDG-PET検査は，脳の糖代謝評価に基づく認知症診断，がん検診における全身の探索，抗がん剤治療の治療効果判定に用いられている．

認知症診断に関するCADは，Minoshimaらが糖代謝の分布を解剖学的標準化と統計学的画像処理によって定量化する3D-SSP（three dimensional stereotactic surface projections）法を開発した．この手法は，アルツハイマー病の診断において，高い感度と特異度を示した．糖代謝の標準脳が解析の重要な要素であり，代表的な統計学的画像解析手法に基づく診断支援法である．

アルツハイマー病の発症は，アミロイドβが関係しているとされている．アミロイドβに結合する^{18}Fを用いたRI製剤の開発が進められた結果，サイクロトロン設備を持たない施設でも，その定量化が可能となりつつある．Loprestiらは，脳領域を区分化して，それぞれの領域のアミロイドβの集積の比を用いて定量化する手法を提案している．アミロイドβの蓄積による軽度認知障害の判定は，脳の糖代謝よりも早期に可能であるとされており，定量化手法とそのCAD開発が重要である．

腫瘍の検出に関するCADは，Haraらは脳領域の統計画像解析法を体幹部FDG-PET画像に適用して実現した．Takedaらは，さらに体幹部の標準糖代謝分布をPET/CT画像におけるCT像から作成する方法を提案している．このように，腫瘍の描出と良悪性鑑別は，体幹部FDG-PET検査の重要な目的であるため，多くのCADに関する研究が報告されている．Nemotoらは，機械学習手法を用いて全身のがんの原発巣と転移巣の自動検出手法を提案し，感度0.89を得ている．Teramotoらは，肺結節の自動検出に関して，CT画像から得られる部位と，同じ領域のFDG-PET画像から得られるRI製剤の集積度合いを機械学習によって判別し，偽陽性数を削除する手法を提案している．

4）まとめ

核医学画像の特徴は，同じ装置であっても用いるRI製剤によって得られる機能画像が異なる点にある．機能画像と形態画像と組み合わせ，診断に必要な定量値を安定して計測する手法もCADシステムの一種といえる．したがって，本項で述べたように，核医学分野のCADシステムは，腫瘍，循環，脳機能といった重要な診断分野に深くかかわっている．技術的な基盤は，異常部位を検出する機械学習を利用した画像認識技術，統計学的画像解析，画像位置合わせと変形といった画像処理技術である．最近は，サイクロトロンではなくジェネレータを利用したPET用核種の製造の実用化も進められている．^{68}Ga用いたPET画像は，放射性同位元素を体内に投与して治療を行う前立腺の内用療法の診断基準にも用いられており，核医学画像による放射線治療効果判定など，新たなCADシステム開発の可能性がある．

8　放射線治療へのCAD応用

放射線治療はおもに4つのステップ（診察，治療計画，照射，経過観察）から構成され，それぞれのステップで人工知能（artificial intelligence：AI）と**画像工学技術**が重要な役割を果たしている．コンピュータ支援診断（computer-aided diagnosis：CAD）の考え方が，画像ベースのコンピュータ支援放射線治療として応用研究され，治療計画の立案支援，患者位置決め支援，放射線照射時の支援，予後予測支援という枠組みで研究または実用化されつつある．たとえば，治療計画時または再治療計画時にディープラーニングを用いてCT

画像上でリスク臓器(放射線感受性が高く,線量を減らす必要がある臓器),GTV(gross tumor volume),CTV(clinical target volume)の輪郭を決定する.

また,予後予測支援として**レディオミクス**の研究が進められている.レディオミクスは,予後などの臨床情報と関連づけた従来のオミックス情報にレディオミクス情報を加えて網羅的に解析する研究領域であり,医療画像から疾患の性状を表す数学モデルを用いて計算した特徴量とAIと組み合わせることで,疾患の予防,診断,治療の予後の質向上を目指す研究領域である.AAPM(American Association of Physicists in Medicine)は放射線治療を含めたCADにおけるAIと機械学習の臨床実践に関する推奨をまとめたタスクグループレポートを発行した.

本項では,AIや画像工学技術を用いた放射線治療へのCAD応用について概説する.

1) 治療計画の立案支援

(1) 腫瘍とリスク臓器の領域抽出支援

領域抽出の第一の目的は,腫瘍領域(GTV, CTV),リスク臓器の輪郭描画に関する,計画者自身または計画者間のばらつきを減らすことである.第二の目的は,上記領域を手動描画より正確に決定することと,計画時間を減らすことである.現在の商用治療計画ソフトウエアではリスク臓器の抽出は多くの臓器で自動化されているが,多くの腫瘍領域の抽出に関しては研究段階である.用いられている手法は,おもにディープラーニングで,その他,しきい値処理,領域拡張法,Watershed法,動的輪郭モデル(snakes法,レベルセット法等),アトラスモデルベース法などが応用研究されている.図3-4-52にdense V-networksに基づくGTV領域抽出法の肺癌領域の結果を示す.また,頭頸部腫瘍領域のリスク臓器の領域抽出性能を2つのディープラーニング法と1つのアトラスベース法で比較した結果,全体的にディープラーニングのほうが高い抽出性能と短い計算時間となったが,3つの方法で抽出した領域から計算した線量分布間には統計的有意差はなかった.

(2) 治療計画立案支援

放射線治療の計画者は経験と知識に基づいて治療計

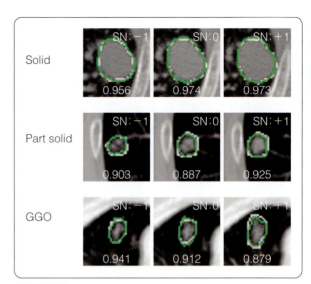

図3-4-52 dense V networksに基づくGTV領域抽出法の肺癌領域の結果
数値はDice's similarity coefficient. SN:slice number, GGO ground glass opacity.
(Cui Y, Arimura H, et al. J Radiat Res Mar 10;62(2):346 55, 2021 より引用)

画を立案するため,計画者間または計画者内変動が問題となる.また,経験の浅い計画者の場合,最適な治療計画を立案することが難しく,時間がかかる.そこで,治療計画の自動化が進んでおり,特に強度変調放射線治療(intensity modulated radiotherapy:IMRT),強度変調回転照射(volumetric modulated arc therapy:VMAT)における自動計画立案の手法がいくつか提案されている.また,肺定位放射線治療では類似症例を用いて,肺と肋骨の線量減らすようにビーム方向を自動的に決定する手法が提案されている.さらに照射直前にDIR(deformable image registration)を用いてGTV描画やディープラーニングを用いてリスク臓器の輪郭描画を行い,機械学習を用いた知識ベース治療計画を行うオンラインアダプティブ放射線治療法も臨床で使われつつある.また,粒子線治療に関する治療計画支援の研究も進められている.

2) 患者位置決め支援

患者位置決め支援にはX線画像ベースと非放射線画像ベースの手法がある.X線画像ベースの手法では,被ばくの問題があるがCBCT(cone-beam computed tomography)やEPID(electronic portal imaging device）などのX線画像が広く利用されている．骨の位置照合では，骨のエッジ検出と距離画像に基づくChamfer Matchingが用いられることが多い．一方，ノイズ低減フィルタを用いたCBCT撮像の被ばく低減のための研究も行われている．

非放射線画像ベースの手法では，距離センサ（赤外線などの光を用いてセンサから対象物の表面までの3次元距離を測定できる）を用いて，患者体表面を再構成し，患者位置決めや治療中のモニタリング等が行われている．しかし，そのようなシステムでは，患者体表面の解剖的な特徴点を含める関心領域が手動で決定されるため，再現性に問題がある．そこで，微分幾何学に基づく患者体表面特徴点検出法が研究されている．

3）放射線照射時の支援

肺腫瘍の追跡に関しては多くの研究があり臨床で実装されている．テンプレートマッチングが多くの手法で用いられている．

X線照射時の線量分布推定に関して，EPID画像に基づき治療時の線量分布を推定する手法がこれまでに数多く報告されている．一方，体幹部肺定位放射線治療時に取得されるEPID動画像から求めた射出線量分布動画像に基づく2次元/3次元レジストレーションを用いて治療時の経時的な患者変動を考慮した4次元線量分布を推定する手法も研究されている．

粒子線の線量分布推定に関しては，人体で生じた陽電子放出核種による消滅放射線をPETと同じ原理で検出することで，陽子線治療時の照射分布を推定する試みがある．陽子線と人体の標的原子核で起こる原子核破砕反応によって生成された陽電子放出核種が，陽電子を放出し電子との相互作用で消滅放射線をほぼ反対方向に放出することを利用している．

4）予後予測支援

予後予測支援の研究では，レディオミクスが中心的役割を果たしている．精密医療では予後を予測することで個々の患者に適した治療法を選択する．レディオミクス（radiomics）は，「医療画像」を意味する"radio（レディオ）"と「遺伝子・タンパク質・代謝産物・糖鎖などを大規模・網羅的に扱う研究分野」を意味する"omics（オミクス）"から作られた造語である．機械学習などを用いて，医療画像から抽出した表現型情報（テクスチャ解析などの特徴量）と臨床情報（遺伝情報，病理情報，予後等）とを関係づけることで，予後，組織，遺伝子変異などを予測する．肺癌，頭頸部癌，乳癌，リンパ節腫瘍，放射線治療後の放射線肺炎，前立腺癌，脳動脈瘤などに対して予後予測できる画像特徴量（表現型）について多くの事例が示されている．テクスチャ特徴量以外にさまざまな画像特徴量が開発されており，前立腺癌のグレードグループを推定するためにダイナミックMR画像の2次元ヒストグラムの特徴量，頭頸部癌の再発予測にlocal binary patternに基づく線量分布特徴量，頭頸部癌の予後予測にHessian index特徴量が有用であることが示されている．特に，トポロジー解析の画像特徴量（ベッチ数特徴量）は従来のテクスチャ解析よりも予後予測性能が高いことが，肺癌の予後予測や放射線治療後の放射線肺炎予測で示されている．図3-4-53に肺癌のCT画像におけるトポロジー解析の例を示す．

9　検査支援のためのAI技術

AI技術は，おもに画像診断を支援することを目的として利用されてきた．すでに，画像診断ではディープラーニングを用いたAI技術によるCADシステムが，あらゆる領域を対象として開発されている．研究成果も数多く報告され，製品化されたCADシステムも多数あり，臨床で実際に利用されているCADシステムも多く存在する．画像診断では，臨床においてAI技術によって医師が行う画像診断を支援することが，現実に行われるようになっている．

近年，画像検査を支援することを目的としてもAI技術が利用されるようになってきた．診療放射線技師が行う画像検査の一部を自動化したものや，患者にX線を照射する前に撮影ミスを知らせて無用な被ばくを防ぐシステムなどが，製品化され臨床で利用されている．

これらのAI技術を用いた検査支援システムは，カメラで患者をリアルタイムに映像化して被写体の形状

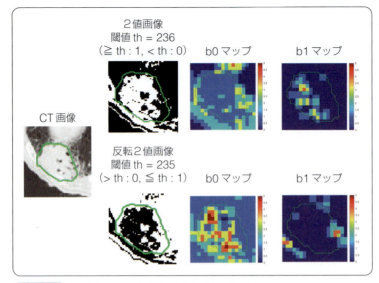

図 3-4-53 肺癌の CT 画像におけるトポロジー解析
b0 は二値画像における連結成分の数，b1 は穴の数．
(Kodama T, Arimura H, et al. Thorac Cancer Aug;13(15):2117 26, 2022 より引用)

を取得し，その情報を基に目的に応じてさまざまなディープラーニング処理を行っていく．AI 技術導入以前は，カメラ映像から被写体形状などを正確に抽出することが難しく，実用化することはできなかった．

ここでは，動画カメラを用いた検査支援システムの例として，一般撮影検査における撮影部位の左右や方向の間違いを検知するシステムと，CT 検査における患者ポジショニングの自動化と，位置決め画像上でのスキャン範囲の自動化について説明する．

1) 一般撮影検査における撮影ポジショニングエラーの検知

一般撮影検査において，X 線可動絞りに内蔵したカメラで技師が行う患者のポジショニングの映像をモニタし(図 3-4-54 a，b)，取得した映像から撮影しようとしている部位とその方向，患者左右を認識する．それらと，医師からの撮影オーダー内容の整合性をチェックして，誤りがあればコンソール画面上にアラートを表示し技師に知らせる(図 3-4-54 c)．

X 線を曝射する前に患者の整合性を確認できるため，撮影オーダーと異なる誤った部位に X 線を照射することを未然に防ぐことができ，再撮影による無用な患者被ばくを回避できる．一般に，撮影された画像と撮影オーダー内容の整合性の確認は，検像システムで行われる．医師に画像を提供する前に撮影部位のミスなどを確認することができるが，ミスがある場合再撮影が必要であり，無用な患者被ばくを未然に防ぐことはできない．再撮影率は，撮影者の経験にかかわらず 20% を超えているという報告もあり，結果的に患者被ばく線量を増加させてしまう．再撮影率の低減は重要な課題であるため，AI 技術により撮影ミスを未然に防ぐことは有用である．

患者の映像から，診療放射線技師がポジショニングを行っている撮影部位，その方向と左右の認識にはディープラーニングが用いられている．これらの認識を正確に行わせるためには，動画カメラから取得した患者のポジショニング時の画像が大量に必要になる．撮影部位，その方向と左右などそれぞれに対して大量の画像を用意してディープラーニングによる学習を行わせなければならない．撮影部位だけでも，診療放射線技師や施設の違いにより様々なポジショニング方法が異なり，あらゆる状況で正確に部位を認識させるためには，なるべく多くの診療放射線技師が実際にポジショニングしている最中の患者映像を取得する必要がある．さらに，患者が着用している服や検査着，検査撮影台，検査室内の照明の違いなど施設によってもさ

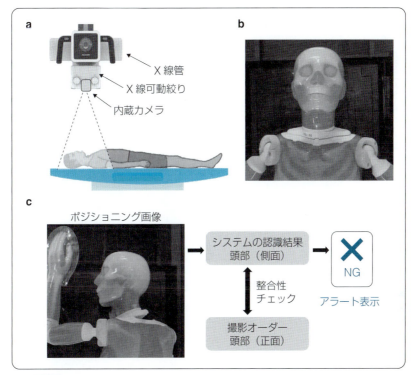

図 3-4-54 撮影ポジショニングエラー検知のイメージ
a:カメラによる患者画像の取得,b:カメラからのポジショニング画像,c:ポジショニング判別から整合性チェックまで

まざまなことから,多くの施設からも画像を収集する必要がある.

これらの学習のために,患者映像を部位,その方向と左右に分けて大量に取得することには多大な労力を必要とする.したがって,現在まで製品化されたシステムが対象としている部位は,頭部,胸部と膝に限られている.

2)CT検査におけるポジショニングの自動化

AI技術による検査支援が最も進んでいるのがCT装置である.CT装置では,寝台に横になった患者に対して目的とする撮像部位を,ガントリ内の所定の位置まで自動的に移動して設定する機能が実用化されている.ここでもディープラーニングが寝台上の患者形状などの自動認識に用いられている.

図3-4-55のように,寝台上部の天井に吊り下げられたカメラにより,患者の形状,寝台上の位置と高さを3次元情報として取得することができる.さらに通常のカメラに加えて搭載された赤外線カメラを用いて患者の体厚情報も3次元で認識することができる.認識された3次元情報から,目的とする撮像部位に応じて適切な寝台の高さが決定され,ガントリ内の中心に患者がポジショニングされる.次に,本スキャン前に行われる位置決め画像取得に際して,目的部位に応じた取得範囲を映し出された患者映像に重ね合わせて表示される.正確に範囲が設定されたことを確認できれば,診療放射線技師が行う一連のポジショニング作業を,自動的にスタートボタン1つで行うことが可能になる.

ガントリ内の中心から患者のポジショニングが上下にずれることによって,被ばく線量が増大することがわかっている.ある報告では,CT検査全体の95%において正確にポジショニングができず,中心との差が平均2.6cmあったとされている.一方,AI技術を用いた自動ポジショニングでは,平均数ミリの誤差でポジショニングできたという報告もあり,正確なポジショニングが可能になっている.

次の検査手順として,診療放射線技師が位置決め画

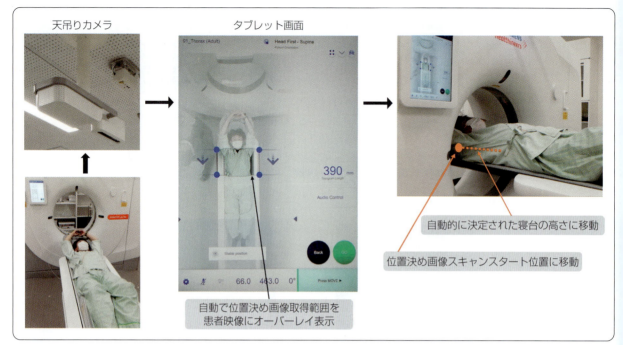

図 3-4-55 胸部撮像時の自動ポジショニングの例

像上で本スキャンを行うための撮像範囲の設定を行うが，このシステムでは，目的部位に対してディープラーニングが推奨する撮像範囲を自動的に設定し画面に表示する．その範囲内にアーチファクトを発生させる体内金属などがあれば自動認識し，アーチファクトを低減させる撮像条件を推奨することもできる．

一般撮影検査における撮影ポジショニングエラー検知と同様に，CT 装置でも AI 技術を用いて寝台上の患者の方向，背臥位と腹臥位の識別を行い，設定すべきものと異なる場合，その間違いを撮像前にアラート表示して技師に知らせることができる．

第4編 医療情報論

第1章 医療用モニタ
第2章 医療情報の電子化と標準化
第3章 医療情報システム

第4編 医療情報論

第1章 医療用モニタ

昨今の画像診断では，医療用モニタを用いたモニタ診断が一般的となっている．

2008年の診療報酬改定における電子画像管理加算の増額（一部，新設）を機にフイルム診断からデジタル画像によるモニタ診断に移行する施設が増え，現在は多くの施設でモニタに画像を表示させ，デジタル画像による診断を実施している．

本章では，医療用モニタの構造，階調特性，校正について解説する．

1 モニタの構造

1 液晶ディスプレイの構造

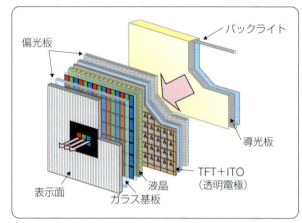

図 4-1-1 液晶モニタの構造

図 4-1-1 に**液晶ディスプレイ**（liquid crystal display：LCD）の内部構造を示す．背面に配置されたバックライトが光源となり，2枚の偏光フィルタと液晶層に印加する電圧により，バックライトから透過する光の量を調整し，濃淡を表現する．ただし，LCDの構造上，常にバックライトが点灯しているため，完全な黒にはならない．

偏光フィルタは，入射する光を直交する偏光成分の一方のみを通過させ，他方を吸収あるいは反射させて遮へいする．ガラス基板上には，電極，電極配線，TFT（thin film transistor：薄膜トランジスタ），カラーフィルタが形成され，各画素に対し配列されたRGB（赤緑青）の3色のフィルタにより色を表現する．モノクロの場合は，透明1色となる．

液晶は，液体と固体の中間的状態であり，分子が結晶のように並んでいながら，液体のように流動性がある状態のものである．液晶には，配向という性質があり，溝がある板（配向膜）に接触させると，溝に沿って一定方向に並ぶ．図 4-1-2 に示すように溝の向きを90°変えた2枚の板で液晶を挟むと，90°ねじれて配列する．

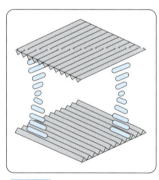

図 4-1-2 液晶の性質

TFTは，各画素の電極に電圧を加えるためのスイッチの役割を持ち，液晶に電圧をかけることによって，液晶の並び方が変わり光学的な特性が変化する．

バックライトは，従来CCFL（cold cathode fluorescent lamp：冷陰極蛍光管）が主流であったが，近年では基板上に複数のLED（light emitting diode）を配置したLEDバックライトが主流となっている．LED化により，液晶パネルの長寿命化，低消費電力化などの性能が向上した．

LED基板をサイドに配置する場合は，導光板を配置し，画面全体にバックライトを導光させる．また，輝度効率向上と均一性向上のために，拡散シートや反

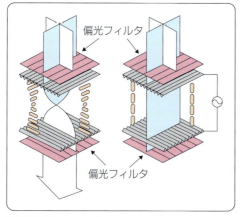

図 4-1-3　TN パネルの原理

射シートを組み合わせる.

　液晶パネルの方式は, TN(twisted nematic), VA (vertical alignment), IPS(in-plane switching)など数種類あるが, **TN 方式**について解説する(図 4-1-3).

　偏光方向を交差させた 2 枚の偏光フィルタで液晶を挟み, あらゆる方向の光が 1 枚目の偏光フィルタを通ると, 偏光フィルタと並行な光のみが透過する.

　電圧を印加しない状態では, 液晶分子がねじれる. その液晶のねじれにより, 光の振動方向が変わり, 2 枚目の偏光板も光が通過でき, 画面上では白表示される.

　一方, 電圧を印加した状態では, 電圧がかかる方向に沿い, 液晶分子が向きをそろえ, 液晶分子のねじれが解消される. 光の振動方向も変化せず, そのまま進むため, 2 枚目の偏光フィルタを光が通過できず, 画面上では黒表示される.

　このように液晶に印加する電圧を調整することにより, 液晶分子のねじれの角度が調整でき, さまざまな明るさ(階調)を表現できる.

2 液晶パネルの方式と視野角特性

　液晶モニタの特性を表す指標の 1 つに視野角特性がある. 液晶モニタを見る角度により, 画面の明るさ(輝度)や色味(色度)が変化する.

　この視野角特性は, 液晶パネルの方式により特性が異なる. TN 方式では, 液晶分子の角度によりバックライトの光量を調整しており, 画面を見る角度によって透過する光量が異なるため, 視野角による輝度や色度の変化が大きい. **VA 方式**は, 視野角特性を改善するために, 液晶分子の配向を分割し, 液晶分子の角度を相対する向きにすることで, 透過する光の量を画面全体で平均化している. また, 液晶分子が垂直に立つように配向させ, 電圧を印加しないときは, 液晶の影響を受けず, 光が遮断されるため, より輝度の低い黒を表現できる. IPS 方式は, 液晶分子を平行に回転させることでバックライトの光量を制御しており, 液晶分子の垂直方向の傾きが発生しないため, 視野角による輝度や色度の変化が小さい.

　視野角特性が悪い場合, モニタを見る位置が少し変わると, 見え方が変わってしまうため, 医療用モニタでは視野角による輝度や色度の変化が小さい **IPS 方式**が主流である.

2 医療用モニタの特性

　医療用モニタは, 一般的なモニタと比較して, 高輝度, 高コントラスト比, 高解像度を有しており, 画面内の均一性も優れる. 階調特性は, **GSDF**(grayscale standard display function:グレースケール標準表示関数)が用いられる. さらに, これらの性能を長期間維持し, 安定した性能が求められ, 品質管理機能を備えることも特徴である. ここでは, 医療用モニタの特性を表す各項目について解説する. 品質管理については, 次項を参照されたい.

1 輝度

　モニタの**輝度**とは, 画面の明るさを示した値であり, 医療用モニタの最大輝度は, 1,000 cd/m² 以上のものが多く, 一般的なモニタと比較し, 非常に高い.

　モニタのバックライトの輝度は図 4-1-4 に示すように, 経年的な劣化により徐々に低くなる. 製品としては, バックライトの寿命を考慮し, 300〜600 cd/m² 程度の輝度に調整されているものが多い.

　また, モニタ内蔵のセンサでリアルタイムに輝度を監視し, 変化があった場合はバックライトを調光させ, 常に一定の輝度を保つための輝度安定化回路を搭載し

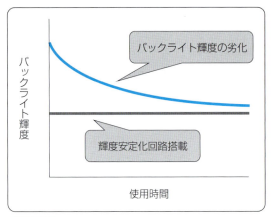

図 4-1-4 使用時間とバックライト輝度の劣化

	解像度	サイズ (mm)	画素ピッチ (mm)
1 MP	1280×1024	376.0×301.0	0.294
2 MP	1200×1600	324.0×432.0	0.270
3 MP	1536×2048	324.9×433.2	0.212
5 MP	2048×2560	337.9×422.4	0.165
4 MP	2560×1600	641.2×400.8	0.251
6 MP	3280×2048	645.5×403.0	0.197
8 MP	4096×2160	697.9×368.0	0.170
12 MP	4200×2800	652.7×435.1	0.155

表 4-1-1 医療用モニタの解像度（代表例）

ているものが多い．

2 コントラスト比

コントラスト比（CR）とは，最大輝度と最小輝度の輝度比を示しており，$CR = \dfrac{最大輝度（白の輝度）}{最小輝度（黒の輝度）}$ より計算できる．最大輝度を同一とした場合，コントラスト比が高ければ，最小輝度を小さくすることができ，黒レベルの表示がより向上する．

3 輝度・色度均一性

輝度均一性は，面内の輝度偏差を示す指標である．同様に面内の色度偏差を示す指標が**色度均一性**である．画面全体の輝度・色度が均一であることが理想であるが，バックライトの配置，光の拡散度合いや数百万とある画素のサイズや液晶の制御などのばらつきにより，面内にはムラが生じる．医療用モニタの多くは，パネルの輝度・色度を補正する機能を有しており，面内の均一性に優れる．

4 解像度と画素ピッチ

医療用モニタに使用される代表的な解像度を表 4-1-1 に示す．解像度とは，表示画素数のことであり，表示可能な情報量を表す．医療用モニタはこの解像度の総数を用い，たとえば 3 メガピクセル（MP）モニタのようによぶことが多い．画素ピッチは，画素の間隔のことであり，表示サイズを表す．3 MP モニタの場合，水平方向の解像度が 1,536 ピクセル，画素ピッチが 0.2115 mm であれば，画面サイズは 1,536×0.2115 mm = 324.9 mm となる．

同じ画像を 2 MP，3 MP，5 MP のモニタに表示する場合，各々の画素ピッチが異なるため，表示サイズも異なる．

512 ピクセル×512 ピクセルの画像をモニタの画素と 1 対 1 で対応したピクセル等倍で表示させた場合の画像表示サイズを表 4-1-2 に示す．同じ画像でも，画素ピッチが大きいモニタに表示すると，画像が大きく表示され，画素ピッチが小さいモニタに表示すると，小さく表示される．

また，表示する画像の解像度よりモニタの解像度が低い場合の例を図 4-1-5 に示す．解像度 2,304×2,880 の画像を 2 MP，3 MP，5 MP のモニタにピクセル等倍表示させたときの表示領域を示しており，画像全体を表示できず，画像全体を表示する場合は，縮小処理が必要となる．

このように表示するモニタの解像度や画素ピッチによって，表示される画像サイズや拡大率，縮小率が変わり，一見，同じように見えるが，拡大や縮小処理によって，元画像とは違った画像となるため，重要な画像情報が失われていないか注意が必要である．

5 階調特性

モニタの**階調特性**はさまざまであり，一般的なモニ

表 4-1-2 画素ピッチと画像サイズ

	2 MP	3 MP	5 MP
画像		512×512	
画素ピッチ(mm)	0.270	0.212	0.165
画像表示サイズ (mm×mm)	138×138	108×108	84×84
画像表示イメージ			

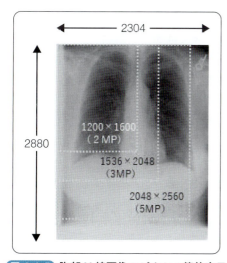

図 4-1-5 胸部 X 線画像のピクセル等倍表示

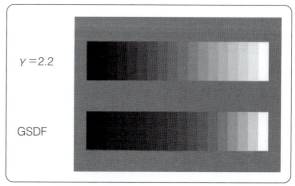

図 4-1-6 胸部 X 線画像のピクセル等倍表示

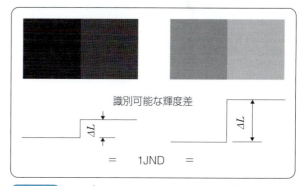

図 4-1-7 JND(just-noticeable difference)

タの場合は従来の CRT ディスプレイを踏襲して $\gamma=2.2$ を目標として設定されている．一方，医療用モニタの階調特性は GSDF(※)という特性を使用しており，図 4-1-6 に示すように $\gamma=2.2$ とは見え方が大きく異なる(※ DICOM PS3.14 で定義されている).

GSDF は，人間の視覚特性を考慮し，視覚的な表示の一貫性を保つことを目的に作られた．測定で得られる光学的な数値としての輝度差ではなく，平均的人間観察者が識別できる限界の輝度差を 1 **JND**(just-noticeable difference)と定義している．

人間が識別できる輝度差(ΔL)は図 4-1-7 に示すように輝度によって異なり，GSDF は，全階調に対して JND が直線的に増加する(人間の目で同じコントラストに見える)ように規定されている．

GSDF カーブとモニタの表示輝度を示したものを図 4-1-8 に示す．GSDF では，最小輝度を 0.05 cd/m² として，1,023 ステップまでの実験的に求められた JND Index と輝度が定義されている．実際の医療用モニタでの表示では，最小輝度(L_{min})と最大輝度(L_{max})を決定すると，階調特性が決まる．

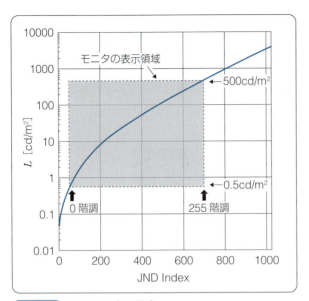

図 4-1-8 GSDF と表示輝度

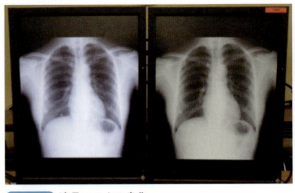

図 4-1-9 液晶モニタの劣化
定期的な管理を実施したモニタ(表示輝度：400cd/m²)(左)と数年間，管理せず使用したモニタ(表示輝度：230cd/m²)(右)

たとえば，最小輝度を 0.5 cd/m²，最大輝度を 500 cd/m² とすると，図 4-1-8 の網掛け範囲がモニタに表示される範囲となる．横軸をモニタの入力数(8 bit の場合：0〜255)で分割し，それぞれの階調の輝度が求まる．

図 4-1-8 の GSDF カーブを見ると，JND Index の小さい領域(低輝度領域)では傾きが大きくなっている．つまり，低輝度領域では，視覚的なコントラストを維持するためには，より高いコントラストが必要であることを示している．

3 医療用モニタの校正・品質管理

医療用モニタは，いつでも，だれでも，どの医療用モニタを見ても，同じように画像が見えるように表示品質の一貫性を保つことが非常に重要である．特に輝度などの特性は経年的に劣化する．図 4-1-9 は，定期的に管理されたモニタ(左側)と数年間，管理せずに使用したモニタ(右側)の写真である．右側は，光源のバックライトの輝度が劣化し，全体的に輝度が低下しているのがわかる．

このような経年的な変化に加え，輝度や階調特性の個体ばらつきや読影環境の変化に対応するため，医療用モニタの多くは輝度や階調特性を校正する機能を有している．使用者は，定期的，または必要に応じて，モニタの校正(キャリブレーション)を実施することが推奨されている．

品質管理を実施することで，モニタの異常や輝度劣化を早期に発見，モニタ毎の見え方の違いをなくし，均一な画像表示が可能となる．また，医療用モニタ品質管理ガイドラインなどの基準に即した管理を実施することで，信頼できる診断環境実現の取り組みを示すことが可能となる．

国内の品質管理においては，日本画像医療システム工業会が発行した『医用画像表示用モニタの品質管理に関するガイドライン』(JESRA X-0093*B-2017)(以下 JESRA)が多く用いられる．医療画像の適切な表示品質や安全性の向上を図ることを目的として作成され，医療用モニタの品質管理方法，品質管理の基準や体制などが示されている．

ここでは，JESRA における評価項目，管理基準および環境光の影響などについて解説する．

1 JESRA における評価

JESRA では，導入時，仕様や品質が適合していることを確認する受入試験とその品質を維持，管理するために行う不変性試験について示されている．試験の結果次第では，モニタの校正を実行する．

表 4-1-3 に JESRA で定義されている試験内容の一

第 1 章　医療用モニタ

表 4-1-3　JESRA 試験内容一覧

試験方法	分類	テストパターン	試験内容	受入試験	不変性試験 定期	不変性試験 使用日
目視	全体評価	TG18-QC	16 段階および 5% 95%パッチの確認	○	○	○
目視	全体評価	臨床画像	表示の確認	○	○	○
目視	グレースケール	TG18-QC	なめらかな単調連続表示の確認	○	○	—
目視	アーチファクト	TG18-QC	アーチファクト（クロストーク・ビデオ等）の確認	○	○	—
目視	アーチファクト	TG18-UN80	フリッカーの確認	○	○	—
目視	輝度均一性	TG18-UN80	輝度均一性の確認	—	○	—
測定	最大輝度	TG18-BN 1〜18 [輝度計]	最大／最小輝度測定（単体およびモニタ間）	○	○	—
測定	輝度比	TG18-BN 1〜18 [輝度計]	最大／最小輝度測定（単体およびモニタ間）	○	○	—
測定	コントラスト応答	TG18-BN 1〜18 [輝度計]	18 段階の輝度測定	○	○	—
測定	輝度均一性	TG18-UNL80 [輝度／色度計]	中央と 4 コーナ部の輝度測定	◎	—	—
測定	色度	TG18-UNL80 [輝度／色度計]	面内およびモニタ間の色度測定	◎※	—	—

※：管理グレード 1 A，1 B のみ

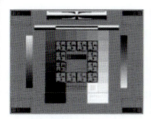
TG18-QC パターン

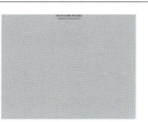
TG18-UN80 パターン

JIRA BN-01〜18 パターン

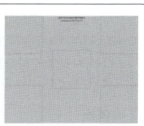
TG18-UNL80 パターン

図 4-1-10　テストパターン

覧を示し，図 4-1-10 にテストパターンを示す．試験方法は，テストパターンを表示し，目視で実施する項目と測定器などのツールを使用して測定する項目があり，不変性試験では，定期的に実施する項目と使用日ごとに実施する項目に分けられる．

目視試験では，さまざまな要素から構成される TG18-QC パターンを用い，各階調のパッチの確認，グレースケール表示確認，フリッカーやクロストークなどのビデオアーチファクトを確認する．

輝度・色度均一性の確認では，白レベルの 80% の明るさの TG18-UN80 パターンを用いる．測定による評価のため，中央と 4 コーナの測定ポイントを示す測定枠の入った TG18-UNL80 パターンも提供されている．

最大輝度，輝度比やコントラスト応答は，画面中央の輝度を測定し評価を行う．0〜255/255 階調において，15 階調ごとの輝度レベルが異なるパターンが画面中心に配置された 18 枚のパターンで構成される JIRA-BN01〜18 を用い測定する．

2　使用機器

測定が必要な項目ついては，目的に応じた測定機器を使用し，測定を行う．

1）輝度計

輝度計は，輝度，輝度比やコントラスト応答を測定するために用い，接触型と望遠型に分けられる．接触型輝度計は，モニタ表示面に接触させて測定を行う．表示輝度のみを測定でき，周囲光には影響されない．輝度センサがモニタに内蔵されたタイプもあり，この

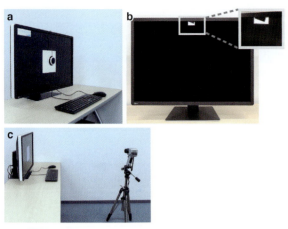

図 4-1-11 輝度計の各タイプの例
a：接触型輝度計，b：接触型内蔵輝度センサ，c：望遠型度計

場合は，遠隔から輝度や色度を測定でき，校正が可能である（図 4-1-11 a，b）.

望遠型輝度計は，周囲光による反射輝度を含んだ実際の観察環境における輝度が測定できる．モニタ表示のみの輝度を測定する場合は，環境を暗室状態にすることで測定可能となる．（図 4-1-11 c）

2）色度計

色度を測定するために用いる．一般的に輝度も同時に測定できる機器が多い．JESRA では，色差$\Delta u'$，v'を評価するため，u'，v'値が出力される機器を選択すると，容易に評価が可能となる．色度x，yから変換式を用いu'，v'を算出することも可能である．

3）照度計

モニタ表面上の照度を測定するために用いる．周囲光による反射もモニタ輝度に影響を与えるため，周囲光の管理も重要である（詳細は次項参照）.

輝度計同様，モニタに簡易的な照度センサが内蔵されたタイプ（図 4-1-12）もあり，周囲光の変化を容易に確認することが可能である．

3 周囲光の影響

モニタの品質を管理する上で，周囲光の明るさも重

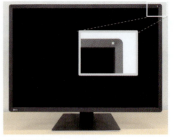

図 4-1-12 内蔵型照度センサ

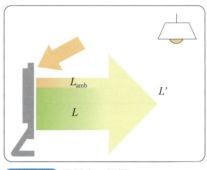

図 4-1-13 周囲光の影響

要な要素である．図 4-1-13 に示すように，周囲光の反射輝度（L_{amb}）がモニタ輝度（L）に上乗せされたものが観察輝度（L'）となり，周囲光が画面の見え方に影響を与える．特にモニタの低輝度領域では周囲光の影響が大きい．

モニタの表示画像のダイナミックレンジは輝度比（実際に観察しているコントラスト比）で評価され，周囲光がどのように影響するのか考える．

周囲光がモニタに当たると，その光が反射し，モニタ輝度に影響する．周囲光による反射輝度が 1.5 cd/m² 相当と仮定すると，最大輝度，最小輝度にそれぞれ 1.5 cd/m² が上乗せされ，輝度比（LR）が低下してしまう．最大輝度 500 cd/m²，最小輝度 0.6 cd/m² において，

周囲光の影響がない場合 LR = $\dfrac{500}{0.6}$ = 833

周囲光の影響がある場合 LR = $\dfrac{(500+1.5)}{(0.6+1.5)}$ = 239 となり，輝度比が 833 から 239 まで低下することがわかる．

モニタのコントラストを最大限に生かすには，部屋の明るさを抑制することも重要となる．

第2章 医療情報の電子化と標準化

1 医療情報の電子化

1 医療情報とは

　医療情報の定義は明確にされていないが，一般に，医学や医療にかかわるデータ，記録，文書などの医療にかかわる情報の全般を指す．狭義には，患者から得られる情報や診療を行うための情報を医療情報とする場合もある．これらの情報は，おもに患者のケアを改善するため医師や看護師，その他の医療関係者間で共有され利用される．

　医療情報は，いわゆるテキストデータ以外の情報も取り扱われる．たとえば，CTやMRIなどの医療画像や，心電図や超音波検査などの波形や音声データなど，医療で用いられるさまざまなデータは医療情報のなかに含まれる．したがって，医療情報の管理については，患者の個人情報を様々に含むことから，プライバシーを保護するための強固な手段が必要となってくる．

2 医療情報電子化の背景

　医療情報の歴史をたどると，1970年代に医事会計業務の効率化などおもに事務部門から始まり，レセプトコンピュータを利用した電算処理システムが稼働している．これを機に電子化の流れが急速化した．また，同時期にはCT(computed tomography)が普及し始め，画像分野においてもデジタル化が始まった．

　初期は会計部門が主となった医療情報の電子化の流れであったが，1980年頃からは医療機関の各部門における部門システムの導入がなされるようになった．医療現場では，医事会計以外にも，看護，放射線，検査，薬剤，栄養，物流などさまざまな部門があり，個々の業務効率化を目指したシステム開発が始まった．しかし，この時期のシステムは，コンピュータ性能の制約などもあり，各部門がそれぞれに単独で動いているものに過ぎなかった．1990年頃になると，コンピュータのスペック向上や規格（プロトコル）の統一化などが進み，オーダエントリシステム（オーダリングシステム）が導入されるようになった．オーダエントリシステムは医師から指示内容を各部門へ伝達させるためのしくみである．このシステムが発達することで，部門システム間のつながりが急速化し，それに伴い医療用コードの規格，標準化がいっそう図られることとなった．特に，画像情報のやり取りに関しては早くから検討されており，1985年にACR/NEMA委員会が画像情報通信の規格を策定し，1993年にはDICOM規格として整備された．一方，画像情報以外の医療情報全般のメッセージ交換は，1987年にHL7規格として標準化が始まった．

　1990年代後半から2000年代にかけて，診療記録は紙のカルテから電子カルテシステムへと移行が急速化し，診療所や大病院でも普及するようになってきた．これにより，部門システムの連携からクリティカルパス（クリニカルパス）や看護支援業務など，患者に直結した情報処理を効率的に行えるようになった．2010年頃からは，クラウド化も始まり，医療情報の保管を自施設内から専門的なクラウドサーバに移管することで，医療情報の消失などを防ぐ安全な管理体制として普及してきた．また，近年は，自施設に電子カルテやサーバなどのシステムを置かず，インターネットを利用した，システムのオンライン化が進んできている．このように医療情報電子化は時代と共に変革し，特にネットワーク技術の普及によりさまざまな情報共有や迅速な処理へとつながっていくことになる．

3 医療情報の電子保存

　医療情報の電子保存とは，医療で扱われる情報をデ

ジタル形式で保管することを一般に指す．これにより，従来の紙ベースの記録から電子的な形式に移行することが可能となった．しかし，その意義は法的観点から証拠として認められる保存方法としても重要視されている（医師法第24条，医療法第21条，保険医療機関および保険医療養担当規則第9条の診療録など）．

厚生労働省は，2005年に『医療情報システムの安全管理に関するガイドライン』を策定し，個人情報保護に資する情報システムの運用管理，個人情報保護法への適切な対応等について示している．このガイドラインは，医療情報を適切に保護することが求められる現代において，医療機関や関係者にとってきわめて重要なものとなっている．具体的には，医療情報システムの導入・運用・保守に関する基本的な考え方や，情報セキュリティの確保に必要な技術的・組織的・物理的な対策，情報漏洩・不正アクセス・システム障害などが発生した際の対応策，医療情報を活用する場合における倫理的な問題についての考え方などが記載されている．2023年5月には『医療情報システムの安全管理に関するガイドライン第6.0版』が公開され，情報セキュリティに関する考え方の整理，新技術への対応，および制度・規格の変更について，より詳細かつ大幅に内容が刷新された．ガイドラインは時代に適合した内容に更新されていくため，医療現場では随時確認しておく必要がある．

医療情報を電子的に保存する際には，以下の電子保存の三原則①真正性，②見読性，③保存性が重要となる．

①**真正性(authenticity)**：真正性は，情報が正確かつ完全であることを保証することを指す．これには，情報が作成された時点での状態が保持され，後に改ざんされていないことを確認できる必要がある．認証技術や二要素認証，アクセスログ管理などが用いられ，不正アクセスや情報の改ざんを防ぐことが可能となる．

②**見読性(readability)**：見読性は，保存された情報がいつでも確認できる状態であることを指す．保存された情報が適切に表示され，容易に見読できる状態とすることである．これには，システム停止時でも必要な診療録が閲覧できるようにバックアップを行うことや汎用ブラウザの利用なども必要とされる．

③**保存性(durability)**：保存性は，情報が必要な期間だけ適切に保存され，情報の劣化や消失，損失を防ぐことを示す．このためには，ウイルス対策ソフトの常駐やセキュアなネットワークの構築が必要である．さらに，バックアップデータの作成と復元，データ形式のバージョン管理，設備の劣化対策が重要となる．また，入退室管理や認証の仕組みなどの対策も必要とされる．

これらの原則を守り管理していくことで，医療情報の電子的な保存が確実に行われ，情報のセキュリティと信頼性が確保される．

2 医療用コードの標準化

1 厚生労働省標準規格

厚生労働省標準規格は，厚生労働省が定める規格群の通称であり，厚労省標準と略される場合もある．厚生労働省標準には，医療機器の安全性・有効性の評価方法，健康診断の項目・基準，疾患の診断基準，薬剤の品質基準，食品の添加物の基準など，さまざまな領域での基準が示されている．厚生労働省標準の制定においては，一般社団法人医療情報標準化推進協議会が医療情報の標準化に関する専門的な知見である『医療情報標準化指針』を基に，医療情報の取り扱いに関する基準策定に提言を行っている．

厚生労働省標準規格において2022年以降に追加された項目はHS036〜であり，今後の流れは後述するHL7 FHIRを中心に進んでいくものと予想される．

2 薬品に関する標準マスター(HOT)

薬品標準コードは，薬品を識別するために使用される固有のコードである．これは，国内外で共通のものとなるように，国際的な標準〔NDC(national drug code)など〕に基づいて作成される．この標準コードを使用することで，薬品に関する情報を統一的に整理しデータの交換や共有が容易になり，統計分析などにも利用される．

薬品HOTコードマスターは，医薬品の品目を識別

するためのコード体系であり，一般社団法人日本医療機能評価機構（JMDC）が提供している医療情報システム向けのコードマスターの1つである．HOTコードは，厚生労働省の医薬品医療機器等法に基づく品目名や，国際的な医薬品コード体系であるATC分類を参考にしており，薬品の形態や投与方法，製剤会社などの情報も含まれている．

医薬品管理コードは目的別に多くの種類がある．

①**薬価基準収載医薬品コード**：薬価単位である薬価基準収載医薬品コード（英数12桁）は，厚生労働省により管理されており，厚労省コードともよばれる．

②**個別医薬品コード（YJコード）**：上記①のコードをさらに細分類した個別医薬品コード（英数12桁）は，統一名収載品目の個々の商品に対して別々のコードが付与される．

③**レセプト電算処理システム用コード**：審査支払機関に提出するレセプト電算処理システム用コード（数9桁）は，薬価基準に収載されている医薬品を対象としている．

④**JANコード**：個々の医薬品の販売用包装単位に割り当てたJANコード（13桁）は，世界共通の商品識別コードで，国際的な流通標準化推進組織であるGS1（日本では流通システム開発センター）が管理しており，日本ではJANコード（ヨーロッパではEANコードなど各国で異なる）として使われている．

⑤**基準番号（HOTコード）**：上記4つの汎用コードを1つに包含して，さらにJANコードと1対1の対応関係を持つ番号をHOTコード（13桁）としてまとめている．このHOT番号は13桁（処方用7桁，会社用2桁，調剤用2桁，物流用2桁）で表示される．汎用コードとの対応からHOT 7，HOT 9，HOT 11，HOT 13とあり，使用目的別に扱える．HOT番号を病院情報システムに取り込むことで医療行政，外部との情報交流などさまざまな利用が期待できる（表4-2-1）．

3　病名に関する標準マスター（ICD）

病名標準コードは，病名を識別するために使用される固有のコードである．これは，国内に限らず海外でも共通のものとなるよう，国際的な標準に基づいて作

表4-2-1　HOTコードの汎用コード対応表

	7桁	2桁	2桁	2桁
例	1234567	06	04	02
	○○○○錠 50mg	販売会社判別用 ●●薬品	包装形態判別用 10錠	販売用包装単位 100錠
汎用4コード対応	HOT7対応：薬価基準収載医薬品モード，レセプト電算処理システム用コード			
	HOT9対応：個別薬品コード，レセプト電算処理システム用コード			
	HOT11対応：調剤包装単位コード			
	HOT13対応：JANコード			

（「医療情報システム入門　2023」（社会保険研究所）より改変）

成される．この標準コードを使用することで医療情報を統一的に整理し，データの交換や共有が容易になり，また，統計分析などへの応用も可能となる．

ICD-10は，『国際疾病統計分類　第10版（International Statistical Classification of Diseases and Related Health Problems, 10 th Revision）』の略称であり，疾患の診断・統計的分類のために使用される国際的な分類規格である．WHO（世界保健機関）によって制定され，1990年代から世界中で導入されている．ICD-10は疾患や障害の分類，診断，治療，また死因の統計的分析にも使われる．

ICD-10には，22の大分類がありアルファベット1文字と2桁の数字の3桁のコードによって表される（表4-2-2，図4-2-1）．その下に約14,000の疾患コードが含まれており，疾患に関する情報を迅速かつ正確に集計するために使用される．また，ICD-10の後継版としてICD-11が2018年6月に発表，2022年1月に更新され疾患コードも約18,000までに増えた．しかし，その普及にはまだ時間を要するため，ICD-10は現在でも多くの国や地域で使用されている．

4　画像検査に関する標準マスター（JJ1017）

JJ1017指針は，保健医療福祉情報システム工業会

表4-2-2 ICD-10 国際疾病分類第10版

章	ICDコード	分類見出し
1	A00-B99	感染症および寄生虫症
2	C00-D48	新生物＜腫瘍＞
3	D50-D89	血液および造血器の疾患ならびに免疫機構の障害
4	E00-E90	内分泌，栄養および代謝疾患
5	F00-F99	精神および行動の障害
6	G00-G99	神経系の疾患
7	H00-H59	眼および付属器の疾患
8	H60-H95	耳および乳様突起の疾患
9	I00-I99	循環器系の疾患
10	J00-J99	呼吸器系の疾患
11	K00-K93	消化器系の疾患
12	L00-L99	皮膚および皮下組織の疾患
13	M00-M99	筋骨格系および結合組織の疾患
14	N00-N99	尿路性器系の疾患
15	O00-O99	妊娠，分娩および産褥
16	P00-P96	周産期に発生した病態
17	Q00-Q99	先天奇形，変形および染色体異常
18	R00-R99	症状，徴候および異常臨床所見・異常検査所見で他に分類されないもの
19	S00-T98	損傷，中毒およびその他の外因の影響
20	V01-Y98	傷病および死亡の外因
21	Z00-Z99	健康状態に影響を及ぼす要因および保健サービスの利用
22	U00-U99	特殊目的用コード

表4-2-3 種別（モダリティ）コード

コード意味	コード値	旧バージョン
利用法未定	0	
X線単純撮影	1	GX
X線透視・造影	2	GX
X線血管撮影	3	XA
X線断層撮影	4	GX
X線骨塩定量	5	GX
X線CT検査	6	CT
MRI検査	7	MR
核医学検査	8	NM
超音波検査	9	US
体外照射	A	-
密封小線源	B	-
温熱療法	C	-
血液照射	D	-
内服療法	E	-
乳房X線撮影	F	-
X線単純撮影（ポータブル）	G	-
歯科口腔内撮影	H	-

表4-2-4 大分類コード

コード意味	コード値
全身	10
躯幹部一般	20
胸部	25
胸腹部	30
腹部	35
腹部骨盤部	40
骨盤部	45
頭部顔面	55
頭頸部	60
頸部	65
上肢	75
四肢	80
下肢	85
特定できず（NOS）	0

第10章　呼吸器系の疾患（J00-J99）
●J00-J06　急性上気道感染症
　● J00　急性鼻咽頭炎［かぜ］〈感冒〉
　● J01　急性副鼻腔炎
　　・J01.0　急性上顎洞炎
　　・J01.0　急性前頭洞炎
　　　　　　　　⋮
●J30-J39　上気道のその他の疾患
　● J30　血管運動性鼻炎及びアレルギー性鼻炎〈鼻アレルギー〉
　　・J30.0　血管運動性鼻炎
　　・J30.1　花粉によるアレルギー性鼻炎〈鼻アレルギー〉
　　　　　　　　⋮

図4-2-1 ICD-10 コードの中身の例（第10章の一部）

表 4-2-5 臓器系部位コード

コード意味	コード値
実質臓器一般	1
骨格系	3
心血管系	4
消化器系	5
呼吸器系	6
泌尿器生殖器系	7
特定できず(NOS)	0

(JAHIS)と日本画像医療システム工業会(JIRA)によって組織されたJJ1017委員会がDICOM規格の予約情報と検査実施情報の利用に関する指針として，2000年に策定を始めた．JJ1017は，放射線領域において情報連携される手技・行為を表現するコードとそのマスターを提供するものである(表4-2-3～表4-2-5)．JJ1017指針が定めた内容は，DICOMタグの解釈と必要度やオーダ詳細項目表現に用いるシーケンスの活用についてもまとめている．これまで診療報酬改定のたびに小規模なコードの追加を繰り返してきたが，時代の流れに合わせて陳腐化が目立ったため，2022年に『JJ1017 Ver3.4』として改定された．JJ1017 Ver3.4では，近年，被ばく線量管理の義務化が求められるなかで，線量情報のデータ分析を行う際の留意点を明文化し，成人/小児の区分などが追加された．また，姿勢体位について拡張領域の変更やフォーマットの見直し，注意事項の追加も行われた．指針の改定により，より正確で効率的な被ばく線量データの分析が可能となるとされる．本指針の利用により，正確で効率的な被ばく線量データの分析が可能となり，2次利用の可能性が示されている．

JJ1017は，DICOM規格のみならずHL7，IHE-J等に基づく標準化技術との整合性を確保しており，国内唯一の放射線領域における標準的マスターである．

5 MEDIS 標準マスター

MEDIS-DCは，Medical Information System Development Centerの略称で，国立がん研究センターが開発したがん登録システムである(表4-2-6)．一般財団法人医療情報システム開発センター(MEDIS-DC)は厚生労働省からの委託により，2004年度までに診療情報の用語・コードの標準化として，9分野，10の標準マスターを作成した．これらは日本国内のがん登録データを収集・管理するために開発され，現在では日本国内のがん登録事業において広く使用されている．

MEDIS標準マスターは，標準コード間の一義的な対応関係を示しており，オーダリングシステムや電子カルテと診療報酬請求システムが一体となって運用可能となる(図4-2-2)．たとえば，電子カルテでは，1つ1つの検査にコードがついていないと依頼も報告もできないが，診療報酬請求では，まとめて請求が行われるため，まとめたものにコードがついていたほうが便利である．したがって，標準コードが2つあってもよいことになるが，重要なのは一義的な対応関係が示されることにある．

代表的なマスターコードとしては，HOTコードマスター，ICD-10マスター，臨床検査マスターなど，これらのコード体系に関して情報連携や交換ができる．

3 画像および文字情報の標準規格と統合

1 DICOM

DICOM(Digital Imaging and Communications in Medicine)は，医療画像をデジタル形式で保存，管理，送信するための国際標準規格である．この規格は，CTやMRIなどの医療画像検査装置などから生成された画像データを効率的に管理するために，装置メーカー，医療機関，ソフトウェア開発者によって共同で開発さている．また，医療画像検査を行う際に必要となる情報(撮影日，患者ID，患者名など)や画像情報(モダリティ，画素数，1画素当たりのビット数など)を，撮影装置や医療情報システムの間で交換するための規格でもある．

DICOMの歴史は，1993年に米国放射線科医学会ACR(American College of Radiology)と北米電子機器工業会NEMA(National Electrical Manufacturers As-

表 4-2-6 MEDIS-DC が提供しているマスター

・病名マスター（ICD-10 対応標準病名マスター）
・手術・処置マスター
・臨床検査マスター（生理機能検査を含む）
・画像検査マスター
・医薬品 HOT コードマスター
・医療機器マスター
・看護実践用語標準マスター＜看護行為編＞＜手術観察編＞
・症状所見マスター＜身体所見編＞
・歯科分野マスター＜病名＞＜手術処置＞
・J-MIX（電子保存された診療録情報の交換のためのデータ項目セット）

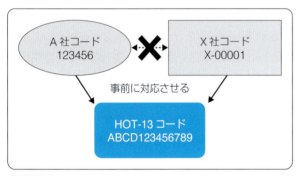

図 4-2-2 医薬品コードの例

sociation）で共同開発され，ACR-NEMA 委員会として承認された．1988 年に ACR-NEMA の Ver. 2.0 が発表され，画像と関連する情報を交換するためのデータ要素の集合として DICOM の基礎が確立された．1993 年には DICOM Ver.3.0 が発表され，医療画像の電子的管理において DICOM が主要な標準化規格となった．その後，2006 年に国際標準化機構 ISO より，ISO 12052: 2006 として承認され国際標準規格となった．

DICOM 規格は，DICOM 標準化委員会によって随時更新されており，追加，拡張，修正が行われたのち出版されている．DICOM の構成は，本編 Part1 ～ 22，補遺 Supplement1 ～ 211 にのぼり（2023 年 3 月 31 日現在），基本的に英文で記述されている．本邦では，JIRA（社団法人日本画像医療システム工業会）の DICOM 委員会やいくつかの団体によって，DICOM 規格の一部の和訳が公開されている．

DICOM に準拠した医療画像機器は，さまざまな機能を持っている．一方で，すべての機器がすべての DICOM 規格のアプリケーションを持つ必要はなく，その機器に必要な機能のみ併せ持っていれば十分である．DICOM 適合宣言（DICOM Conformance Statement）は，DICOM 規格に基づいて開発された製品やシステムが DICOM 規格に適合していることを保証するためのものであり，DICOM 規格に準拠した機器やソフトウェアが DICOM 適合宣言を提供する．

1）DICOM タグ

DICOM 画像は，**DICOM タグ**とよばれる付帯情報を含んでいる．DICOM タグは，DICOM 画像ファイル中に存在するデータ要素を特定するために使用される識別子である（表 4-2-7）．

DICOM タグには，Tag Group Number，Tag Element Number，Tag VR（value representation），Tag Length の 4 つの要素が含まれている．Tag Group Number は DICOM タグが属するグループを，Tag Element Number は DICOM タグが属する要素を識別する．一方，Tag VR は DICOM タグの値の型を，Tag Length は DICOM タグのデータ長を表している．また，タグ内には DICOM 画像に関する情報，たとえば，患者に関する情報，画像取得に関する情報，画像処理に関する情報など，さまざまな種類がある（図 4-2-3）．具体的には，Patient Name，Patient ID，Study Date，Modality，Pixel Spacing などがある．

2）SOP（Service-Object Pair）

DICOM では，医療画像や画像情報など機器から発

表 4-2-7 DICOME タグの例（一部）

tag	attribute name		length	
(0008,0016)	SOP Class UID	SOP クラス UID	26	1.2.840.12345.5.1.4.1.1.4
(0008,0018)	SOP Instance UID	SOP インスタンス UID	54	1.2.840.98765.5.1.4.1.1.4
((0008,0020)	Study Date	検査日付	8	20230401
(0008,0060)	Modality	モダリティ	1	MR
(00010,0010)	Patient's Name	患者の名前	4	Idai^Taro
(00010,0020)	Patient ID	患者 ID	10	12345
((00010,0030)	Patient's Birth Date	患者の誕生日	0	20010101
(00010,0040)	Patient's Sex	患者の性別	2	M
(00018,0015)	Body Part Examined	検査部位	4	HEAD
(00018,0020)	Scanning Sequence	シーケンス	2	SE
(00018,0050)	Slice Thickness	スライス厚さ	6	6
(00018,0080)	Repetition Time	反復時間	6	4500
(00028,0010)	Rows	行	2	512 0 x0140
(00028,0030)	Pixel Spacing	画素間隔	14	0.6875\0.6875
(00028,0100)	Bits Allocated	割当ビット	2	16 0 x0010
(7 FE0,0010)	Pixel Data	画素データ	524288	

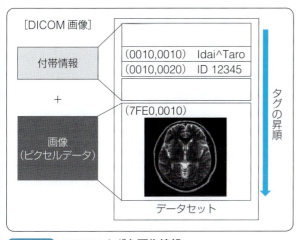

図 4-2-3 DICOM タグと画像情報

生したデジタル情報をオブジェクトとよび，そのオブジェクトを処理する中身をサービスとよんでいる．これをサービスオブジェクト対とし，一般に **SOP**（Service-Object Pair）とよばれる．SOP は，DICOM ネットワーク上で特定の目的を持つデータを識別するために使用される．

3）サービスクラス

DICOM ネットワーク内の情報交換には，大きく2つのアプリケーションが存在する．これらは，**SCU**（service class user）および **SCP**（service class provider）とよばれる．

SCU は，DICOM ネットワーク上で情報を"要求"し取得するアプリケーションである．情報の要求側であり，SCP に対して情報要求メッセージを送信する．たとえば，CT 画像を取得する場合，SCU は CT 装置側に画像を取得するためのリクエストを送信し，画像の取得を開始する．

一方，SCP は，DICOM ネットワーク内で情報を"提供"するアプリケーションである．SCP は情報の受信側であり，SCU からの情報要求メッセージを受信して，要求された情報を提供する．CT 画像を提供する場合，SCP アプリケーションは，画像要求を受け取り，要求された適切な画像ファイルを返す（図 4-2-4）．

4）MWM（modality worklist management）

MWM は，モダリティで使用される患者情報と検査情報を一元管理するサービスである．取得する情報は，放射線科情報システム（radiology information system：

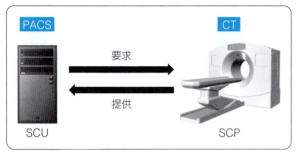

図4-2-4 SCUとSCPのイメージ PACSがCT画像を取得する流れ

RIS)などから生成され，患者氏名，年齢，性別，検査の種類，検査室の場所などが含まれる．この一元管理によって，モダリティは患者情報を自動的に取得でき，人的ミスを防ぐことが可能となる．また，データの整合性が確保され，効率的なワークフローが実現される．

5) MPPS (modality performed procedure step)

MPPSは，検査装置が実際に実行した手順の検査済み情報を報告する．これには，検査開始・完了，実行日時，実施者，画像取得条件，手順などの結果などが含まれる．MPPSは，これらの情報を収集したのち，情報を追跡，管理，保存することができ，それらの情報をRISなどに転送する．MPPSのおもな利点は，装置が実行した手順を追跡し診断情報と一致させることで管理が可能となる点にある．具体的には，検査の開始および実施中は進行中"IN PROGRESS"という状態，実施完了時には完了"COMPLETED"，また中止では"DISCONTINUED"という状態がRISに伝わる．これにより，患者の診断結果に関する情報の精度が向上し，医療現場での意思決定がより適切になることが期待される．

2 HL7

HL7(Health Level Seven)は，医療情報交換における医療文書情報のデータ連携を標準化するための国際標準規格である．HL7の"7"はISO-OSI第7層アプリケーション層に由来する．診療情報提供書や診断結果報告書などにおいて，おもに文字情報のデータ構造およびトランザクションの規約である．現在，V2(テキスト)，V3(XML)，CDA(V3の進化版)，FHIR(Web通信)の4種類があり，それぞれ，データ構造(フォーマット)のルールを定めている．このうちFHIRのみ，Web通信での連携を前提としている．

現在，HL7標準はVer.2シリーズとVer.3で提供されている．Ver.2はメッセージ交換のための仕様であり，Ver.3はUNLのモデリング技術を使用して医療を体系化したもので，RIM(reference information model)やCDA(clinical document architecture)が標準となっている．Ver.2シリーズでは，セグメント，フィールド，エレメントの階層構造で記述される．具体的には，

- セグメント：<CR>(carriage return)
- フィールド：「|」(vertical line)
- エレメント：「^」or「~」(tilde)

で，区切りとなる．HL7はDICOMと異なり，通信手続きに関する規格はなく，メッセージ内容と交換形式を規定したものである．本邦においては，HL7メッセージをJISコードで記述することとなっており，Shift-JISの使用は認められておらず，エラーの要因となるので注意が必要である．

HL7 FHIR(fast healthcare interoperability resources)は，Web通信を前提としさまざまなメリットを有する．HL7 Internationalによって新たに開発された国際的な医療情報交換の標準規格である．FHIRの特徴はWebベースであり，そのメリットとして，異なるOSのアプリケーションでも実装しやく，柔軟にデータ交換可能なフォーマットで構成されている点にある．したがって，さまざまなシステムやアプリケーション間でのデータ共有を容易にすることが可能となる．今後，HL7 FHIRは各種規格のベースとして使用されることが予想される．

3 IHE

医療情報システムでは，それぞれのモダリティやベンダーごとに開発された標準規格をベースに組み立てられている．しかしながら，一言に標準規格といって

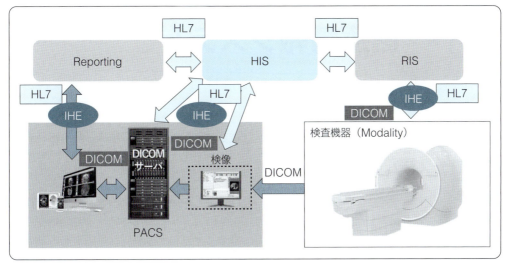

図 4-2-5　IHE による DICOM と HL7 の統合例

　も，通信方法や用語などさまざまであり，さらにオプションなどを装着したものもあるため，相互に使用方法を確認し合わなければ連携が困難である．

　IHE(integrating the healthcare enterprise)は，異なるベンダーの製品やシステムが互いに通信できるように，標準化された手順を提供している．これにより，さまざまなベンダー間でのシステム統合を簡単に行うことができ，医療情報交換が円滑に行うことが可能となる．IHE では，具体的な手順を示した IHE Integration Profiles を開発しており，これに従うことで異なるベンダー間で相互のデータ交換を実現するための指針を提供している．本邦では，2001 年より活動を開始，2007 年に一般社団法人日本 IHE 協会を設立し IHE インターナショナルと連携をしている．日本に適合させた IHE-J として，日本の医療情報システムの実態に応じた独自のプロファイル（実装ガイドライン）を策定し，これをベースにした医療情報システムの開発・導入を推進している．

　IHE-J の取り組みで特筆すべき点として，2 バイト文字である日本語の取り扱いについてのチェック機能を果たしていることが挙げられる．たとえば，オフラインでの医療情報の受け渡しには，CD などの可搬型媒体が使用されるが，異なる医療施設で異なる検査機種を使用していても，その医療情報を CD などの可搬型媒体を使用して読み出すためには，共通のフォーマットを定義する必要がある．この PDI 統合プロファイルは，医療画像を可搬媒体に保存し，医療機関間でやりとりする際の収容方法や読み出し後の処理についてまとめており，自施設の PACS に統合する手法についても述べられている．HE-J では，日本語を使用する際のエラーなどの問題を特定し，実装の形を整える役割を担っている．この取り組みにより，PDI(portable data for imaging)が日本国内で広く普及することにつながっている．

　一方，IHE は，DICOM や HL7 などの共通規格やプロトコルを提供しているわけではなく，それぞれが独自に開発した規格を相互に結びつけ，シームレスに統合するためのアドバイスを行っているということが重要である．簡潔にいえば，DICOM と HL7 を相互に使うガイドを示しているといえる．そこで，IHE では，IHE Connectathon（コネクタソン）とよばれるテストイベントを開催し，異なるベンダー製品やシステムが相互に通信できるかどうかのテストを行っている．そして，IHE 認定プログラムにより，IHE Integration Profiles に準拠した製品やシステムに対する認定も行っている（図 4-2-5）．

第3章 医療情報システム

1 病院情報システム（HIS）

医療現場では，医師・患者を中心としたたくさんの人々により患者情報をはじめとしたさまざまな情報を共有している（図4-3-1）．

病院情報システム（hospital information system：HIS）とは，病院内のさまざまな部署をコンピュータネットワークで結ぶことにより，従来，紙や口頭で伝達されていた情報を，コンピュータシステムを利用してやりとりするものである．これにより，患者情報の伝達や共有をスムーズに行うことが実現できる．さらに，さまざまな病院内の業務にコンピュータシステムを利用することにより，それぞれの業務も効率化することが期待される．

つまり，HISは病院全体の診療・会計業務の効率化のためのシステムの集合体であり，オーダエントリシステム，電子カルテシステム，医事会計システムなどさまざまなシステムで構成されており，各病院の規模によりその内容や規模は異なる．**医療用画像管理システム**（picture archiving and communication system：PACS），**放射線情報システム**（radiology information system：RIS）とも連携し，患者情報，検査情報などをやりとりし，効率的な診療業務を可能にする．

最近では，患者情報の共有や業務効率にとどまらず，患者サービス向上，職員間コミュニケーション向上，病院経営支援などさまざまな目的で運用されている．

1 HIS導入のメリット

HIS導入のメリットとしては以下が挙げられる．

1）医療の質の向上

医療情報が電子化されることで情報の内容が明確になる．また，HISの活用によって診療を支援することで情報の伝達ミスや欠落がなくなり，医療ミスが低減される．そのため，HIS導入により医療の質の向上が

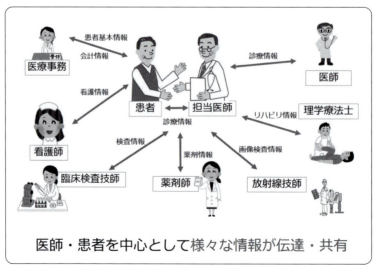

図4-3-1 医療現場でのコミュニケーション

期待できる.

2）病院業務の効率化

医療情報が電子化されることで，日々の診療に必要なカルテやX線フィルム，伝票類などの書類を作成したり探し回ったりする必要がなくなり業務効率化を図ることが可能となる．また，これらの書類を保管する場所が必要なくなることで，不足になりがちな院内のスペースの有効活用が期待できる．さらに，書類の電子化により，院内の離れた場所や複数の場所での情報共有が容易となる．

3）各職種間のコミュニケーション向上

病院内の各部署では，医療情報が電子化されることで容易に患者情報を共有することができる．また，患者情報のやりとりが容易となるため，各職種間のコミュニケーションが向上し，患者取り違いや指示ミスなどといったことを防止でき，医療安全の推進化も期待できる．

4）患者サービスの向上

診察の際に，患者と一緒にHIS画面を見ながら説明することで，検査結果や疾病の説明がわかりやすくなり，患者の病状への理解を深めてもらうことに役立つ．また，HISによる診療予約や検査予約が可能となることで予約業務が効率化でき，予約時や検査時の患者の待ち時間を短縮できる．また，他院への紹介の際に，以前はX線写真などを患者本人が持参していたが，医療情報の電子化によりCDやDVDなどの可搬媒体（portable date for imaging：PDI）やネットワークを介した送付などにより，費用や手間といった患者への負担も軽くなっている．

5）病院経営の効率化

医事会計システムや物品管理システムにて蓄積したコスト情報を解析し，それらを用いた経営戦略の立案など経営に反映させることも可能となる．

2　病院情報システムの構成

現在の病院情報システムは，図4-3-2に示すように，**電子カルテシステム**や**オーダエントリシステム**，看護支援システムなど多くのシステムの集合体となっており，システムの動きも複雑化し高度化している．このため，病院情報システムの導入には多額の導入費用や維持費が必要であるとともに，その全体のシステムの管理運営も高度化してきている．また，ネットワーク上に電子化した患者情報が存在するため，情報漏洩のリスクも紙カルテの時代とは大きく異なっている．さらに，システムを改修するためには多額の費用と時間

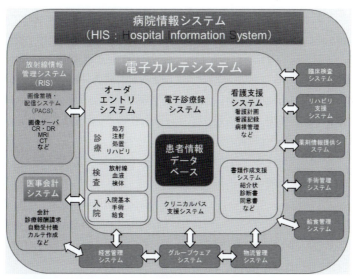

図4-3-2　病院情報システム外観

第4編 医療情報論

図 4-3-3 病院情報システム構築図例

がかかるため，システムの動きに病院スタッフの運用を合わせなければいけない場合も考えられる．

病院情報システムは，大きく分けてメインシステムである電子カルテシステム（電子診療録システムやオーダエントリシステム，看護支援システムなど）と，サブシステムである各部門システムに大別される．

1）電子カルテシステム

電子カルテシステムには，日々の診療を記録していく電子診療録システム，検査指示や検査結果参照，薬剤投与指示などを行うオーダエントリシステム，看護業務をサポートする看護支援システム，診断書をはじめとしたさまざまな書類の作成支援や管理を行う文書作成支援システムなどが含まれる．

最近は，各システム開発企業がある程度標準化されたパッケージ製品を販売しているものの，各病院での業務は標準化されているものは少なく，少なからずソフトウェアのカスタマイズ（改修）が発生し，これがシステム導入費用の高額化の一因となっている．

2）部門システム

サブシステムの部門システムには，病院内の各部門で使用されるシステムが含まれる．代表的なものでは，患者基本情報入力や医事会計の診療報酬計算などを行う医事会計システム，放射線部門業務を支援するRIS，薬剤管理業務を支援する薬剤情報システム，給食関連業務や栄養指導を支援する栄養管理システム，リハビリテーション業務を支援するリハビリ管理システム，臨床検査業務を支援する臨床検査システムなどがある．

部門システムは，各病院が必要に応じて選択して導入する場合が多く，各病院によりさまざまな組み合わせで導入されている．

図 4-3-3 に，病院情報システム導入の一例として，A大学病院の病院情報システム構築例を示す．電子化カルテシステムを中心に，医事会計システムはもちろんのこと，各診療科に特化した電子カルテシステムや検査部門関連（検体検査部門システムなど）や放射線部門関連（放射線部門システム）をはじめとした部門システムが多く導入されている．

3 システム更新

システムは5年から10年程度に一度システムの更新（リプレース）を行う必要がある．

その理由は以下の通りである．

1）ハードウェアに起因する事柄

病院情報システムで利用されるサーバやクライアント端末は汎用的なサーバ機やパーソナルコンピュータを利用して構築されることがほとんどである．このため，生産停止から5年間以上経過すると，保守部品の入手が困難となりメーカーサポート（修理など）が打ち切られる．また，経年によりハードウェア自体も陳腐化する．これらのことから，継続して使用することが困難となり，リプレースが必要となる．

2）ソフトウェアに起因する事柄

ハードウェア同様，ソフトウェアにもサポート期間が定められている．最近は，Windows機が利用されることが多く，基本ソフトウェア（operating system：OS）のサポートが切れるとセキュリティの脆弱性の問題からリプレースが必要となる．Windows XPのサポートが終了した2014年には，多くの医療機関がこの問題に直面した．

3）アプリケーションに起因する事柄

病院情報システムに利用される業務用ソフトウェア（アプリケーション）自体も，経年により陳腐化していく．また，コンピュータ技術の発達や病院業務の発展などによる新たな機能の追加や業務の進化に対応するために，大きなソフトの入れ替え（メジャー・バージョンアップ）やリプレースが必要となる．

4　データや通信規格などの標準規格

HISでは，多くのシステムを接続しさまざまな情報をやりとりする．これらの情報のやりとりをスムーズに行うために，標準規格は必須である．それらは分野により以下のように分類される．

- 疾病分類：**標準病名マスター**，**ICD-10**，DPC
- 手術・処置：**MEDISコード**，Kコード
- 看護：NANDA，NIC，NOC，ICNP
- 検査：JLAC
- 薬品：**HOT**，JAN
- 医療材料：JAN，EAN-128
- 症状・所見：J-MIX
- 臓器・部位：SNOMED
- 文献検索：MeSH

2　放射線情報システム（RIS）

病院情報システムのなかで，放射線部門に特化した部門システムが**放射線情報システム**（radiology information system：**RIS**）である．RISは，電子カルテシステムやオーダエントリシステム，放射線画像検査システム（picture archive communication system：PACS）などと連携し，放射線検査予約や検査実施情報，照射録，医薬品，医療材料などを統合的に管理し，それらを用いて検査統計業務などを行い，放射線部門業務支援を行うことがRISのおもな目的である．また最近では，放射線機器などと連携し，放射線被ばく管理などの機能を提供する製品なども存在する．

1　RISの機能

RISのおもな機能は以下のとおりである．

1）放射線画像検査予約管理

オーダエントリシステムより発行された検査予約を受け，各検査機器（モダリティ）ごとに予約状況や患者の来院状況などを管理する．

2）放射線検査進捗状況管理

来院した患者が，受付を済ませたか，検査が始まったか，検査が終了したか，検査を中止したかなど，現在どのような進捗でいるのかを管理する．

3）放射線検査実施管理

どのような撮影条件を使用したか，撮影であればどこの部位を，何方向，何枚撮影したかなど，実施した検査の内容を管理するとともに，実施情報をHISを通じて医事会計システムに送る．また，これらの情報をもとに照射録を作成する．

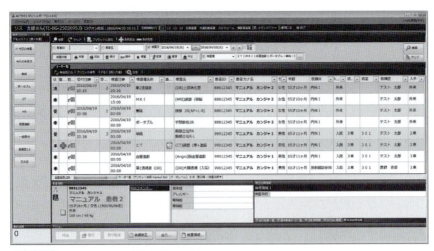

図 4-3-4　RIS 画面の一例（受付画面）

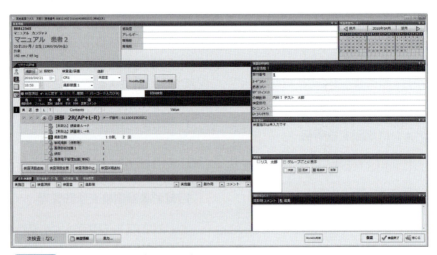

図 4-3-5　RIS 画面の一例（実施画面）

4）放射線検査統計業務

どのような検査が，いつ，どの検査室で，どの程度の時間をかけて実施されたかなど，放射線検査全体の統計をとることができる．

5）物品管理

各検査で，医薬品や医療材料などをどの程度（量）使用したかを管理し，検査実施情報とともに HIS を通して医事会計システムに情報を送る．

RIS 画面の一例として，図 4-3-4 に受付画面を，図 4-3-5 に実施画面を示す．

RIS には，一般的な RIS のほかに，放射線治療業務に特化した治療 RIS，核医学検査業務に特化した核医学 RIS などがある．治療 RIS では，放射線治療部門の治療予約，治療計画，治療記録などを統合的に管理し，HIS や各モダリティのほか，放射線治療装置や放射線治療計画とのシステム連携も必要となってくる．

第3章 医療情報システム

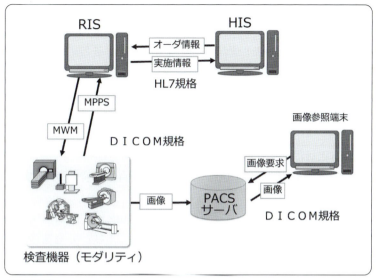

図 4-3-6 放射線業務における情報の流れ

2 放射線業務一般における情報の具体的な流れ

ここでは，放射線部門業務一般を対象としたRISの機能について説明する．情報の具体的な流れを図4-3-6に示す．

① 患者が，病院へ来院し受付を行うと，医事会計システムにて患者基本情報が登録される．
② 患者基本情報は電子カルテシステムへと連携され，診察後オーダリングシステムから放射線撮影依頼が入力される．
③ オーダエントリシステムより，RISへ検査依頼情報とともに，患者基本情報，アレルギー，体内金属情報などが伝達される．
④ RISより各検査機器（モダリティ）へ，検査依頼情報とともに患者基本情報が伝達される．
⑤ 検査終了後，検査実施情報および会計情報が，RIS，HISを経由して医事会計システムへと返される．

3 規格とプロトコル

RISでも，HIS同様にさまざまなシステムがあり，

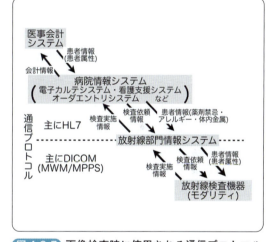

図 4-3-7 画像検査時に使用される通信プロトコル

各システムと情報のやりとりを確実に行う必要がある．このため，通信するための約束事（標準化規格）が定められ，一定の方法（プロトコル）により情報のやりとりを実施している．

HISとRIS間の情報のやりとりには，**HL7規格**が採用されている．同様に，RISと各モダリティ，PACSサーバ間の情報のやりとりには**DICOM規格**が採用されている．また，RISと各モダリティ間ではプロトコルとして，**MWM**および**MPPS**が採用されている（図4-3-7）．

各規格およびプロトコルの概要を以下に示す．

1) HL7(Health Level Seven)

テキスト情報や計測値などの診療情報交換や標記のための標準規格である．1987年に米国で制定され，その後全世界へと広がった．規格名は，ISOの通信規格OSI(Open System Interconnection)7階層モデルのうち，システム間で交換されるデータ定義や情報交換のタイミング，エラー処理などを定めるアプリケーション層(第7層)の規格であることに由来している．

2) DICOM(Digital Imaging and Communications in Medicine)規格

医療における画像検査に関係した情報交換を行うための標準規格である．1993年にACR(American College of Radiology)とNEMA(National Electric Manufacturers Association)とが共同で策定したのが始まりであり，その後必要に応じて変更がなされている．

3) MWM(Modality Worklist Management)

SOP(Service Objective Pair)クラスを用いた通信プロトコルの一種であり，RISとモダリティ間での検査リストや患者基本情報，検査予約情報などをやりとりするプロトコルである．

なお，SOPクラスとは，どのような情報(Object)をどう扱うか(Service)の分類(Class)を定めたものである．

4) MPPS(Modality Performed Procedure Step)

MWM同様にSOPクラスを用い，こちらはモダリティとRIS間で撮影条件や照射線量など，検査中や検査後に得られた情報などを検査実施情報としてやりとりするプロトコルである．

4 システム更新

RISもHISと同様に，5～10年ごとにリプレースを行う必要がある．その理由としては，HISと同様に，ハードウェアやソフトウェアの経年による陳腐化のためである．また，アプリケーションに関しては，新たな機能の追加に加え接続するモダリティ(検査機器)の進化により，それに対応させるためのバージョンアップやリプレースが必要となる．

3 PACS

1 PACS登場の歴史

PACS(picture archiving and communication system)は，CTなどの画像診断装置が発生する画像をサーバコンピュータに接続した大容量のストレージ装置に保存し，必要に応じて画像表示端末に画像を配信するシステムである．PACSが普及した要因は，①画像診断装置のデジタル化・高性能化，②医療画像の標準化，③画像保存装置の大容量化と④ネットワークの高速化である(図4-3-8)．1980年代はCTやCRなどの"デジタル"画像診断装置が普及し始め，デジタルデータとして保存し，参照する実験的な取り組みが行われた．その後，医療画像の標準化が進み，ACR-NEMA1.0，2.0が登場し，1993年にDICOM3.0が制定されると多くのモダリティメーカーが採用したことでさまざまなモダリティの医療画像を比較参照することができるようになった．これにより院内で発生する医療画像を一元的に保存管理するPACSが普及していった．現在PACS普及率はほぼ100%である．次に画像保存装置の大容量化について見てみると，PACSの創成期には画像保管容量をいかに確保するかが課題であった．90年代はハードディスクが高価であったため，テープチェンジャー，CD-RチェンジャーやDVD-Rチェンジャーとハードディスクを組み合わせてPACSを構成していた．現在では数百TBのハードディスにすべての画像を保管するPACSが稼働している．またネットワークの高速化もPACSの普及に寄与している．1990年代のネットワークは1秒間に10Mビット(1秒間に1.25Mバイト，CT画像2枚程度)の伝送速度であったものが100Mbps，1Gbpsと高速化が進んできた．これにより院内で発生するさまざまな医療画像を保管し，必要に応じてす

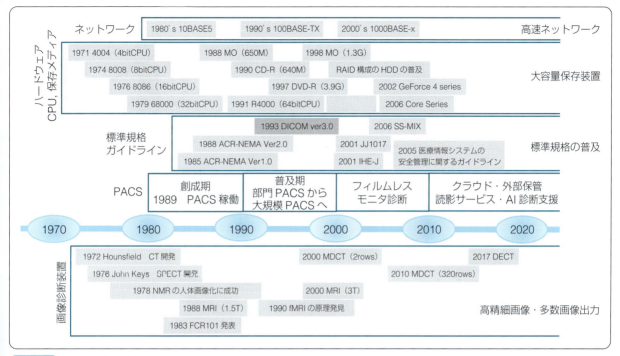

図4-3-8 PACSの発展と関連技術の歴史

みやかに画像参照できるようになった．院内に設置されたサーバに画像保存するオンプレミスPACSに対して，外部に画像を保管するクラウドPACSも普及している．PACSは5，6年程度でシステムを更新するが，そのとき大量の画像データの移行する作業が発生する．まちがいなく正確に移行する作業は現場にとって大きな負担である．PACSのクラウド化は長期保存をクラウドに，直近画像のみをオンプレミスに保管することで画像移行の負担を軽減することが期待できる．さらにクラウド化は災害対策としての役割，つまりBCP (business continuity planning，事業継続計画)対策としても注目されている．自然災害やサイバー攻撃においてオンプレミスが被害を受けてもクラウドの画像からすみやかにPACSを復旧することができる．さらにクラウド化のメリットには，クラウドPACSの画像を専門医と共有することにより読影サービスの提供を受けたり最近では人工知能による診断支援サービスを利用したりできる．

2　PACSの構成と機能

PACSは画像保管するサーバ，画像を参照する端末，画像を確認する検像端末(次節で説明)と外部の施設から持ち込まれた画像の取り込み(インポータ)あるいは外部の施設へ提供するため(パブリッシャ)から構成される(図4-3-9)．

1）PACSサーバ

PACSサーバはシステム障害時にも稼働し続けるように耐障害性能を高めるさまざまな冗長化対策をとっている．画像を保存するストレージは複数のハードディスクによる冗長化(redundant arrays of inexpensive disks：RAID)を行い，ディスクの1台に障害が発生してもただちにデータが失われないように対策されている．RAID構成にはミラーリング(RAID 1)とよばれる構成があり，偶数大のディスクを2つのグループに分け，同じデータを両方に書き込む方法である．一方が障害を受けても片方で稼働し続けることができる．しかし，ミラーリングはディスクの総容量の半分

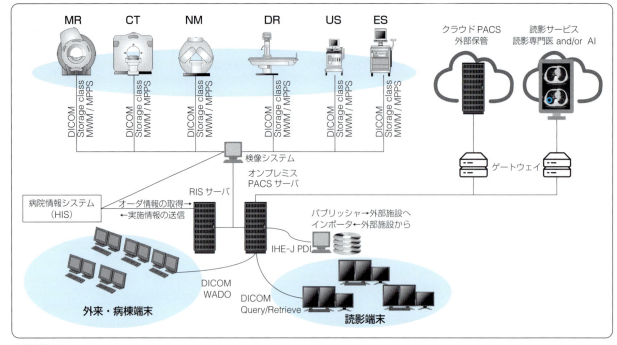

図 4-3-9 PACS の概念図
画像を保管管理する PACS サーバと画像参照 読影端末，さらに外部保管サービスなどから構成される．

しか保存できないため効率的ではない．RAID 5 とよばれる構成では画像を保存する複数のディスクにパリティディスクを 1 台付ける構成である．N 台のディスクで RAID 5 を構成すると，$N-1$ 台が画像保存に使え，RAID 1 よりも効率的である．現在，パリティディスクをさらに 1 台追加して 2 台構成にした RAID 6 が一般的である．これは復元中にディスクに負荷がかかりもう 1 台のディスクが障害を受けたときにも対応するためである．PACS サーバ本体についても冗長構成をとることができる．サーバの構成要素である CPU，メモリ，ハードディスクや電源などを多重化したフォールトトレラントサーバ(fault tolerant server，FT サーバ)を用いて，構成要素の障害時においても PACS が稼働し続けるように対策を行っている．また，最近では仮想化技術を用いて 1 筐体の物理サーバを論理的に分割し PACS，レポートや RIS などのアプリケーションを実装して運用する方法も用いられている．物理コンピュータのリソース(CPU やメモリなど)を複数のアプリケーションで最適に利用すると同時に，バックアップ用の物理サーバで冗長化することで，システム障害時にも OS やサーバソフトウェアを停止せずにバックアップ用の物理サーバに処理を移動(ライブマイグレーション，live migration)することで耐障害性能を向上させている．

PACS サーバは低コストで大容量のストレージで構成することを創成期から検討してきた．90 年代のハードディスクは高価であったため，短期保存用のストレージ(short-term storage)と長期保存用のストレージ(long-term storage)に分けて保存し，高速にアクセスする必要がある直近画像のみ短期保存用のハードディスクに保存していた．一方，長期保存用の装置には低速ではあるが単位 byte 当たりのコストの安いテープチェンジャーや CD/DVD チェンジャーを用いていた．

PACS サーバは DICOM 規格に対応しているため，異なるメーカーやシステムベンダーの装置を接続することが容易になった．DICOM で規定された**適合性宣言**(conformance statement：**CS**)とよばれる文書が各社のホームページで公開され，事前に装置の接続性について確認することができる．

PACS サーバは受信した画像をハードディスクに保存すると同時に，患者の ID や氏名，検査日，検査種

などのメタ情報と画像の所在情報（ディスクのどの場所に保存したのか，ファイルパス）をデータベースに登録・管理している．画像端末から PACS サーバに対して画像の検索と取得には DICOM 規格の Query/Retrieve を用いるのが基本であるが，直接データベースにアクセスして高速に画像転送できる機能も実装している．また，Web で配信する機能も実装され，電子カルテ端末などから Web ブラウザを介して画像を検索し表示することができる．このしくみは DICOM 規格の DICOM 永続オブジェクトへの Web アクセス（web access to DICOM objects：WADO）として規定されている．

2) 画像表示端末

画像表示端末には大きく画像参照用と画像診断用に分けられる．画像参照端末は画像の確認や診断済みの画像を表示する端末である．この端末には一般民生用の安価なモニタが使用される．一方，画像診断端末には用途に応じて医療用モニタを接続して運用する．医療用モニタは高精細で高輝度であることが条件である．高解像度のモニタが開発され，用途に応じて解像度とモノクロ・カラーが選ばれる．医療用モニタは X 線フィルムに代わる表示装置として高い輝度が求められている．推奨校正輝度は 400〜500 cd/m^2 で運用するが，長時間使用すると輝度が低下するため定期的に校正しながら使用する．また，輝度だけでなくモニタの表示特性も変化するため定期的に管理する必要がある．このモニタの表示特性は DICOM 規格の**グレースケール標準関数**(grayscale standard display function：**GSDF**)で規定され，これに従ったモニタの管理が必要である．

画像表示端末には DICOM 画像を表示する画像ビューワが実装されている．さまざまな検査種の画像を表示するだけでなく，距離や ROI の計測機能，白黒反転やシネ（動画）表示などの基本的な画像処理機能，3D 画像再構成機能（MIP や MPR など）や異種検査画像の重ね合わせ表示（fusion 機能）などが実装されている．近年では人工知能を用いた画像診断支援機能と連携する画像ビューワも登場している．

3) パブリッシャとインポータ

患者が転院するとき紹介状と共に検査画像を CD-R などの可搬媒体に記録して患者に渡す．このとき画像を可搬媒体に記録する装置を**パブリッシャ**とよぶ．一方紹介を受けた患者の可搬媒体の画像を PACS サーバに取り込む装置を**インポータ**とよび，画像取り込み時に自院の患者 ID に修正したり紹介画像であることを DICOM 画像のタグ情報に記録したりする機能を有する．

可搬媒体への画像の記録や PACS への画像の取り込みは **IHE**(integrating the healthcare enterprise) の **PDI**(portable data for imaging) で規定されている．さらに最近ではデータセンター（クラウド）を介した画像データの受け渡し方法が IHE で規定されている．これにより可搬媒体への画像の記録や読み込みといった手間が軽減できる．

3　PACS のメリットとデメリット

近年の検査画像の増加により PACS なしには読影できない現状がある．そして過去画像の比較参照やさまざまなビューワ機能を用いて異種検査画像の統合的・多角的に診断できるようになりそのメリットは大きい．PACS 画像は複数の端末で同時に参照できるため，1カ所でしか参照できなかったフィルムにはないメリットがある．また画像保管スペースもフィルムに比べてはるかに省スペースで大量に保管することができる．

一方，デメリットはオンプレミス PACS の導入に費用がかかること，システム更新が 5，6 年で訪れるため更新費用と大量の画像の移行作業が発生することが挙げられる．近年，外部からの攻撃により PACS を含めた院内システムの脆弱性についてはリスクマネジメントを行う必要がある．特に放射線部門は保守メンテナンス用の回線が多く，どの画像診断装置や PACS サーバなどがどの外部接続用のルータにつながっているのか管理する必要がある．

4 遠隔医療

遠隔医療は 1980 年代から都市部と僻地を通信回線で繋ぎ医療支援の目的で始まった．その背景には通信技術の進歩がある．

1997 年に厚生省遠隔医療研究班は，遠隔医療を「映像を含む患者情報の伝送に基づいて遠隔地から診断，指示などの医療行為および医療に関連した行為を行うこと」と定義した．遠隔医療の有効性が認められる一方，診療は対面診療が基本（医師法第 20 条の無診察診療の禁止）であり医師と患者が回線を使って診療してもよいものかという懸念が生じた．これに関して厚生省は「遠隔医療がただちに医師法第 20 条に抵触するものでない」という通達により懸念は解消された．

2006 年に日本遠隔医療学会は「遠隔医療 (telemedicine and telecare) とは，通信技術を活用した健康増進，医療，介護に資する行為をいう」と定義した．この定義から「遠隔地から」という言葉がなくなり，距離が離れていることが遠隔医療の本質ではなくなり，地域が健康・医療・介護の分野で通信回線を介してつながるという概念に変化した．

1 PACS 遠隔医療の背景にある医師不足

遠隔医療の普及の背景には ICT (information and communication technology) の進歩だけではなく専門医の不足が挙げられる．2020 年の日本の医師数は 323,700 名であるが，そのうち放射線科医は 7,112 名（2.2%）しかいない．一方，OECD の統計によれば日本の CT 装置の人口 100 万人当たりの設置台数は 116 台で先進国のなかで最も多い．この専門医数と検査装置数の格差はきわめて大きく，専門医が勤務してない病院への支援で遠隔画像診断は普及した．

2 遠隔医療の種類

一般的に遠隔医療には大きく分けて 3 つの領域が存在する．在宅患者の状態を遠隔からケアする①テレケア，専門医が通信回線を使って医療支援を行う②コンサルテーションと医療技術者のための③ e-learning システムによる生涯教育に分けられる．②について具体的に以下に説明する．

1）テレラジオロジー（teleradiology）

放射線画像などの読影専門医が勤務する施設に読影の難しい画像など伝送して読影支援を受ける遠隔医療である．医療機関同士の支援だけでなく，読影センターを立ち上げ，各医療機関からの画像を集約し，複数の読影医が読影にあたる運用も展開されている．

2）テレパソロジー（telepathology）

病理画像を病理診断医が勤務する施設に伝送して診断支援する遠隔医療である．術中迅速診断では，依頼病院は手術中に摘出した病理組織を顕微鏡にセットし，病理診断医が遠隔から顕微鏡を操作し病理診断支援をしている．

3）テレダーマトロジー（teledermatology）

皮膚科領域の遠隔医療である．皮膚画像をカメラで撮影し，その画像を専門医に伝送して診断支援する．

4）テレカンファレンス（teleconference）

難しい症例などに対して専門医と TV 会議システムで遠隔で議論するコンサルテーションである．

診断支援の他に手術を遠隔で支援する telerobotic surgery がある．離れた場所から通信回線を介して患者の手術を行う遠隔医療である．近年は細かな手術を行うのに使われ，手術ロボットの da Vinci が有名である．

3 遠隔医療のメリットとデメリット

専門医が不足する地域や医療機関，医師がいない離島などにとって ICT を利用した遠隔医療のメリットは大きい．一方で遠隔医療システムの構築や通信回線にコストがかかることがデメリットである．またシステム更新や回線の費用などをどのように各医療機関で

5 検像システム

1 検像とは

検像とは，検査が終了した画像を医師に提供する前に，患者ID，患者氏名，撮影部位や画像の濃度などを診療放射線技師が確認し，必要があれば画像の濃度・方向，表示順序や患者IDなどの付帯情報の修正を行い，適切な画像として画像を確定することである．『画像情報の確定に関するガイドライン 第2.1版』（日本放射線技術学会）には確認すべき項目として「患者ID，患者氏名，年齢，性別」，確認すべき依頼情報として「依頼科，依頼医師，依頼内容，検査目的，検査日時」，そして確認すべき画像情報として「モダリティ，画像枚数，シリーズ数，画像の順序，検査部位，検査範囲，画像の方向，濃度，コントラスト，画質，マーキング，各種処理」が挙げられている．

このような画像の確定の運用には3つのケースがあり，①モダリティ上で検像する場合，②検像のための専用のシステムで行う場合と③PACSに附帯した画像ビューワで検像を行う場合である．②の運用について次項で説明する．

2 検像システムの機能

検像システムは検像作業を支援し，検査依頼情報を管理するオーダエントリシステムと連携して問題があれば必要に応じて患者情報や画像情報を編集するシステムである（図4-3-10）．検像システムの機能とその運用について説明する．

1）患者情報・オーダ情報修正機能

患者情報修正機能は，たとえば正しい患者情報を入力しないまま撮影してしまった場合に正しい情報に修正する機能である．オーダ情報修正は，検査オーダ（オーダ番号）と検査画像（DICOMメタ情報のアクセッション番号）を正しく一致させる編集機能である．オーダ番号はオーダエントリシステムにおいてオーダ時に発番される番号である．検査時にオーダ情報を取り込んだRISから検査装置にオーダ番号が転送され，DICOM画像が生成される時にDICOMのアクセッション番号にオーダ番号が入力される．これによりオーダと検査画像を一意にひもづけることができる．

2）画像の分割・統合・並べ替え・自動分割機能

画像の分割機能は，たとえば日をまたぐ核医学検査画像が1つのスタディ（検査）になる場合があり，これを別なスタディあるいはシリーズに分割する機能である．画像の統合機能は，別スタディの画像を同一スタディに統合する機能である．並べ替え機能は，整形のように複数の撮影方向がある場合，必ずしも技師が撮影した順番と医師が参照する順番は一致するとは限らないので，医師が読影する順に並べ替える機能である．

3）画像修正機能

画像修正の基本機能として，ネガポジ・上下・左右反転，左右90度回転やトリミング機能などがあり，医師が読影しやすい画像に反転・回転処理を加える場合や不要な領域をトリミングする場合に使用される．

4）PACSサーバ転送機能

検像を完了してPACSサーバに転送する機能である．DICOM規格のstorage service classを用いて画像転送する．このとき検像内容，検像者，検像日時などが検像システムのログに記録される．また，夜間当直帯は検像者が不在であるため自動で（一定時間後）PACSサーバに転送する機能を有する．

3 検像システムのメリットとデメリット

検像システムは，オーダエントリシステムと連携して検像業務を支援することで検査画像とその情報の真正性と見読性を担保するメリットを有している．しかし，デメリットして検像システムの導入にコストがかかること，検像のための人員の配置が挙げられる．

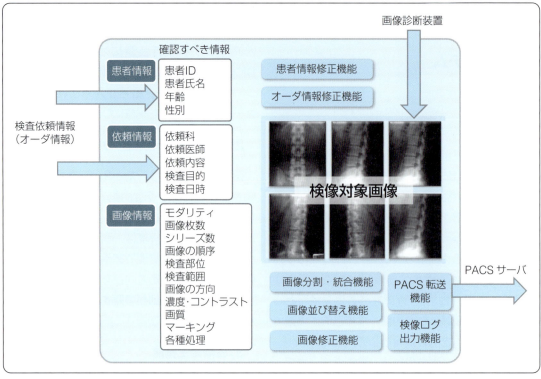

図 4-3-10 検像システム

6 情報セキュリティと個人情報

1 情報セキュリティとは

　インターネットの普及に伴い，さまざまな情報をコンピュータやスマートフォンといった機器を利用することにより手軽に取得することが可能となり利便性が高くなってきた．その一方で，メールやソフトウェアを介して悪意のあるソフトウェア(**コンピュータウイルス**または**マルウェア**とよぶ)が機器のなかに侵入し，機器内の情報が漏洩したり削除されたり，あるいは機器が起動しないといった機器の動作や利用に障害を与えることが増えてきている．

　また近年，人質事件のように，データを暗号化しその解除と引き換えに身代金を要求するランサムウェアなども数多くみられるようになった．さらに，外部からコンピュータに侵入しシステムを破壊したり，内部のデータを搾取したりすることも起こっている．

　これらの被害にあわないように，コンピュータ内にあるデータやシステムを保護するために，事前に対策を立てることが情報セキュリティの基本的な考え方である．

2 医療情報の安全管理（法律，ガイドライン）

　医療情報システムには，患者の基本情報のみならず，診療に関する情報も数多く保管されている．これらの情報が削除されたり盗まれたりした場合，診療に大きな影響が出ることはもちろんのこと，個人情報も含まれるため社会的影響が非常に大きい．

　そのため，わが国では，医療法(施行規則第2条)や医師法(第24条)，個人情報保護に関する法律などで安全性を規定している．また，それらの法律に対して具体的な指針としてガイドラインなども公表されている．このガイドラインは，法律と違い守らなかった場合の罰則規定はなく，各医療機関が定めるべき事項について，「法律」の観点から運用上の「考え方」を

示したものである.

医療機関に対するガイドラインとしては，医療機関全体の運営に関する「医療・介護関係事業者における個人情報の適切な取扱いのためのガイダンス」(個人情報保護委員会・厚生労働省)，病院情報システムに関するガイドラインとしては，「医療情報システムの安全管理に関するガイドライン」がある.

3 電子保存の三原則

病院情報システムの導入に伴い，電子カルテなど診療録をはじめとした多くの医療情報の電子化が進み，それと同時に電子保存も増加した．また，各医療機関では紙診療録の増加による保管スペースの確保の問題が生じていたため，医療情報の電子保存へのニーズが高まった.

診療録の保存については医療法や医師法で定められており，電子保存もこれらが前提となるため，その考え方が厚生労働省(当時は厚生省)により，「診療録等の電子媒体による保存について」(厚生省通知　平成11年4月)としてはじめて示された．これが，いわゆる**"電子保存の三原則"**である.

電子保存の三原則とは，①真正性，②見読性，③保存性を指す．以下にそれぞれの概要を示す.
- ①**真正性**：正当な権限において作成された記録に対し，虚偽入力，書換え，消去および混同が防止されており，かつ，第三者からみて作成の責任の所在が明確であること.
- ②**見読性**：電子媒体に保存された内容を，「診療」，「患者への説明」，「監査」，「訴訟」等の要求に応じて，それぞれの目的に対し支障のない応答時間やスループット，操作方法で，肉眼で見読可能な状態にできること．また，情報の内容を必要に応じて直ちに書面に表示できること.
- ③**保存性**：記録された情報が法令等で定められた期間にわたって真正性を保ち，見読可能にできる状態で保存されること.

(厚生労働省：医療情報システムの安全管理に関するガイドライン．第6.0版企画管理編)

診療録をはじめとした医療情報を，電子媒体に保存するためには，これらの三原則を満たすことが求められている.

4 リスクへの対策

個人情報保護に関する法律(いわゆる個人情報保護法)では，情報セキュリティを担保するためのリスク対策を求めている．具体的なリスク対策として，①組織的安全管理対策，②物理的安全対策，③人的安全対策，④技術的安全対策がある．以下にそれぞれの概要を示す.

1) 組織的安全管理対策

運用責任者の設置などの組織体制の整備や，組織内部規定の制定およびその規定等に従った運用体制の確立，安全管理対策の評価，見直しおよび改善(いわゆるPDCAサイクル)，事故あるいは規定違反への対応などが含まれる.

2) 物理的安全対策

個人認証や生体認証を用いた医療情報が保存されているサーバが設置されているサーバ室への入退室管理，監視カメラの設置等による盗難や窃視の防止対策，ワイヤーロックなどを用いた機器・装置・情報媒体等の物理的な保護が含まれる.

3) 人的安全対策

誓約書や機密保持契約書など雇用契約時や委託契約時に非開示契約の締結，従業員への承知・教育・訓練などの実施といった利用者の情報リテラシー向上に対する内容が含まれる.

4) 技術的安全対策

アクセス権限の設定や個人認証といったデータへのアクセス権限の制御や管理，アクセスログの採取といったアクセス記録，ウイルス対策ソフトの導入などといった危機への対応などが含まれる.

5 コンピュータウイルス対策（ウイルス対策ソフト）

　情報システムの直接的なセキュリティ対策として，ウイルス対策は欠かすことはできない．ウイルスの侵入経路はさまざまであるが，昨今はメールの添付ファイルおよびUSBフラッシュメモリ経由がその大部分を占めている．それらに加え，Web閲覧による感染なども報告されており年々，対策が難しくなってきている．

　これらの脅威に対する対策として，代表的なものがウイルス対策ソフトの導入である．しかし，ウイルス対策ソフトもインストールして終わりではなく，絶えず新たなウイルスが発見されているため，安全性を担保するためのパターンファイルをはじめとしたアップデートなどを行うことがユーザには求められている．

6 個人情報保護

　世界的に**個人情報保護**が着目されているなかで，わが国でも，世界的な流れを受けて平成15(2003)年5月に個人情報の保護に関する法律が制定された．その後社会情勢の流れや国内情報に関する国民意識の変化などを受けて，平成27(2015)年に個人情報保護法に関する法律が改正され，平成29(2017)年5月30日に完全施行された．さらに令和2(2020)年には3年ごとの見直しに基づき情報漏えい時の対応など，令和3(2021)年には，デジタル社会形成整備法に基づき，官民一元化などについて改正が行われた．

　改正個人情報保護法では，それまであいまいであった個人情報の定義などが明確化され，また適用除外規定の見直しがされ，その扱いに対してより慎重な対応が求められている．

第5編 演習問題

- 演習問題
- 解答

演習問題

■第1編演習問題

問1-1 以下の文章について，正しいものには○，誤っているものには×を記入せよ．（一部，診療放射線技師国家試験問題を改変）

（1）アナログ信号をデジタル化する際には量子化を行ったあとに標本化を行う．

（2）モアレはエリアシングエラーにより生じる模様をさす．

（3）標本化周波数の2倍の周波数をナイキスト周波数という．

（4）標本化間隔 0.1 mm で標本化したデータで表現可能な空間周波数は 10 cycles/mm である．

（5）量子化間隔が等間隔であるものを線形量子化とよぶ．

（6）デジタル画像では量子化レベル数が小さいほどアナログ画像に近くなる．

（7）方形パルスをフーリエ変換すると Sin 関数になる．

（8）デルタ関数をフーリエ変換すると1になる．

（9）cos 関数をフーリエ変換すると虚数空間のみに信号が現れる．

（10）多次元のフーリエ変換は1次元のフーリエ変換を多数実施することで実現できる．

（11）フーリエ変換は非周期関数でも利用できる．

（12）間接変換型 FPD では，半導体中の電離作用によって X 線を検出する．

問1-2 入力関数 $f(x)$ およびフィルタ関数 $h_1(x)$, $h_2(x)$ を以下の(a)～(c)に示す．$f(x)$ と $h_1(x)$，$f(x)$ と $h_2(x)$ の畳み込み積分を行った場合に得られる関数をグラフでそれぞれ示せ．なお，以下に示した3つの関数の変域は $(-2 < x < 2)$ とする．

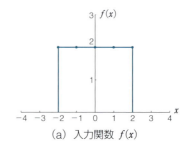

(a) 入力関数 $f(x)$

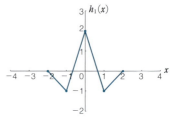

(b) フィルタ関数 $h_1(x)$

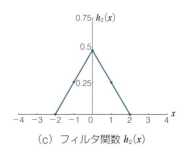

(c) フィルタ関数 $h_2(x)$

問1-3 サンプリング周波数 100 Hz で 10，50，60 Hz の周期波形を標本化した際，得られたデジタルデータに含まれる信号の周波数を求めよ．

■第2編演習問題

問2-1 以下の文章について，正しいものには○，誤っているものには×を記入せよ．（一部，診療放射線技師国家試験問題を改変）

（1）特性曲線においてガンマが小さいほどラチチュードが狭い．

（2）特性曲線が左上にあるほど，感度が高いフイルムである．

（3）デジタル撮像デバイスの特性曲線において，縦軸はピクセル値を表す．
（4）MTFの高周波成分からノイズ特性が評価できる．
（5）プリサンプルドMTFは標本化間隔の影響を含まない．
（6）エッジ法はスリット法に対してノイズの影響を受けにくい．
（7）DQEの算出に入射X線光子数を用いる．
（8）DQEによってX線光子の利用効率がわかる．
（9）RMS粒状度の算出ではフーリエ変換を利用する．
（10）RMS粒状度の値が大きいほど粒状性が悪いことを示す．
（11）ROC解析は観察者間の診断能力の差も評価できる．
（12）ROC曲線下の面積(Az)の最大値は1である．
（13）TPFとFNFの和は1になる．

問2-2 プリサンプルドMTFの評価において試料を少し傾けて撮影する理由について述べよ．

問2-3 以下の4つの写真濃度(a)～(d)について，NPSを算出したグラフがそれぞれどのようになるか(1)～(4)から選べ．

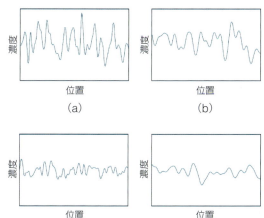

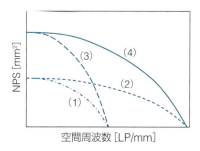

■第3編演習問題

問3-1 以下の文章について，正しいものには○，誤っているものには×を記入せよ．（一部，診療放射線技師国家試験問題を改変）

（1）リカーシブフィルタは空間方向に平滑化する手法である．
（2）ラプラシアンフィルタは2次微分によりエッジを検出するフィルタである．
（3）ガウシアンフィルタは加重平均フィルタの一種である．
（4）ボケマスク処理は画像のノイズ除去に有効である．
（5）Sobelフィルタを用いてエッジ検出処理を行うことができる．
（6）LUT(Look Up Table)を用いることで濃淡画像を疑似カラーで表示することができる．
（7）メディアンフィルタは，近傍領域で画素値の最大値を出力するフィルタである．
（8）モフォロジカルフィルタは画像内の物体形状を変化させる．
（9）サーフェスレンダリングは3次元画像を直接2次元に変換し立体表示する．
（10）ボリュームレンダリングはボクセルの持つ輝度と不透明度を利用し，立体的に見える2次元画像を生成する．
（11）65536階調の1つの画素が有する情報量は16bitである．
（12）可逆圧縮法では画像の記録サイズを1/10以下に小さくすることができる．
（13）CADはコンピュータを用いた自動診断システムである．

（14）マンモグラフィ用の CAD は微小石灰化の検出に有効である．

（15）人工ニューラルネットワークは統計学に基づく情報処理技術である．

（16）畳み込みニューラルネットワークは視覚の働きを模擬した技術である．

（17）セグメンテーションとはデータから連続値を算出する方法である．

問 3-2 画像 A と空間フィルタ F を下図(a),(b)に示す．画像 A に対して，F の空間フィルタ処理を行って出力された画像の画素値 $a_{ij}(i=3,\ j=2)$ を求めよ．（第 58 回診療放射線国家試験を改変）

(a) 画像 A　　(b) 空間フィルタ F

問 3-3 情報量に関して以下の設問に答えよ．

（1）1/16 の確率で生じる事象を知ったときに得る情報量を求めよ．

（2）512×512 画素，65536 階調のグレースケール画像が有する情報量を求めよ．

問 3-4 16 進数の数値列（① FFFF000012AAACCCCCCC，② 001692281FFFCC977701）をランレングス法で可逆圧縮し，①と②のデータ長を求め，結果よりこの圧縮法の特徴を考察せよ．なお，記録する文字列も 16 進数で記録するものとし，ランレングス法は与えられた数値列について，数と個数をペアで記録するものとする．

問 3-5 ディープラーニングは，今後の医療をどのように変えるか自分の考えを述べよ．

■第 4 編演習問題

問 4-1 以下の文章について，正しいものには○，誤っているものには×を記入せよ．（一部，診療放射線技師国家試験問題を改変）

（1）医療用モニタの総合的な評価には TG18-QC パターンを用いる．

（2）医療モニタの不変性試験において，コントラスト応答は目視で評価する．

（3）個人情報とは，特定個人を識別することができる情報，または他の情報と照らし合わせることによって特定個人を識別することが可能な情報を指す．

（4）SSL はインターネット上で情報を暗号化して通信するプロトコルである．

（5）医療情報の電子保存を許可する 3 条件として，真正性，見読性，保存性の確保が挙げられている．

（6）HL7 は固定長の文字情報を取り扱う．

（7）HOT 番号は医薬品に関する標準化コードである．

（8）ICD-10 は病因・死因を分類した標準化コードである．

（9）DICOM は医用画像の形式と通信の方法を定めた標準規格である．

（10）放射線部門の業務を支援する部門システムを HIS という．

（11）デジタル医用画像の通信や保存を行うシステムを PACS という．

（12）テレラジオロジーは医用画像の遠隔保存システムのことである．

（13）装置と RIS の間で検査実施情報を交換する際には，DICOM/MWM を用いる．

（14）医療機関間にて CD 等の可搬媒体で画像情報を交換する際には IHE/PDI を用いる．

問 4-2 医療用モニタと汎用モニタの構造・性能的な違いを述べよ．

問 4-3 医療情報の標準化を行う利点および欠点は何か，自分の考えを述べよ．

解答

■第1編演習問題

問1-1

（1）×アナログ信号をデジタル化する際には**標本化**を行ったあとに**量子化**を行う．

（2）○

（3）×標本化周波数の**1/2**倍の周波数をナイキスト周波数という．

（4）×0.1 mm 間隔で標本化した場合，表現可能な周波数（＝ナイキスト周波数）は 5 cycles/mm である．

（5）○

（6）×デジタル画像では量子化レベル数が**大きい**ほどアナログ画像に近くなる．

（7）×方形パルスをフーリエ変換すると **Sinc** 関数になる．

（8）○

（9）× sin 関数をフーリエ変換すると虚数空間のみに信号が現れる．

（10）○

（11）○

（12）×**直接**変換型 FPD では，半導体中の電離作用によって X 線を検出する．

問1-2

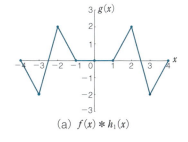

(a) $f(x) * h_1(x)$

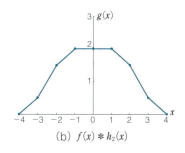

(b) $f(x) * h_2(x)$

問1-3 10 Hz，40 Hz，50 Hz

■第2編演習問題

問2-1

（1）×特性曲線においてガンマが小さいほどラチチュードが**広い**．

（2）○

（3）○

（4）× MTF の高周波成分から粒状性は**評価できない**．

（5）○

（6）×エッジ法はスリット法に対してノイズの影響を受け**やすい**．

（7）○

（8）○

（9）× RMS 粒状度の算出では Fourier 変換を利用**しない**．（濃度の標準偏差を算出する）

（10）○

（11）○

（12）○

（13）○

問2-2

解答例：デジタル画像では，試料の位置によって信号成分が変化するため位置不変性が成り立たず，エリアシングエラーも含んでいる．MTF 評価時

213

にスリット(やエッジ)の試料を少し傾けて撮影することで，スリット近傍にて少しずつずれた位置の情報が得られるようになり，それらを合成することによって仮想的に標本化間隔を小さくした LSF(合成 LSF)を得ることができる．傾けた角度が $\theta°$ の場合，合成 LSF のデータ数は普通に 1 ライン上のデータを使用して求めた LSF に比べて 1/tan θ 倍(θ が 2°の場合は約 28 倍)に増加し，エリアシングエラーが無視できるようになる．

問2-3 (a)-(4)，(b)-(3)，(c)-(2)，(d)-(1)

■第3編演習問題

問3-1
(1) ×リカーシブフィルタは**時間**方向に平滑化する手法である．
(2) ○
(3) ○
(4) ×ボケマスク処理は画像の**鮮鋭度向上**に有効である．
(5) ○
(6) ○
(7) ×メディアンフィルタは，近傍領域で画素値の**中央値**を出力するフィルタである．
(8) ○
(9) ×サーフェスレンダリングは 3 次元画像を**多数のポリゴン**に変換し立体表示する．
(10) ○
(11) ○
(12) ×可逆圧縮法では画像の記録サイズを **1/2～1/3 程度**に小さくすることができる．
(13) × CAD はコンピュータによる**診断支援**システムである．
(14) ○
(15) ×人工ニューラルネットワークは脳の働きを模擬した情報処理技術である．
(16) ○
(17) ×セグメンテーションとは画像内の対象領域を分割・抽出する方法である．

問3-2
$a_{32} = 1 \times 2 + 1 \times 7 - 4 \times 1 + 1 \times 2 + 1 \times 9 = 16$

問3-3
(1) $E = \log_2 16 = 4$ bit
(2) $512 \times 512 \times \log_2 65536 = 512 \times 512 \times 16 = 4194304$ bit

問3-4
① F4 04 11 21 A3 C7
② 02 11 61 91 22 81 11 F3 C2 91 73 01 11

解答例：データ長は① 6 byte，② 26 byte となり，①の情報量は元データの 30％に減少し，②は 30％増加した．①のように同じ値が連続して存在するデータに対してランレングス法は有効であるが，逆に②のように値が不連続なデータに対しては記録する情報量がかえって増加する問題がある．

問3-5 省略

■第4編演習問題

問4-1
(1) ○
(2) ×モニタの輝度評価には**輝度計を用いる**．
(3) ○
(4) ○
(5) ○
(6) × HL7 は**可変長**の文字情報を取り扱う．
(7) ○
(8) ○
(9) ○
(10) ×放射線部門の業務を支援する部門システムを **RIS** という．
(11) ○
(12) ×テレラジオロジーは医用画像を**遠隔読影**することである．

(13) × 装置-RIS 間の検査実施情報の交換には，DICOM/**MPPS** を用いる．
(14) ○

問 4-2
解答例：汎用モニタに比べて医療用モニタは最大輝度が高く，空間的な輝度ムラも少ないものが多い．また，階調特性は人間の視覚モデルに基づいて導出された GSDF に基づいたものになっており，経年的な輝度変化を補正する機構を備えたものも多い．

問 4-3 省略

参考文献

第1編　画像形成論

■第2章　画像のデジタル化
1) 田村秀行編著：コンピュータ画像処理，オーム社，2002．
2) 南　敏，中村　納：画像工学—画像のエレクトロニクス．テレビジョン学会教科書シリーズ1．コロナ社，1989．
3) 岡部哲夫，藤田広志編：新・医用放射線科学講座 医用画像工学．p. 57-61．医歯薬出版，2010．

■第4章　医療画像形成理論
（乳房X線撮像装置の画像形成理論）
1) 日本放射線技術学会放射線撮影分科会：乳房撮影精度管理マニュアル．改訂版．日本放射線技術学会叢書，1997．
2) 中村仁信，寺田　央：X線電子写真(KIP方式基礎と臨床)．蟹書房，1990．
3) 大内憲明編：実践 デジタルマンモグラフィ．中山書店，2006．
4) 塩見　剛：トモシンセシスの原理と応用—FPDが生み出した新技術．医用画像情報学会雑誌 24(2)：22-27，2007．
5) Zuley M, et al：Radiology 271(3)：664-671，2014．
6) Skaane P, et al：Radiology 271(3)：655-663，2014．

第2編　画像評価論

■第2章　入出力特性
1) 市川勝弘，石田隆行編：標準ディジタルX線画像計測．オーム社，2010．
2) 岡部哲夫，藤田広志編：新・医用放射線科学講座 医用画像工学．医歯薬出版，2010．
3) 石田隆行編：よくわかる医用画像工学．オーム社，2012．
4) 大松秀樹ほか編著：放射線写真学．富士フイルムメディカル，2003．

■第3章　解像特性
1) 内田　勝ほか：放射線技術者のための画像工学．第2章，通商産業研究社，1985．
2) 内田　勝監修，小寺吉衞，藤田広志編：基礎 放射線画像工学．第3章，第4章．オーム社，1998．
3) 内田　勝監修，藤田広志，小寺吉衞：ディジタル放射線画像．第4章，第5章．オーム社，1998．
4) 桂川茂彦編：医用画像情報学．第4章．南山堂，2014．
5) 岡部哲夫，藤田広志編：新・医用放射線科学講座 医用画像工学．第1編第3章，第2編第2章．医歯薬出版，2010．

■第4章　ノイズ特性
1) 市川勝弘，石田隆行編：標準ディジタルX線画像計測．第4章，オーム社，2010．
2) 桂川茂彦編：医用画像情報学．第4章，南山堂，2014．
3) 内田　勝，金森仁志，稲津　博著：放射線画像情報工学(特)．第2章，第3章，第4章，通商産業研究社，1980．
4) 内田　勝，金森仁志，稲津　博著：放射線画像情報工学(臨)．第6章，第7章，第8章，第9章，通商産業研究社，1980．
5) Richard L, et al：Handbook of Medical Imaging, Volume 1. Physics and Psychophysics. Chapter 2. Chapter 3. SPIE press, 2000.
6) 岡部哲夫，藤田広志編：新・医用放射線科学講座 医用画像工学．第1編第3章，第2編第2章，医歯薬出版，2012．

■第6章　さまざまな医療画像
（マンモグラフィ画像の画像評価）
1) Thijssen MAO, et al：Quality Assurance in Mammography, Department of Radiology, University Medical Centre Nijmegen, The CDMAM 3.4 phantom is a result of the project, 1993.
2) Droege RT, Rzeszotarski MS：Med Phys 12：721-725, 1985.
3) Li B, et al：Measurement of slice thickness and inplane resolution on radiographic tomosynthesis system using modulation transfer function (MTF). Proc of SPIE 2006; 6142: 61425 D-1.

（CT画像の画質評価）
1) 市川勝弘編著：CT super basic．オーム社，2015．
2) Samei E, et al：Med Phys 46(11)：e735-756, 2019.

第3編　画像処理論

■第1章　画像処理の基礎
（画像情報の可視化～エッジ検出）
1) 内田　勝監修，藤田広志，小寺吉衞：ディジタル放射線画像，オーム社，1998．
2) 画像処理標準テキストブック編集委員会監修，イメージプロセッシング＜画像処理標準テキストブック＞，プレシーズ，2001．
3) 昌達慶仁：詳解 画像処理プログラミング．ソフトバンククリエイティブ，2008．
4) 田村秀行編著：コンピュータ画像処理，オーム社，2004．
5) 酒井幸市：改訂版ディジタル画像処理の基礎と応用．CQ出版社，2007．
6) 酒井幸市：Visual Basic & Visual C++によるデジタル画像処理入門．CQ出版社，2004．
7) 酒井幸市：ディジタル画像処理，コロナ社．2000．

8) 小塚隆弘ほか監修：診療放射線技術（上巻）（改訂14版）. 南江堂, 2019.

（空間周波数フィルタ処理〜画像間演算）
1) Shiraishi J, et al：AJR Am J Roentgenol 174：71-74, 2000.
2) 内田　勝監修, 藤田広志, 小寺吉衞：ディジタル放射線画像. オーム社, 1998.
3) 長尾　真監訳, Rosenfeld A, Kak AC 著：デジタル画像処理. 近代科学社, 1990.
4) 桂川茂彦：コンピュータ支援診断システムにおける画像処理技術. 日本放射線技術学会誌 49(6)：833-839, 1993.
5) 田村秀行監修：コンピュータ画像処理入門. 総研出版, 1985.
6) 長谷川純一ほか：画像処理の基本技法. 技術評論社, 1986.
7) 谷口慶治編：画像処理工学―基礎編. 共立出版, 1996.
8) 桂川茂彦編：医用画像情報学 改訂2版, 南山堂, 2006.

■第2章　情報理論と画像圧縮
1) 三木成彦, 吉川英機：情報理論（電気・電子系　教科書シリーズ 22）. コロナ社, 2000.
2) 高木幹雄, 下田陽久：新編 画像解析ハンドブック. 東京大学出版会, 2007.

■第3章　3次元画像の可視化
（医学領域における3次元画像とその可視化方法〜加算平均投影法（RaySum））
1) 鳥脇純一郎：三次元画像処理の基礎. 日本放射線技術学会雑誌 58(5)：601-612, 2002.
2) 市川勝弘：CTにおける三次元画像処理の基礎技術. 日本放射線技術学会雑誌 56(6)：806-813, 2000.
3) 技術編CG 標準テキストブック編集委員会：技術編CG 標準テキストブック. 日興美術, 2002.
4) 田中良一：INNERVISION 21(3)：73, 2006.
5) 辻岡勝美：マルチスライスCTを利用した［最善の］三次元画像作成法画像処理マニュアル. 産業開発機構, 2006.
6) 田村秀行：コンピュータ画像処理. オーム社, 2002.

（仮想内視鏡）
1) Ogura T, et al：Radiology 197: 444, 1995.
2) 小倉敏裕編著：消化器マルチスライスCT技術. 永井書店, 2005.
3) http://www.j-tokkyo.com/2007/A61B/JP2007-143763.shtml
4) Pickhardt PJ, Choi JH：AJR Am J Roentgenol 181: 799-805, 2003.

（3Dプリンティング技術の医療応用）
1) 丸谷洋二, 早averyal誠治：解説3Dプリンター ―AM技術の持続的発展のために. オプトロニクス社, 2014.
2) Igami T, et al：World Journal of Surgery 38: 3163-3166, 2014. http://doi.org/10.1007/s00268-014-2740-7
3) Azer SA, Azer S：Health Professions Education 2(2)：80-98, 2016. http://doi.org/10.1016/j.hpe.2016.05.002
4) 木原朝彦ほか：3次元実体モデルの外科手術応用―その利点, 応用分類と効果. Medical Imaging Technology 13(6)：865-884, 1995.
5) 森　健策ほか：3Dプリンタを用いた臓器造形とその応用に関する一考察. 電子情報通信学会技術研究報告, MI2013-89, 113(410)：181-186, 2014.

■第4章　コンピュータ支援診断
（コンピュータ支援診断（CAD）とは）
1) 藤田広志編著：医療AIとディープラーニングシリーズ2020-2021年版 はじめての医用画像ディープラーニング－基礎・応用・事例－. オーム社, 2020.
2) 藤田広志監修, 福田大輔編著：医療AIとディープラーニングシリーズ2020-2021年版 標準 医用画像のためのディープラーニング－入門編－. オーム社, 2020.
3) 藤田広志監修, 原　武史編著：医療AIとディープラーニングシリーズ2021-2022年版 標準 医用画像のためのディープラーニング－実践編－. オーム社, 2020.
4) 藤田広志監修, 上杉正人・平原大助・齋藤静司共編著：医療AIとディープラーニングシリーズ Pythonによる医用画像処理入門. オーム社, 2020.
5) 藤田広志監修, 有村秀孝・諸岡健一 共編著：医療AIとディープラーニングシリーズ 放射線治療AIと外科治療AI. オーム社, 2020.
6) 藤田広志監修, 椎名　巌・工藤正among 共編著：医療AIとディープラーニングシリーズ 超音波画像AI診断. オーム社, 2021.
7) 藤田広志監修, 森 健策・工藤進英・森　悠一・三澤将史 共編著：医療AIとディープラーニングシリーズ 内視鏡画像AI. オーム社, 2022.
8) 井川房夫, 藤田広志 共編著：これだけでわかる！医療AI. 中外医学社, 2021.
9) 藤田広志編, 寺本篤司・篠原範充・久保田一徳 共著：乳癌診療に活かす やさしいAI入門. 中外医学社, 2022.
10) 藤田広志・勝又明敏 共編著：学びはじめ 歯科医療AIの世界 ディープラーニングがひらくデジタルデンティストリーの近未来, 56 (2)増刊号. 医歯薬出版, 2023.
11) 有村秀孝, 角谷倫之 共編：レディオミクス入門. オーム社, 2021.

（人工知能とニューラルネットワーク〜ディープラーニング）
1) LeCun Y et al：Deep learning. Nature 521:436-444, 2015.
2) 高木幹雄, 下田陽久監修：新編 画像解析ハンドブック, 東京大学出版会, 2004. 藤田広志（監修・編著）：医用画像ディープラーニング入門, 「医療AIと

ディープラーニング」シリーズ1．オーム社，2019．
3) 岡谷貴之：深層学習　改訂第2版，機械学習プロフェッショナルシリーズ．講談社，2022．
4) Teramoto A et al：Med Phys 43：2821-2827, 2016．
5) Takeuchi N, et al：Medical Image and Information Sciences 38(3):126-131, 2021．
4) 電子情報通信学会，9-2 画質の客観評価，知識の森，2群5編9章，http://www.ieice-hbkb.org/
5) Shibata T, et al：Applied Sciences 10(11)：3842, 2020．
6) Onishi Y, et al：Biomed Res Int 2019, Article ID 6051939, pp.1-9, 2019．

（医療情報の統合による診断支援）
1) Lambin P, et al：Eur J Cancer 48(4)：441-446, 2012．
2) Aerts HJ, et al：Nat Commun 5：4006, 2014．
3) Gierach GL, et al：Breast Cancer Res 16: 424, 2014．
4) Guo W, et al：J Med Imaging (Bellingham) 2(4)：041007, 2015．
5) Huynh E, et al：PLoS One 12(1)：e0169172, 2017．
6) Kickingereder P, et al：Clin Cancer Res 22(23)：5765-5771, 2016. published online first Oct. 10, 2016．

（CAD の性能評価）
1) 桂川茂彦編：医用画像情報学．改訂第3版，南山堂，2014．
2) 経済産業省，国立研究開発法人日本医療研究開発機構：コンピュータ診断支援装置の性能評価，開発ガイドライン 2015 (手引き)．2015．

（CAD 応用事例）

1. 胸部X線画像を対象としたAI-CAD
1) Monnier-Cholley L, et al：Eur Radiol 11：597–605, 2001．
2) Miyoshi T, et al：J Thorac Imaging 32(6)：398-405, 2017．
3) Kodama N, et al：Clin Imaging 51: 196-201, 2018．
4) Katsuragawa S, et al：Comput Med Imaging Graph 31: 212–223, 2007．
5) Alghamdi HS, et al：IEEE Access 9: 20235-20254, 2021．
6) Çalli E, et al：Med Image Anal 72, 2021．
7) Seah JCY, et al：Lancet Digit Health 3: e496-e506, 2021．
8) Schroeder JD, et al：Int J Chron Obstruct Pulmon Dis 15: 3455–3466, 2020．
9) Sato Y, et al：Biomedicines 10: 2323, 2022．

2. 乳房X線画像を対象としたCAD
1) Konz N, et al：JAMA Network Open 6：e230524, 2023．
2) Shimokawa D, et al：Rad Phys Technol 16：20-27, 2023．
3) Trang NTH, et al：Diagnostics 13：346, 2023．
4) Tan T, et al：Insights Imaging 14：10, 2023．
5) Ueda D, et al：JCO Precis Oncol 5：543-551, 2021．
6) Muramatsu C, et al：Proc SPIE IWBI 12286：122860Y, 2022．
7) Larsen M, et al：Eur Radiol 32：8238-8246, 2022．
8) Dahlblom V, et al：Eur Radiol 33：3754-3765, 2023．
9) de Vries CF, et al：Insights Imaging 13：186, 2022．

3. X線CT画像を対象としたCAD
1) Beyer F, et al：Eur Radiol 17(11):2941-2947, 2007．
2) Sluimer I, et al：IEEE Trans Med Imaging 25(4):385-405, 2006．
3) Lee Y, et al：Radiol Phys Technol 5(2):123-128, 2012．
4) Suzuki K：Int J Biomed Imaging 2012：792079, 2012．
5) Murchison JT, et al：PLoS One 17(5)：e0266799, 2022．
6) Venkadesh KV, et al：Radiology 300(2)：438-447, 2021．
7) Sasaki Y, et al：IJCARS 17(9):1651-1661, 2022．
8) Ziemlewicz TJ, et al：AJR 208(6)：1244-1248, 2017．
9) Lee Y, et al：IJCARS 2(2):105-115, 2007．
10) Takahashi N, et al：J Comput Assist Tomogr 34(5):751-756, 2010．

4. 歯科X線画像を対象としたCAD
1) Muramatsu C, et al：Proc SPIE Med Imaging 12465：1246539, 2023．
2) 村松千左子：歯科パノラマX線画像におけるディープラーニングを用いた歯と歯科補綴物の認識．補綴臨床増刊号．医歯薬出版，2023．
3) Lee JH, et al：J Dentistry 77：106-111, 2018．
4) Lee S, et al：Sci Rep, 11：16807, 2021．
5) Park EY, et al：BMC Oral Health 22：573, 2022．

5. MRI の CAD
1) Hayashi N, et al：Magn Reson Med Sci 2(1):29-36, 2003．
2) Arimura H, et al：Academic radiology Oct;11(10):1093-1110, 2004．
3) 小椋潤ほか：ベクトル集中度フィルタを用いた MRA 画像における脳動脈瘤の検出法．医用画像情報学会雑誌 24(2)：84-89, 2007．
4) Ueda D, et al：Radiology Jan;290(1):187-194, 2019．
5) Din M, et al：J Neurointerv Surg Mar;15

(3):262-271, 2023.
6) Chen G, et al：Eur Radiol 33(5): 3532-3543, 2023.
7) Chan HP et al：Br J Radiol Apr;93(1108): 20190580, 2020.
8) VSRAD. [cited 2023 04/03]; Available from: https://medical2.eisai.jp/products/vsrad/.

6．超音波画像を対象としたCAD
1) Kim SY, et al：Sci Rep 11：395, 2021.
2) Chen J, et al：Science 26：105692, 2023.
3) Xiang H, et al：Eur J Rad 138：109608, 2021.
4) Li H, et al：Comp Bio Med 156：106705, 2023.
5) AI's growing impact on echocardiography, https://cardiovascularbusiness.com/topics/cardiac-imaging/echocardiography/ais-growing-impact-echocardiography (accessed on Apr 11, 2023)
6) Nishida N, et al：Ultrasonography 42：10-19, 2023.

7．核医学を対象としたCAD
1) Sadik M, et al：J Nucl Med 49(12)：1958-1965, 2008.
2) Shiraishi J, et al：Med Phys 34(1)：25-36, 2007.
3) Shimizu A, et al：Int J CARS 15: 389-400, 2020. https://doi.org/10.1007/s11548-019-02105-x
4) Okuda K, et al：J Nucl Cardiol 18: 82-89, 2011.
5) 小保田智彦ほか：胸部X線画像との画像融合を用いたMIBG心筋シンチグラムにおける心臓縦隔比測定ソフトウェア開発の現状，総説．日本心臓核医学会誌19(1)：27-32，2017．
6) 小保田智彦ほか：Patlak plot法に基づく大脳平均脳血流量の自動解析法．電子情報通信学会技術研究報告 114(482)：115-118, 2015.
7) Fujita H, et al：J Nucl Med 33(2)：272-276, 1992.
8) Matsuda H, et al：Nucl Med Commun 28(3): 199-205, 2007.
9) Yamaguchi Y, et al：Proc. SPIE Medical Imaging 2016: Biomedical Applications in Molecular, Structural, and Functional Imaging, Vol.9788, 97881 V (March 29, 2016).
10) Minoshima S, et al：J Nucl Med 36: 1238-1248, 1995.
11) Lopresti BJ et al：J Nucl Med Dec;46(12):1959-72, 2005. PMID: 16330558.
12) Hara T, et al：PLoS One 10(5)：e0125713, 2015.
13) Takeda K, et al：Int J Comput Assist Radiol Surg 12(5)：777-787, 2017.
14) Nemoto M, et al：Phys Med Biol Sep 29;67(19), 2022. doi: 10.1088/1361-6560/ac9173. PMID: 36096113.
15) Teramoto A et al：Med Phys Jun;43(6):2821-2827, 2016. doi: 10.1118/1.4948498. PMID: 27277030.

8．放射線治療へのCAD応用
1) Arimura H：Image-based computer-assisted radiation therapy edited by Hidetaka Arimura, Springer Singapore, 2017.
2) Cui Y, et al：J Radiat Res Mar 10;62(2):346-355, 2021.
3) Mancosu P, et al：Phys Med Biol 67(16), 2021. doi: 10.1088/1361-6560/ac7e18.
4) 有村秀孝・角谷倫之編：レディオミクス入門．オーム社，2021．
5) Hadjiiski L, et al：Med Phys 50(2)：e1-e24, 2023. doi: 10.1002/mp.16188. Epub 2023 Jan 6.
6) Arimura H："Computer-assisted target volume determination" in Image-Based Computer-Assisted Radiation Therapy Edited by Hidetaka Arimura, Springer Singapore, 2017.
7) Gonzalez RC, Woods, RE：Digital Image Processing, 2nd edition, Prentice Hall, 2002.
8) 医用画像工学会監修：医用画像工学ハンドブック，医用画像工学会発行，pp414-435, 2012, 国際文献印刷所．
9) Moore KL：Semin Radiat Oncol 29(3):209-218, 2019.
10) Meyer P et al：Cancer Radiother 25(6-7)：617-622, 2021.
11) Haseai S, et al：Radiol Phys Technol 13(2):119-127, 2020.
12) Mori S. "Computer-assisted treatment planning approaches for carbon-ion beam therapy" in Image-Based Computer-Assisted Radiation Therapy Edited by Hidetaka Arimura, Springer Singapore, 2017.
13) Haga A. "X-ray image-based positioning" in Image-Based Computer-Assisted Radiation Therapy Edited by Hidetaka Arimura, Springer Singapore, 2017.
14) Borgefors G：IEEE Trans Pattern Anal Mach Intell 10:849-865, 2020.
15) Al-Hallaq HA, et al：Med Phys 49(4)：e82-e112, 2022.
16) Soufi M："Surface-imaging-based patient positioning in radiation therapy" in Image-Based Computer-Assisted Radiation Therapy Edited by Hidetaka Arimura, Springer Singapore, 2017.
17) Ishikawa M："Tumor tracking approaches" in Image-Based Computer-Assisted Radiation Therapy Edited by Hidetaka Arimura, Springer Singapore, 2017.
18) Nakamoto T："Visualization of dose distributions for photon beam radiation therapy during

treatment delivery" in Image-Based Computer-Assisted Radiation Therapy Edited by Hidetaka Arimura, Springer Singapore, 2017.
19) Nishio T. "Visualization of dose distributions for proton" in Image-Based Computer-Assisted Radiation Therapy Edited by Hidetaka Arimura, Springer Singapore, 2017.
20) Arimura H, et al：J Radiat Res Jan1;60(1):150-157, 2019.
21) Urakami A, et al：Prostate 82(3):330-344, 2022. doi.org/10.1002/pros.24278.
22) Kamezawa H, Arimura H：Phys Eng Sci Med Dec 5, 2022. doi: 10.1007/s13246-022-01201-8. Epub ahead of print.
23) Le QC et al：Sci Rep Dec 4;10(1):21301, 2020. doi: 10.1038/s41598-020-78338-7.
24) Ninomiya K, Arimura H：Phys Med 69: 90-100, 2020.
25) Ninomiya K, et al：PLoS One 16(1): e0244354, 2021. doi: 10.1371/journal.pone.0244354.
26) Ninomiya K et al：PLoS One Jan 31;17(1):e0263292, 2022. doi: 10.1371/journal.pone.0263292.
27) Kodama T, et al：Thorac Cancer Aug; 13(15): 2117-2126, 2022.

9. 検査支援のためのAI技術
1) Little KJ, et al：J Am Coll Radiol 14(2): 208-16,2016.
2) Li J, et al：Am J Roentgenol 188(2): 547–52, 2007.

第4編　医療情報論

■第1章　医療用モニタ
1) 鈴木八十二ほか：よくわかる液晶ディスプレイのできるまで, 日刊工業新聞社, 2005.
2) Samei E, et al：Med Phys 32(4): 835-1228, v-iv, 1229-1230, April 2005.
3) Bevins NB, et al：Display Quality Assurance, Report of the American Association of Physicists in Medicine (AAPM) Task Group 270, January 2019.
4) Bevins NB, et al：Med Phys 47(9): C1, i-vii, 3773-3776, e920-e950, 3777-4669, September 2020.
5) DICOM PS3 14：2023a, Digital Imaging and Communications in Medicine (DICOM) – Part 14：Grayscale standard display function.
6) JESRA X － 0093B-2017　医用画像表示用モニタの品質管理に関するガイドライン,（一社）日本画像医療システム工業会.
7) IEC62563-1　Ed.1.0：2009/AMD2:2021, Medical electrical equipment-Medical image display systems – Part1：Evaluation methods.

■第2章　医療情報の電子化と標準化
1) 一般社団法人日本医療情報学会：医療情報技師育成部会編：医療情報 第7版 医療情報システム編. 篠原出版新社, 2022.
2) 一般社団法人保健医療福祉情報システム工業会(JAHIS)編：医療情報システム入門　2023. 社会保険研究所, 2023.
3) 日本放射線技術学会, 奥田保男ほか編：放射線システム情報学. 改訂2版. オーム社, 2021.
4) 厚生労働省：医療情報システムの安全管理に関するガイドライン　第6.0版（令和5年5月）.
https://www.mhlw.go.jp/stf/shingi/0000516275_00006.html
5) 一般社団法人日本画像医療システム工業会(JIRA)：DICOM 規格最新英語版／翻訳版.
https://www.jira-net.or.jp/dicom/dicom_data_02_01.html
6) 日本放射線技術学会：JJ1017 Ver3.4, 2022.
https://www.jsrt.or.jp/97mi/content/jj1017.html

■第3章　医療情報システム
（病院情報システム(HIS)～放射線情報システム(RIS)）
1) 日本医療情報学会医療情報技師育成部会編：医療情報. 第5版, 医療情報処理技術編, 篠原出版新社, 2016.
2) 木原良彦：病院における医療情報システム. 技術士 5：8-11, 2009.
（遠隔医療）
1) 厚生労働省：令和2年(2020)医師・歯科医師・薬剤師調査の概況.
http://www.mhlw.go.jp/toukei/saikin/hw/ishi/20/dl/R02 1gaikyo.pdf
2) OECD：主要統計 コンピューター断層撮影機器(CTスキャナー).
https://www.oecd.org/tokyo/statistics/ct-scanners-japanese-version.htm
（検像システム）
1) 日本放射線技術学会：画像情報の確定に関するガイドライン. 第2.1版.
https://www.jsrt.or.jp/97mi/content/guideline_guideline_ver2.1.pdf
（情報セキュリティと個人情報）
1) 日本医療情報学会医療情報技師育成部会編：医療情報. 第5版. 医療情報システム編. 篠原出版新社, 2016.
2) 厚生労働省：医療情報システムの安全管理に関するガイドライン. 第5版, 2017.
3) 個人情報保護委員会：個人情報保護に関する法律.
https://www.ppc.go.jp/personal/legal/

和文索引

アナログ信号　4
アパーチャ効果　9
アモルファス・セレン　27
アモルファス・シリコン薄膜トランジスタ　26
アルファブレンディング　112

イメージングプレート　25
インターラクティブCAD　128
インパルス信号　16
インポータ　203
位相伝達関数　50
位置不変性　52
医療情報　185
医療情報の安全管理　206
医療情報の電子化　185
医療情報の電子保存　185
医療用モニタ　178
医療用画像管理システム　194

ウィーナー・ヒンチンの定理　60
ウィナースペクトル　59
ウイルス対策ソフト　208
ウインドウイング処理　88
ウインドウレベル　88
ウインドウ処理　88
ウインドウ幅　88
ウェーバー・フェヒナーの法則　5
ウェーブレット変換　105
受入試験　182

え

エキスパートシステム　125
エッジ　93
エッジ検出　93
エッジ広がり関数　49
エッジ法　49, 51
エリアシング　10
エリアシングエラー　10, 51, 52
エリアシング雑音　10
エントロピー　102
エントロピー符号化　102

液晶ディスプレイ　178
遠隔医療　204

オーダエントリシステム　185, 195
オーバーオールMTF　56
オープニング　97
オフセット補正　29
オミクス研究　143
重み係数　134
折り返し雑音　10

か

カブリ　42
ガウシアンフィルタ　91
ガンマ　42
ガンマカメラ　167
可逆圧縮　102
加算処理　99
加算平均投影法　114
加重平均フィルタ　91
仮想血管内視鏡　117
仮想大腸内視鏡　115
仮想内視鏡　114
仮想病理標本展開画像　116
過学習　138
画質　47
画素　6, 86
画素ピッチ　180
画像圧縮　103
画像間演算　99
画像工学技術　171
画像再構成処理　36
画像表示端末　203
画像分類　139
開口率　9
階層型ANN　134
階調処理　88
階調数　5
階調度　42
階調特性　180
階調変換曲線　88
解像度　180
解像特性　25, 40, 47
解像力　47
核医学画像を対象としたCAD　167

学習係数　136
活性化関数　134
患者位置決め支援　172
間接型FPD　28
間接造形法　123
感受性　66
感度　44, 146
寛容度　43

き

希土類蛍光体　28
輝度　179
輝度均一性　180
輝度計　183
機械学習　132
偽陰性　67
偽陽性　67, 146
逆フーリエ変換　14
距離の逆二乗則　21, 44
距離法　44
胸部単純X線画像　149
胸部X線画像を対象としたAI-CAD　149
強化学習　132
強制選択手続き　70
教師あり学習　132
教師なし学習　132

クラス分類　148
クロージング　97
グリッド　31
グレイレベル数　5
グレースケール標準関数　203
矩形波　16
矩形波チャート　49
矩形波チャート法　51
空間フィルタ処理　90
空間周波数　12, 50
空間周波数フィルタ処理　95
空間周波数解析　47
空間周波数特性　50
空間分解能　47
繰り返し代入法　147

221

ゲイン補正　29
形状モールド法　122
形状露出法　122
蛍光体　24，28
経時差分処理　149
経時的差分像技術　99
決定木　133
見読性　186
検査支援のための AI 技術　173
検出量子効率　28，74
検像　205
検像システム　205
減算処理　99
減弱　22

こ

コントラスト　40
コントラスト - ノイズ比　82
コントラスト比　51，180
コントラスト法　51
コンピュータウイルス　206
コンピュータウイルス対策　208
コンピュータ支援検出　125
コンピュータ支援診断　125
コンボリューション再構成　37
コンボリューション積分　18
個人情報保護　208
誤差逆伝播法　136
誤報確率　66
光学伝達関数　50，51
光電子増倍管　25
光電変換素子　28
光量子ノイズ　25
交差検証法　147
厚生労働省標準規格　186
高速フーリエ変換　95
構造ノイズ　28
構造モトル　58
構造的類似性　142
合成 ESF　54
合成 LSF　53
骨シンチグラム　168
混同行列　139

サーフェスレンダリング法　109
サポートベクターマシン　133
サンプリングアパーチャ　9

サンプリング間隔　5
座標変換　97
最近傍法　97
最高濃度　42
最大値投影法　113
最低濃度　42
裁断エラー　53
撮像系　20
雑音等価量子数　74
散乱線　22

システムコントラスト伝達関数　78
システム更新　200
シンチグラフィ　167
しきい値処理　96
支援診断　125
視覚系　20
歯科 X 線画像を対象とした CAD　161
紫外線硬化樹脂噴射法　120
自己相関関数　59
自動診断　125
自律型 AI 型　128
色度均一性　180
色度計　184
識別 AI　130
写真濃度　42
弱教師あり学習　133
従来型　125
従来型 CAD　127
除算処理　100
照度計　184
条件付確率密度関数　66
乗算処理　99
情報　101
情報セキュリティ　206
情報理論　101
情報量　101
心筋シンチグラム　168
心理的粒状度　57
信号検出理論　65
信号差対雑音比　57
信号対雑音比　57，65，99
真の陰性　67
真の陽性　66
真陰性率　146
真正性　186
真陽性　146
真陽性率　146

振幅線スペクトル　14
振幅伝達関数　50
振幅比　51
深層ニューラルネットワーク　136
深層学習　132
人工ニューラルネットワーク　132
人工ニューロン　134
人工知能　125，131
人的安全対策　207

ステップファントム　77
スリット法　51

セカンドリーダー型 CAD　126，128
セグメンテーション　140
センシトメトリー　44
センター配置　52
正規化ノイズパワースペクトル　60
生成 AI　130
生体ニューロン　133
制動放射　21
制動 X 線　21
線形性　15，52
線形判別分析　133
線形変換　15
線形補間法　97
線像強度分布　48，51
線広がり関数　48
鮮鋭化　92
鮮鋭化処理　92
鮮鋭性　40
鮮鋭度　40
全結合層　137

ソーベルフィルタ　94
組織的安全管理対策　207
走査　4
相互結合型 ANN　134
相対感度　43
相反則不軌　46
増感紙　24，42
増感紙 - フィルムシステム　42
増感紙モトル　58
像構造　47
臓器モデル　119

タイムスケール法　45
ダイナミックレンジ　4
多重解像度表現　105
多断面再構成法　109
多列スキャン　37
体軸方向の空間分解能　82
対称性　15
第Ⅰ種の誤り　67
第Ⅱ種の誤り　67
畳み込みニューラルネットワーク
　136
畳み込み積分　18，95
畳み込み層　137

チェッカーボード効果　6
治療計画立案支援　172
注意機構　136
超音波画像を対象としたCAD　165
直接造形法　121

て

テストチャート　47
テレカンファレンス　204
テレダーマトロジー　204
テレパソロジー　204
テレラジオロジー　204
ディープラーニング　126，132，
　136
データ拡張　139
デジタルブレストトモシンセシス
　33，79
デジタルマンモグラフィ　32，152
デジタル化　4
デジタル撮像　24
デジタル信号　4
デジタル特性曲線　44
デジタルWS　60
デルタ関数　16
デルタ関数列　17
低コントラスト検出能　82
定常性　48
的中確率　66
適合性宣言　202
敵対的生成ネットワーク　136，142
点像強度分布　48，51
点広がり関数　48
転移学習　138

電子カルテシステム　195
電子保存　207
電子保存の三原則　207

トモシンセシス　33
トランケーションエラー　53
投影データ　34
投影切断面定理　35
統計的決定理論　65
等方性　48
同時リーダー型CAD　128
特異性　67
特異度　146
特性曲線　42

ナイキストの定理　10
ナイキスト周波数　10
内部構造再現法　122

ニューラルネットワーク　131
乳癌のサブタイプ分類　153
乳房デジタルトモシンセシス　152
乳房MRI-CAD　163
乳房X線画像　152
乳房X線画像を対象としたCAD
　152
乳房X線撮像装置　30

熱溶融積層法　121

ノイズ特性　40，57
脳血流シンチグラム　169
濃度ウインドウ処理　38，88
濃度プロファイル　87
濃度変換曲線　88
濃度補間　97

ハイパスフィルタ　95
ハフマン符号化　102
バーガーファントム　73
バイキュービック補間法　99
バウンディングボックス　141
バンドパスフィルタ　95
パーシバルの定理　15

パブリッシャ　203
パワースペクトル　14
白色スペクトル　17
半ピクセルシフト配置　52
半教師あり学習　133

ヒール効果　21
ヒストグラム　86
ヒストグラム平坦化　89
ヒストグラム変換　89
ビームハードニング　23
ピーク信号対雑音比　142
ピクセル　6，86
ピクセル値　5，86
比感度　43
否定確率　67
非可逆圧縮　102
光造形法　120
評定手続き　65，69
標本化　4
標本化定理　10
病院情報システム　194，195
病名標準コード　187
広がり関数　48

ファーストリーダー型CAD　128
ファインチューニング　139
フィルタ補正逆投影法　36
フーリエ級数展開　12
フーリエ変換　14，95
フーリエ変換法　36，51
ブーツストラップ法　45
ブロックノイズ　104
プーリング層　137
プリサンプルドMTF　52
プレヴィットフィルタ　93
プロファイル　87
不変性試験　182
符号化　102
物体検出　141
物品管理　198
物理的安全対策　207
物理的粒状度　57
粉体造形法　121

ヘリカルスキャン　37
ベイズの決定則　67

平滑化　90
平均階調度　43
平均情報量　102
平均値フィルタ　90
変調伝達関数　50
変分オートエンコーダ　142

ホールドアウト検証法　147
ボケマスク処理　92
ボリュームデータ　108
ボリュームレンダリング法　110
保存性　186
放射線画像検査予約管理　197
放射線検査実施管理　197
放射線検査進捗状況管理　197
放射線検査統計業務　198
放射線情報システム　194, 197
放射線治療へのCAD応用　171

マイクロデンシトメータ　59
マトリックスサイズ　6
マルウェア　206
マルチモーダルシステム　152
マルチモダリティ　2
マンモグラフィ　30, 152
マンモグラフィ専用X線撮影装置　30
マンモグラフィ装置　30
前処理　29

ミス確率　67

メタアノテーション法　123
メディアンフィルタ　91
雌型法　123
面内の空間分解能　81

モアレ　10
モスキートノイズ　104
モダリティ　2
モトル　58
モリブデン　30
モルフォロジカルフィルタ　96

薬品標準コード　186

尤度関数　68

ヨウ化セシウム蛍光体　28
予後予測支援　173

ラチチュード　43
ラプラシアンフィルタ　92
ラベリング　96
ラベル画像　96
ランダムフォレスト　133
ランプフィルタ　36
ランレングス符号化　102
らせん状　37

リカレントニューラルネットワーク　136
離散コサイン変換　103
離散フーリエ変換　17
粒状性　40
粒状度　40
量子モトル　40, 75
量子化　4, 5
量子化レベル数　5
量子化誤差　5, 53
量子化雑音　5
領域抽出支援　172
領域分割　140
隣接差分　55

ルールベース　125
ルックアップテーブル　88

レイキャスティング法　111
レスポンス関数　49
レディオミクス　172, 173
連続確信度法　65, 70

ローパスフィルタ　95
ロストワックス法　123
ロバーツフィルタ　93

欧文索引

数字

1次元信号の畳み込み積分　18
1次微分フィルタ　93
2肢強制選択　71
2次元シンチグラフィ　167
2次元信号の畳み込み積分　19
2次微分フィルタ　94
2値画像　96
3Dプリンティング　118, 121

ギリシャ文字

γ　42

A

A/D　4
A/D 変換器　25
ACR 推奨ファントム　77
AI　125, 131
AI-CAD　126, 127
ANN　132, 133
APMF　159
artificial intelligence　125
a-Se　27
a-Si　27

B

bone suppression 画像　149

C

CAD　125
CADa/o　129
CADe　125, 129
CADt　129
CADx　129
CAP　129
CDMAM ファントム　77
C-D ダイアグラム　65, 73
ChatGPT　130
CNN　136
CNR　82
computed radiography　25
CR　25, 43
CS　202
CsI:Tl　28
CTC　114

CTV　172
CT コロノグラフィ　114
CT 画像の画質評価　80
CT 装置　34
CT 値　37

D

DBT　33, 79, 152
DCT　103
DICOM　189
DICOM タグ　190
DICOM 規格　200
DM　152
DNN　136
DQE　28, 74
DR　43

E

ESF　49

F

flat-panel detector　26
FN　146
FP　146
FPD　26, 43
FROC　146
FROC 曲線　146

G

GAN　136, 142
$Gd_2O_2S:Tb^{3+}$　28
GOS　28
GSDF　179, 181, 203
GTV　172

H

H-D 曲線　42
HIS　194
HL7　192, 200
HOT コード　187
Hounsfield unit　37
HO 法　147
HU　37

I

ICD-10　187

IHE　193
imaging plate　25
IoU　142
IP　25
IPS 方式　179

J

JESRA　182
JJ1017　187
JND　181
JPEG 圧縮　103

K

KCV 法　147
K 分割交差検証法　147

L

LCD　178
LDA　133
Leave-One-Out 交差検証法　147
LED　178
LOO 法　147
LSF　48
LSTM　136
LUT　88

M

Mask R-CNN　141
MEDIS 標準マスター　189
MIP　113
Mo　30
modality　2
mottle　58
MPPS　192, 200
MPR　109
MRI　163
MRI-CAD　164
MRI の CAD　163
MTF　25, 50, 51
MWM　191, 200

N

NEQ　74

O

OTF　50, 51

P

PACS 194, 200
PACS サーバ 201
PDI 195
PET 167, 171
PMT 25
PSF 48
PSNR 142
PTF 50

R

radiomics 143, 173
RaySum 114
RB 法 147
RIS 194, 197
RMS 57
RMS 値 5
RMS 粒状度 59
ROC 146
ROC 曲線 65, 68, 146

S

SCP 191
SCTF 78
SCU 191
SDNR 57
sinc 関数 16
SINC 補正 55
SNR 57, 99
SOP 191
SPECT 167, 169
SR 109
SSIM 142
SVM 133

T

TFT 27, 178
TN 146
TNF 146
TN 方式 179
TP 146
TPF 146

V

VAE 142
VA 方式 179
VBM 164
VC 115
VR 110

W

WADO 203
WL 88
WS 57, 59
WW 88

X

X 線 CT 画像を対象とした CAD 156
X 線 CT 装置 34
X 線スペクトル 22
X 線平面検出器 26
X 線用解像力テストチャート 47
X 線量子ノイズ 58
X 線量子ノイズ 25
X 線量子モトル 58

Y

yes-no 手続き 65, 69

Z

z-score mapping 159

新・医用放射線科学講座
医療画像情報工学 第2版　　ISBN978-4-263-20653-9

2018年 2 月25日　第1版第1刷発行（新・医用放射線科学講座 医用画像情報工学）
2021年 1 月10日　第1版第4刷発行
2023年11月10日　第2版第1刷発行（改題）

　　　　　　　　編　者　寺　本　篤　司
　　　　　　　　　　　　藤　田　広　志
　　　　　　　　発行者　白　石　泰　夫
　　　　　　　　発行所　医歯薬出版株式会社
　　　　　　　　〒113-8612　東京都文京区本駒込1-7-10
　　　　　　　　TEL.（03）5395―7640（編集）・7616（販売）
　　　　　　　　FAX.（03）5395―7624（編集）・8563（販売）
　　　　　　　　https://www.ishiyaku.co.jp/
　　　　　　　　郵便振替番号 00190-5-13816

乱丁，落丁の際はお取り替えいたします　　印刷・あづま堂印刷／製本・榎本製本
　　　　　　© Ishiyaku Publishers, Inc., 2018, 2023. Printed in Japan

本書の複製権・翻訳権・翻案権・上映権・譲渡権・貸与権・公衆送信権（送信可能化権を含む）・口述権は，医歯薬出版（株）が保有します．
本書を無断で複製する行為（コピー，スキャン，デジタルデータ化など）は，「私的使用のための複製」などの著作権法上の限られた例外を除き禁じられています．また私的使用に該当する場合であっても，請負業者等の第三者に依頼し上記の行為を行うことは違法となります．
JCOPY ＜出版者著作権管理機構 委託出版物＞
本書をコピーやスキャン等により複製される場合は，そのつど事前に出版者著作権管理機構（電話 03-5244-5088, FAX 03-5244-5089, e-mail：info@jcopy.or.jp）の許諾を得てください．